VOZES
SILENCIOSAS

TOREY HAYDEN

VOZES
SILENCIOSAS

Tradução de
Ana Lourenço

EDITORIAL PRESENÇA

FICHA TÉCNICA

Título original: *Overheard in a Dream*
Autora: *Torey Hayden*
Copyright © 2008 by Torey Hayden
Tradução © Editorial Presença, Lisboa, 2011
Tradução: *Ana Lourenço*
Capa: *Vera Espinha/Editorial Presença*
Composição, impressão e acabamento: *Multitipo — Artes Gráficas, Lda.*
1.ª edição, Lisboa, Março, 2011
Depósito legal n.º 323 927/11

Reservados todos os direitos
para a língua portuguesa (excepto Brasil) à
EDITORIAL PRESENÇA
Estrada das Palmeiras, 59
Queluz de Baixo
2730-132 BARCARENA
E-mail: info@presenca.pt
Internet: http://www.presenca.pt

CAPÍTULO UM

O menino era tão pálido que fazia lembrar um fantasma. Um espectro. Algo insubstancial que se desvaneceria. Era pequeno para nove anos, magro e de estrutura delicada. O seu cabelo era pálido como o luar, muito fino, muito liso. A sua pele era leitosa com um aspecto translúcido, como cera. Essa coloração significava que à distância ele parecia não ter sobrancelhas e pestanas, e isso apenas enfatizava a sua aparência efémera.

— Miau? — fez o menino.

— Olá, Conor — respondeu James. — Não queres entrar?

— Miau?

À volta da cintura trazia várias voltas de cordel envolvidas em pedaços de folha de alumínio. Quatro destes caíram no chão atrás dele. Ele agarrou num gato de brincar pelas patas traseiras. Estendendo o gato à frente dele, como se fosse um *scanner*, fê-lo girar lentamente, apontando-o para cada canto da sala. Então começou a fazer um estranho barulho mecânico, uma espécie de engrenagem, «ehhh, ehhh, ehhh, ehhh», ou de metralhadora lenta. Em seguida, começou um novo som, um suave zumbido. «Uarrrr. Uarrr. Uarrrr.» Entrou no aposento apenas o suficiente para permitir que Dulcie empurrasse os cordéis para a frente com o pé e fechasse a porta.

A criança evitou olhar para James. Os seus olhos moviam-se nervosamente de um lado para o outro. Uma mão apareceu ao lado do seu rosto e ele agitou-a freneticamente.

— Uarrr — fez de novo.

James levantou-se da cadeira para encorajar o rapaz a entrar mais na sala, mas ele reagiu com pânico, apontando o gato para James como uma arma.

— O gato sabe! — exclamou.

James parou.

— Não gostas que me aproxime de ti.

— Ehhh-ehhh-ehhh-ehhh. Uarrr. Uarrr.

— Queres que volte a sentar-me.

— Uarrrr.

— Tudo bem — disse James calmamente e voltou para a cadeira ao lado da pequena mesa para se sentar. — Aqui podes decidir como serão as coisas.

Conor permaneceu em pé junto à porta. Olhou para James com cuidado, ou pelo menos foi assim que James interpretou o seu comportamento, porque nunca os olhos de Conor encontraram os seus. Em vez disso, o rapazinho rolou os olhos para a frente e para trás repetidamente, como se tivesse nistagmo[1], mas James percebeu que era simplesmente um método de obter informações sem contacto visual. Em seguida, estendeu de novo o gato e avançou mais um passo para a sala. Ainda a segurar firmemente o gato pelas patas traseiras, levantou-o e baixou-o como se estivesse a analisar o corpo de James.

— O gato sabe — sussurrou ele.

A sala de ludoterapia era espaçosa e pintada de amarelo-pálido, uma cor que James tinha escolhido porque o fazia pensar no Sol. Não que isso fosse realmente necessário, já que havia geralmente um excedente de sol a entrar pelas grandes janelas viradas para leste e, no calor do Verão, a sala fazia lembrar o Sara. No entanto, a cor agradava-lhe.

Tal como a própria sala. James tinha escolhido com cuidado todos os brinquedos e os outros objectos da sala. Sabia exactamente o que pretendia criar na ludoteca: um lugar onde nada pudesse constranger uma criança, onde nada parecesse demasiado frágil ou demasiado elegante para ser tocado, onde tudo convidava a brincar. Quando descreveu pela primeira vez a Sandy como queria criar uma sala de jogos, ela comentara que ele próprio nunca tinha crescido, que era a sua própria infância que tentava equipar. Havia sem dúvida alguma verdade nisso,

---

[1] Sucessão de movimentos rítmicos, involuntários e conjugados, dos globos oculares, constituídos pela alternância de oscilações rápidas. Também pode ser natural. (*N. da T.*)

uma vez que o rapaz faz o homem, mas o que ela não percebera fora que aquelas eram também as ferramentas do seu ofício e que simplesmente ele queria o melhor.

Com muito cuidado, Conor começou a mover-se à volta da sala. Segurando o gato à frente dele como uma vara de vedor, avançou no sentido dos ponteiros do relógio, mantendo-se muito perto das paredes. O nariz do gato tocou os móveis, as prateleiras, os vários brinquedos ao longo do caminho. «Miau? Miau?», murmurou enquanto avançava. Foi tudo o que disse.

Tendo circum-navegado a sala uma vez, Conor começou imediatamente uma segunda volta. Havia uma estante de livros baixa do lado direito, onde James tinha muitos dos brinquedos mais pequenos. Em cima da estante havia cestas de arame cheias de papel de construção, cola, cordel, autocolantes, selos, fios, lantejoulas e outras bugigangas para fazer quadros.

— Uarrr. Uarrr. Uarrr. Miau?

— Se quiseres, podes tirar essas coisas das cestas — disse James. — Tudo nesta sala é para brincar. Todas as coisas são para tocar. Nesta sala, tu decides.

— Miau? — respondeu a criança.

A direcção em que Conor se movia significava que se aproximava de James por trás. Da primeira vez passara por James a uma grande distância. Desta vez, Conor abrandou quando se aproximou.

— Uarrr. Uarrr. Ehhh-ehhh-ehhh-ehh.

James manteve-se imóvel para não assustar o rapaz.

— Uarrrr — sussurrou atrás dele.

A respiração da criança era rápida e superficial, fazendo lembrar o arfar de um cão. Depois veio o toque muito ao de leve do gato contra a nuca de James. Com uma rapidez *staccato*, tocou-lhe e a seguir afastou-se. O menino zuniu. O nariz do gato voltou, tão leve que só aflorou os pêlos na pele de James.

— Miau?

James voltou a cabeça e houve um breve momento de contacto visual entre eles. James sorriu.

— O gato sabe — sussurrou a criança.

* * *

Achando que alguém tão conhecido como Laura Deighton não gostaria de se sentar na sala de espera com os pacientes do Dr. Sorenson, Dulcie levara-a para o gabinete de James, onde ficaria à espera dele. James não esperara isso. Um lampejo de alarme passou pelos seus olhos quando Dulcie lhe disse, porque, naturalmente, Laura Deighton iria ver que ele tinha os seus livros na prateleira e, muito compreensivelmente, partiria do princípio de que ele os lera.

James não era um fã de Laura Deighton. Conhecia os seus livros apenas pelo que tinha lido sobre eles na *New York Times Book Review*, que eram «complexos», «profundos» e, pior, «literários», o que, sabia James, eram eufemismos para pretensiosos e/ou ilegíveis. No entanto, Laura Deighton nascera naquele canto do Dacota do Sul, e, como James era um recém-chegado e, portanto, um estranho, estava ciente da necessidade de mostrar respeito pelos ícones locais. Por isso, tinha comprado os livros — em capa dura, até — e colocara-os em posição de destaque na estante do seu gabinete para demonstrar a sua lealdade local. Tencionava lê-los um dia. Só que ainda não tivera oportunidade.

No entanto, quando entrou no gabinete, James descobriu que a atenção de Laura Deighton não estava centrada em livros. Encontrava--se de pé ao lado da janela, interessada em alguma coisa lá fora. Não se virou imediatamente.

— A Dulcie manterá o Conor ocupado uns momentos para que possamos conversar — disse James. Indo para a sua secretária, pousou as pastas e o seu bloco. Ajeitou o casaco e endireitou a gravata. Só então Laura Deighton desviou finalmente a atenção da janela.

Era uma mulher de aspecto normal. De meia-idade, com o cabelo castanho-claro, consequência de uma infância loira, e olhos que não eram realmente de nenhuma cor em particular, nem castanhos nem verdes, poderia ter sido confundida com uma mulher comum no supermercado, qualquer uma dessas mulheres de certa idade que ficam um pouco moles na cintura, um pouco flácidas aqui e ali, que não se destacam por nenhum motivo.

As suas roupas, reparou James, não eram realmente apropriadas para a situação. Não era que não tivessem estilo. Eram demasiado informais para uma primeira reunião daquele tipo, mesmo pelos padrões informais do Dacota do Sul. Calças de ganga... OK, talvez fosse possível vestir calças de ganga se se tivesse vinte e sete anos e pernas compridas, ou se fossem de uma marca da moda e elegantes, mas as calças de ganga de Laura Deighton eram de uma marca barata preferida pelos rancheiros locais. A camisa branca era normal e o casaco de *tweed* não era nem largo nem apertado. Não usava jóias e tinha pouca maquilhagem. Depressão?, perguntou-se James. Ou talvez fosse assim que se vestiam os génios criativos.

James sentiu uma ligeira decepção ao vê-la. Esperara uma certa aura de *glamour* em torno dela, alguma presença, que tornaria impossível confundir aquele gigante literário, nascido entre os campos de milho do Midwest. Na verdade, não havia nada.

— Sente-se — disse ele. Indicou com um gesto amplo o sofá e as cadeiras.

Laura ignorou-o. Aproximou-se, estendeu a mão para apertar a dele e, em seguida, sentou-se na cadeira ao lado da secretária.

— Estou-lhe grata por ter acedido a ver o Conor tão em cima da hora.

Seguiu-se silêncio. James preferia deixar o cliente dar o tom da entrevista, portanto nunca começava por fazer perguntas. Isso não pareceu desanimá-la, como desanimava alguns pais, mas ela estava, obviamente, a antecipar perguntas. Olhou para ele com ar expectante.

Como ele não falou, ela disse mais uma vez:

— Obrigada por ter acedido a ver o Conor tão em cima da hora. O pediatra dele, o doutor Wilson, da clínica, recomendou que o trouxéssemos cá. Disse que o senhor veio de Manhattan, que exercia lá.

— Sim — confirmou James.

— Falou muito bem de si. Disse que esteve num consultório muito conhecido em Nova Iorque e que para ter sido sócio lá deve ser um médico bastante conceituado. — Ela riu-se. — E posso-lhe dizer que, vindos do doutor Wilson, são grandes elogios.

— Fico-lhe grato pela recomendação — respondeu James —, mas tenho a certeza de que também existem muito bons profissionais por aqui.

Silêncio. Ela olhou de novo expectante para James. Como ele continuou calado, ela disse:

— Até agora tivemos o Conor na Avery School. Em Denver. Já ouviu falar dela?

— Não a conheço bem — respondeu James. — Só cá estou desde Fevereiro, mas o doutor Sorenson falou-me nela.

11

— Têm um programa comportamental bem estruturado. Chama-se «repadronização». A escola tem uma excelente reputação de êxito em socializar crianças severamente autistas.

Uma pausa.

— No entanto — continuou ela com um leve sarcasmo —, talvez isso seja apenas porque fazem aos fracassos o que nos fizeram a nós. Recebemos uma carta inesperada a dizer que não queriam o Conor lá este Outono. Que sentiam que a Avery não era «útil para as suas necessidades». Estava maravilhosamente redigida. Como se fosse culpa deles as coisas não terem funcionado, quando sabemos que queriam dizer precisamente o contrário. Que acham que temos uma criança estranha. Então aqui estamos sem nenhum lugar para onde mandá-lo. Completamente encalhados.

James olhou para Laura com atenção. Tinha dificuldade em ler a sua expressão. À primeira vista, parecia frontal, mas as suas palavras e linguagem corporal não davam a entender nenhum do habitual subtexto. Estava imóvel numa pose relativamente neutra, que não era nem aberta nem fechada. Estabelecia bom contacto visual, embora não excelente. O seu tom de voz era regular, mas não muito matizado.

A sua incapacidade de recolher dela informação mais intuitiva surpreendeu James. Preparara-se para outros desafios ao conhecer Laura Deighton. Iria a fama dela enervá-lo, por exemplo? Ou, mais provavelmente, iria sentir uma antipatia imediata por ela? Os literatos que ele conhecia em Manhattan eram pomposos e egocêntricos, e ele odiava essas características. Quando soube que ela ia lá, deu por si a sentir alguma gratificação pelo facto de nunca ter realmente lido nenhum dos seus livros. Mas o vazio dela era inesperado. Não havia um subtexto discernível. Era aí que James estava habituado a fazer toda a sua «leitura», onde obtinha informação sobre os clientes, ali naquele espaço intuitivo abaixo das palavras e dos gestos. Com Laura Deighton era como se esse espaço não existisse.

— O Conor sempre esteve em regime de internato? — perguntou ele por fim. — Não encontrou programas adequados a nível local?

— Tem de ser. O nosso rancho fica fora de Hill City. Não seria possível percorrermos com ele uma grande distância todos os dias.

— O doutor Wilson foi claro a respeito do tipo de terapia que faço? — inquiriu James. — Porque, se eu aceitar o Conor, esperarei vê-lo três vezes por semana.

As sobrancelhas elevaram-se ligeiramente, embora talvez não ao ponto de a expressão poder ser interpretada como surpreendida.

— Sou pedopsiquiatra — continuou James. — O que prefiro fazer com as crianças que vejo é ludoterapia tradicional e isso significa tê-los aqui numa base muito regular.

Ela ficou em silêncio um longo momento.

— Não. Não tinha percebido que era isso que o senhor fazia. Então, talvez não seja adequado. O Conor é autista. Sei que antigamente era comum enviar miúdos autistas aos psiquiatras, mas, naturalmente, compreendemos agora que não é uma condição psiquiátrica. É neurológica. Consequentemente, sempre tivemos o Conor em tratamentos baseados no comportamento, porque essa é a forma comprovada de ensinar crianças como ele a viver normalmente.

— O doutor Wilson explicou-lhe as razões por que pensou que poderia ser útil para o Conor vir para cá? — perguntou James.

— Não, ele apenas o sugeriu. — Ela fez uma pausa. O seu silêncio era primeiro expectante, depois prolongou-se e tornou-se mais indistinto.

Então, sem aviso, a máscara caiu. Os ombros curvaram-se num gesto de desespero.

— Provavelmente só porque estou tão desesperada. Sei que estou a deixar o doutor Wilson louco com os meus telefonemas. É que o Conor é tão difícil. Está em casa há um mês e já começou a destruir-nos.

James ficou cheio de pena dela. Inclinou-se na sua direcção, os braços cruzados sobre a secretária, e sorriu tranquilizador.

— Sim, posso compreender. As crianças como o Conor podem ser muito exigentes — disse ele suavemente. — Não se preocupe.

Os músculos do maxilar dela contraíram-se. Não estava chorosa, mas James sabia que estava naquele momento imediatamente antes das lágrimas.

— Porque não me fala um pouco de como é o Conor em casa? — sugeriu ele. — Isso dar-nos-ia uma melhor ideia se a vinda dele para aqui seria apropriada.

Os olhos de Laura encheram-se de lágrimas.

Ele sorriu com ternura e inclinou-se para empurrar uma caixa de lenços na direcção dela.

— Não se preocupe. Este é um momento muito difícil. A maioria dos pais fica muito perturbada.

— É que... é um pesadelo tão *grande*. Como um desses pesadelos em que continuamos a fazer a mesma coisa repetidamente e nunca funciona, nunca dá em nada.

Ela pegou num lenço de papel. As lágrimas não se tinham materializado, de modo que ela o amarfanhou firmemente no seu punho. James pressentia que ela estava a sentir-se bastante perturbada nesse momento, que o autodomínio era um problema enorme, mas, ao mesmo tempo, o fardo do filho era tão grande que ela precisava desesperadamente de ajuda.

— O Conor é o seu único filho?

— Não. Também temos uma filha, de seis anos.

— Quando começaram os problemas do Conor? — perguntou James.

Laura soltou um longo suspiro.

— Quando tinha cerca de dois anos. Parecia bem quando ainda era bebé, embora seja difícil saber com o primeiro filho. Havia coisas com que eu me tinha sempre preocupado. Ele era muito agitado, por exemplo. Se aparecêssemos por detrás dele ou houvesse um grande barulho, assustava-se sempre imenso. O doutor Wilson disse que era apenas uma questão de temperamento, que isso indicava simplesmente que ele era uma criança sensível e que não me devia preocupar com isso. De resto, foi um bom bebé. Dormia bem. Não teve cólicas nem nada.

— Achou que se desenvolveu normalmente?

— Sim. — A sua voz tinha um tom quase lamuriento de perplexidade e James perguntou a si mesmo quantas vezes ela tivera de dar aqueles pormenores. Ou fora impedida de os dar. Naquela era de seguros e de prestações de contas, havia muitas vezes pouco tempo gasto na recolha de histórias psicossociais para além do que era necessário para prescrever o medicamento adequado. James descobrira que ouvir atentamente a versão dos acontecimentos inicial dos pais era uma das coisas mais valiosas a fazer, não só pela informação concreta que fornecia para a construção de um quadro dos problemas da criança, mas também como uma forma de cimentar a crucial relação com os pais, porque muitas vezes se sentiam desesperados e ignorados.

«O Conor sempre foi tímido — disse Laura. — Chorava facilmente. Preocupava-se com as coisas. Mesmo em criança, bem pequeno. Mas era muito inteligente e interessado nas coisas. Começou a falar cedo. Com um ano já conseguia dizer diversas palavras.

— Então diz que as dificuldades começaram a aparecer depois de ele fazer dois anos?

Torcendo o lenço entre os dedos, Laura concordou.

— Tudo começou quando ele se tornou muito dependente. Sempre tivera uma tendência para isso, mas de repente ficou muito pior. Nunca me permitia sair fora da sua vista. Eu não podia sequer ir à casa de banho sem ele. Começou a ter umas birras terríveis. O doutor Wilson continuava a dizer-nos para não nos preocuparmos. Os miúdos têm ataques de fúria nessa idade, dizia ele, mas acho que ele não percebeu a intensidade deles. O Conor ficava agitadíssimo e fazia coisas como rasgar o papel de parede com as unhas. Para complicar as coisas, foi nessa altura que engravidei da Morgana e foi uma gravidez difícil. Tive alguns problemas sérios de saúde. E estávamos com dificuldades financeiras, o que significou uma gravidez não muito oportuna... não tinha sido planeada... portanto havia muita coisa a acontecer.

— Consegue descrever o comportamento do Conor um pouco mais pormenorizadamente? — perguntou James.

— Ele ficou realmente muito, muito agitado. Não dormia. Era capaz de ficar dias sem dormir. O que, com um recém-nascido... — Ela soltou um suspiro derrotado. — E os gritos começaram. Ele estava sentado, a brincar normalmente com os seus brinquedos, e de repente ficava em pânico e começava a gritar. Estivera num programa da creche dois dias por semana, mas tivemos de o tirar de lá porque o seu comportamento perturbava muito as outras crianças. A escola não quis mantê-lo. — Pousou a mão sobre os olhos durante um momento, num gesto de desespero, e, em seguida, esfregou o rosto. — Era tão angustiante viver com ele. Por fim, o doutor Wilson arranjou-lhe uma consulta na unidade pediátrica do hospital universitário de Sioux Falls para ser examinado. Foi quando o seu autismo foi diagnosticado.

James assentiu com a cabeça, pensativo.

— E agora... — disse Laura. Suspirou de novo. — Está a voltar tudo ao mesmo. «Difícil» não descreve a vida com o Conor. Por exemplo, tudo tem de ser de uma determinada maneira. O seu quarto, os seus brinquedos, a sua comida. Tudo tem de estar num lugar especial e numa ordem especial. Eu não posso fazer nada por ele se as coisas não forem exactamente feitas da mesma maneira que antes. Como ao pequeno-almoço, não posso pôr os ovos em cima da mesa se o sumo não tiver sido servido primeiro. Todos estes pequenos rituais têm de ser seguidos com precisão. Como os fios. Viu-os? Aqueles pedaços de corda à volta da sua cintura? Tem de ter quatro deles. Exactamente com um metro e oitenta de comprimento. Cada um com doze pedaços de papel de alumínio. Depois há o maldito gato. Aquele gato manda em tudo lá em casa. Vai para onde ele vai, faz tudo o que ele faz, investiga cada molécula do que entra em contacto com o Conor.

«Isto tudo torna a menor tarefa o mais difícil possível. Experimente dar um banho a uma criança que tem de ter sempre com ela um cordel, papel de alumínio e um gato de peluche. Ou deitá-lo. É como deitar o monstro do Frankenstein. Todos os fios têm de ser ligados à cama e cruzados de uma determinada maneira. Se não estiverem assim, ele fica lá a "ajustá-los". Pode estar a pé durante horas a "ajustar", a passar o gato sobre eles, a "ajustar" um pouco mais, e ao mesmo tempo emite sons... zumbidos, ou pior, miados. Depois isto acorda a Morgana. Ela vai ver o que está a acontecer. Não quer fazer mal. Está apenas a ser a típica criança de seis anos, intrometida. Mas se ela tenta ajudar ou se toca no gato ele fica doido. Depois grito com ela por perturbá-lo e ela chora. A seguir chora ele. Muitas vezes, eu acabo também a chorar.

James esboçou um sorriso de compreensão.

— Isso deve ser muito difícil. E o seu marido, Alan? Ele ajuda muito com o Conor?

Laura recostou-se na cadeira e expirou longa e pesadamente.

— Bem, há uma outra questão...

«As coisas não estão muito bem entre mim e o Al neste momento — disse ela baixinho, e James notou que a emoção tornava as suas palavras mais tensas. — Essa é uma outra história. E comprida, e não quero entrar nela agora. Mas a resposta breve é: sim, ele ajuda quando pode. Só não sei quanto tempo isso irá durar, porque estamos a separar-nos. — Olhou para ele chorosa. — Então é por isto que não consigo lidar com o Conor em casa. Mesmo eu tenho de admitir que preciso de ajuda.

CAPÍTULO DOIS

— Laura Deighton, hein? — comentou Lars, inclinando-se sobre a agenda aberta na secretária de Dulcie. — Então a criança vem para cá? James assentiu.

— Não consegui levá-la a aceitar as três vezes por semana, mas marcámos para as terças e quintas.

— Como é ela?

— Parece simpática — respondeu James.

— Não toda...? — Lars balançou a mão num gesto que para James queria dizer «cheia de si própria».

— Não, nem por isso. Só está a tentar lidar com alguns grandes desafios, como todos os pais de crianças autistas.

Lars rolou os olhos com ar provocador.

— Mas tu devias estar habituado a celebridades, não é? Às multidões de pretensiosos. Menino da cidade. — Ele sorriu.

Menino da cidade, realmente. Choque cultural era uma expressão demasiado suave para o que James tinha experimentado quando se mudara de Manhattan para Rapid City. O Dacota do Sul podia muito bem ter sido o lado escuro da Lua. James conseguiu fazer aquilo com que sonhara — montar o seu próprio consultório para terapia de famílias —, mas as coisas não tinham corrido exactamente como nas suas fantasias. Mesmo a preços do Dacota do Sul, James descobrira que não tinha dinheiro para ir sozinho. Por conseguinte, acabara numa sociedade com um psiquiatra local, Lars Sorenson. Se James queria liberdade da rigorosa teoria freudiana que tinha governado a sua vida em Nova Iorque, não podia ter escolhido melhor do que Lars, cujas ideias de psiquiatria tinham mais a ver com o resultado dos jogos de futebol ou os preços da carne de porco que com Freud. Os ex-colegas de James teriam ficado tensos com Lars e com a sua abordagem de médico rural. Na verdade, James tinha derretido tanto do seu gelo quando ali chegara que provavelmente deixara poças no chão, mas, se Lars reparara, nunca deixara que isso o incomodasse. No final, James estava grato pela sociedade. Lars nunca estava com tanta pressa que não pudesse parar e ouvir ou responder a mais uma pergunta idiota sobre a «vida real», como ele gostava de chamar à vida e ao trabalho em Rapid City. E, embora houvesse bastantes provocações bem-humoradas, ele nunca se rira das ideias citadinas de James.

— Ehhh-ehhh-ehhh-ehhh — murmurou Conor. — Ehhh-ehhh-ehhh-ehhh-ehhh-ehhh-ehhh-ehhh. — Como antes, ficou junto à porta da ludoteca.

James ouviu atentamente o ruído. Tinha um distinto som mecânico, como a ignição de um carro a ser ligado numa manhã fria. Esforçando-se, esforçando-se, mas nunca pegando.

— Ehhh-ehhh-ehhh-ehhh. Ehhh-ehhh-ehhh-ehhh, ehhh-ehhh-ehhh-ehhh.

Conor tinha o gato agarrado firmemente contra o peito. Lentamente, levantou-o até ele ficar pressionado sob o queixo, em seguida subiu até que a cabeça do gato ficou encostada aos seus lábios. Parou o som da ignição. Tirando uma mão do gato, agitou-a freneticamente.

— Miau? — disse ele.

Estaria a fazer o barulho em nome do brinquedo?, perguntou-se James. Estaria a tentar fazê-lo perguntar algo a que Conor não se atrevia a dar voz? Ou seria o contrário? Estaria o gato a pôr as suas palavras na boca de Conor?

— Miau?

— Quando estiveres pronto, Conor, podes vir até meio da sala para fecharmos a porta — disse James. — Mas, se quiseres ficar aí, tudo bem também. Aqui podes escolher o que queres fazer.

O menino ficou imóvel junto à porta, o gato de brincar encostado à metade inferior do rosto. Os seus olhos voltaram-se para um lado e para o outro, mas nunca enfrentaram o olhar de James.

Pareceu formar-se uma expectativa em torno deles e James não queria isso. Não queria que Conor sentisse que havia alguma expectativa acerca do que ele devia ou não fazer, portanto James tentou neutralizá-la, levantando o caderno.

— É aqui que tomo os meus apontamentos. Vou escrever nele enquanto estiver aqui sentado. Vou escrever notas sobre o que estamos a fazer juntos para não me esquecer. — Pegou na caneta.

Durante uns cinco ou seis minutos, Conor ficou imóvel, até que, com muito cuidado, começou a avançar lentamente. Tal como na primeira sessão, ficou perto do perímetro da sala e manteve-se bem longe de James, sentado na mesa pequena. Uma, duas vezes, Conor circum-navegou a sala e encostou o nariz do gato levemente às coisas.

Estava a dizer qualquer coisa em voz baixa. A princípio, James não conseguiu ouvir, mas, quando Conor passou pela terceira vez, conseguiu distinguir as palavras. Casa. Carro. Boneca. Conor ia nomeando os objectos que via quando passava por eles. Aquilo era bom sinal, pensou James. Ele compreendia o significado das palavras. Sabia que as coisas tinham nomes. Pelo menos tinha algum contacto com a realidade.

E aconteceu o mesmo quando Conor voltou na quinta-feira. E novamente na semana seguinte. Cinquenta minutos passaram em silêncio com ele a andar à volta da sala, tocando ao de leve nas coisas com o nariz do gato e dizendo o nome delas. James não se intrometeu nesta actividade. Queria que a criança estabelecesse o seu próprio ritmo, construísse a sua própria sensação de segurança dentro da sala, que compreendesse que James falara a sério: que ali Conor decidia o que queria fazer. Era assim que a confiança se construía, acreditava James. Era assim que se fazia uma criança sentir-se suficientemente segura para revelar tudo o que estava escondido. Não com horários. Não com recompensas e castigos. Mas dando tempo. Não havia atalhos. Mesmo que isso significasse sessão após sessão a dizer o nome das coisas.

Passaram três semanas. Durante a sexta sessão, Conor circundou a sala ao entrar e tocou de novo em tudo a que chegava facilmente com o nariz do gato de brincar, ainda a murmurar os nomes, mas desta vez foi diferente. Usou mais pormenores. Casa vermelha, sussurrou. Cadeira castanha. Pónei azul.

Pela primeira vez, James respondeu aos murmúrios de Conor.

— Sim — disse James —, é um pónei azul.

Conor levantou a cabeça abruptamente.

— Ehhh-ehhh-ehhh-ehhh. — Olhava para a frente. A mão que não segurava o gato subiu e agitou-se diante dos seus olhos. — Ehhh-ehhh-ehhh-ehhh.

James ficou muito quieto.

Passaram vários minutos.

Lentamente, Conor exalou. Afastando o gato do seu corpo, encostou o seu nariz à extremidade da prateleira.

— Madeira — murmurou baixinho.

— Sim, isso é feito de madeira — disse James.

O gato foi recolhido imediatamente.

James observou a criança, que manteve a cabeça desviada para evitar o contacto visual.

— Ehhh-ehhh-ehhh-ehhh. — Houve uma longa pausa, em seguida Conor sussurrou: — Madeira castanha.

— Sim, a madeira é castanha.

Conor virou a cabeça. Não para olhar para James. Os seus olhos nunca deixavam o ponto distante para onde estavam voltados, mas a cabeça inclinou-se um pouco na direcção de James. Isso foi tudo o que aconteceu.

— O Bob e eu estávamos a pensar ir até Big Horns passar uns dias a caçar alces — disse Lars, afundando-se no suave sofá bege do gabinete de James. — Queres vir?

— É um convite muito simpático, Lars, mas não percebo nada de espingardas.

— Podes levar uma do Davy — respondeu Lars. — O Davy matou o seu primeiro alce com apenas doze anos. Já te contei? Um alce com hastes de seis pontas.

— Sim, já falaste nisso.

— Então vem connosco. Está na altura de derramares sangue, Jim. De que outra forma vamos fazer de ti um homem do Dacota do Sul? — Lars soltou uma gargalhada. — Vou só eu e o Bob. Levamos umas cervejas e alguma comida e passamos um bom bocado.

— Quando?

— No próximo fim-de-semana.

James foi inundado por um enorme alívio.

— Oh, raios! Quem havia de dizer? Tenho cá os meus filhos no próximo fim-de-semana. Lembras-te? Porque vou tirar a segunda e a terça-feira da semana seguinte.

— Ah, pois, é verdade.

— Raios! Tenho *pena* de não ir. Talvez para a próxima.

Pondo os braços atrás da cabeça, Lars recostou-se.

— Então como vão as coisas entre ti e a Sandy? Ela está a ficar mais razoável acerca das crianças?

— Nem por isso. Podem cá vir na Páscoa, mas não no Natal — respondeu James, sem conseguir ocultar a decepção na sua voz.

— Porque não? Pensei que tinhas direito a Natais alternados — disse Lars.

— O tribunal diz que sim. Mas a Sandy diz que na idade deles é uma grande perturbação.

— Sim, mas eles também são teus filhos. Tens direito a passar tempo com eles.

— Eu sei, mas estas discussões também não são boas para eles. Não quero que eles cresçam a ver-me discutir com a mãe o tempo todo. E ela provavelmente tem razão. É perturbador para eles no Natal. A Sandy vai para casa dos pais no Connecticut. Têm uma daquelas grandes casas antigas à Cape Cod e fazem o Natal com uma árvore enorme de três metros de altura e todos os enfeites. As crianças têm lá os avós, os primos, os tios, os amigos. O Natal deve ser uma época feliz. Por muito que eu queira o Mikey e a Becky comigo, quero ainda mais o que for melhor para eles.

— És um pau-mandado, Jim — disse Lars, abanando a cabeça.
— Tens de aprender a fazer-lhe frente. A dizer: «Isto é importante para mim e vou lutar por isso.»

— Já o fiz, Lars. Foi assim que acabei aqui.

— Bem, uma vez na vida não chega. É preciso continuar.

James abanou a cabeça melancolicamente.

— Sim, eu sei.

Estava um daqueles dias de Outono com o céu cor de lápis-lazúli e ar límpido. Da grande janela da ludoteca, James podia ver sobre a cidade as planícies distantes. Abaixo, na rua, os matizes dourados e alaranjados flamejavam incansavelmente ao sol, mas o céu estendia-se a perder de vista num azul quase luminescente.

Sempre que James estava naquela janela sentia uma alegria suave. Por muito que a visão fosse um cliché, ele sabia que havia uma águia metafórica algures dentro dele que um dia iria abrir as asas e voar em resposta àquela paisagem infinita. O seu coração ainda se sentia a maior parte do tempo do deprimente tamanho de um pardal, mas ver aquela imensidão dava-lhe sempre a esperança de coisas maiores.

Não que o seu coração de pardal não houvesse já tido de lutar para se libertar. O momento mais horrível tinha chegado dois anos antes, quando, após dez anos de formação, James percebera de repente que não podia suportar a ideia de passar mais um dia na prisão protegida da teoria psicanalítica. Esse momento ainda continuava claramente presente na sua memória. Estava no meio de um engarrafamento na FDR Drive em Upper Manhattan quando a constatação crescera com a subtileza de uma bomba H a rebentar. As suas mãos ficaram rígidas no volante; o suor escorreu-lhe pelo rosto e o seu batimento cardíaco rugiu tão alto nos seus ouvidos que abafou o que tocava no posto de *jazz* que ele ouvia sempre mas de que não gostava realmente. Percebeu então que as coisas tinham de mudar. Tinha de sair da vida que estava a viver...

Deus, o que aquele momento de introspecção fizera a Sandy. Ela ficara mais do que furiosa quando ele lhe dissera. As discussões que tiveram. E alguma da sua raiva era justificada. Ela apoiara-o durante todos aqueles anos. Colocara a sua própria carreira em espera enquanto ele terminava Medicina, depois o estágio, o internato e a sua própria análise para emergir como um psiquiatra qualificado. Sandy aguentara aquilo tudo pela possibilidade de uma casa em Upper West Side e de uma escola particular para os filhos. Aqueles eram os seus objectivos de vida e ela trabalhara tanto para alcançá-los como trabalhara para os seus.

— Teoria? — gritara ela, quando ele tentara dar voz à sua confusão. — Que diabo vem a ser essa coisa repentina da *teoria*? Como podes destruir toda a nossa vida por causa de algo assim? Nem sequer é *real*. E o que tem não acreditares? Não és um padre, pelo amor de Deus. Acredita noutra coisa.

Como podia ele explicar o seu desejo por algo que estava para lá dos estreitos corredores da análise, dos pontos de vista dominadores dos colegas e das ravinas sombrias de tijolo e argamassa de Manhattan? Um ataque de pânico em plena hora de ponta não fora muito subtil, mas fizera passar a mensagem.

James começou a sonhar em fugir para um mundo onde tudo fosse mais simples. Ainda sonhava, no entanto, com a civilização. Um pequeno consultório talvez em Queens. O Dacota do Sul nunca tinha entrado na cabeça. Então, quis o destino que ele encontrasse um velho amigo que tinha um outro amigo que conhecia Lars da faculdade e que sabia que ele também queria expandir o seu consultório em Rapid City. James fora para casa nessa noite e procurara o Dacota do Sul na Internet, e a primeira imagem a encher o ecrã fora a de um antílope solitário na paisagem mais plana e vazia que James já tinha visto. A completa estranheza daquilo parecia a resposta para tudo.

Menos para Sandy, é claro. A ideia de se mudar para o Dacota do Sul rapidamente reduziu toda a questão a uma escolha simples para ela: ficar com ele ou ficar na cidade. Nova Iorque venceu. O pior fora que ela conseguira a guarda dos filhos.

Que tipo de impostor enchia uma sala com brinquedos para os filhos dos estranhos e quase nunca via os seus filhos? Ele tinha acesso a eles, é claro, mas agora três mil quilómetros separavam-no da rotina dos banhos e dos «beijos de dinossauro». O seu maior medo era tornar-se um estranho para Mikey e Becky. Um estranho muito simpático, com certeza, mas ainda assim um estranho.

Quando Conor chegou, James começou a ecoar imediatamente as suas palavras. Se Conor dizia: «Casa de bonecas», James dizia: «Sim, é uma casa de bonecas.» Se Conor desenvolvia e dizia: «Casa de bonecas grande», então James espelhava isso numa frase: «Sim, é uma grande casa de bonecas.» James sentia-se seguro ao interpretar a extensiva nomeação de objectos na ludoteca como um esforço embrionário de interacção por parte de Conor. Era uma conversa ao nível mais rudimentar, como a fala de uma criança, mas James reconhecia-a como conversa.

Conor estava cada vez mais atraído pelas prateleiras de baixo e pelos seus cestos de brinquedos pequenos. Não tirou os cestos da prateleira, nem sequer lhes tocou, mas cada vez mais frequentemente parava diante deles e pressionava o nariz do gato contra a sua malha.

— Miau? Miau? Cesta. Cesta de arame. Cesta de arame prateado.

— Sim, cestas de arame prateado. Cestas cheias de brinquedos. Brinquedos com que podes brincar, se quiseres. Vá, tu decides.

Conor levantou o gato e continuou a sua viagem em torno da sala. Chegando às janelas, fez uma pausa. Não se aproximou o suficiente para olhar para baixo para a vista iluminada da ludoteca, mas levantou o gato e encostou o seu nariz ao vidro.

— Janela. Miau?

— Sim, são janelas. Podemos ver para fora — disse James.

Conor continuou a andar.

No canto mais distante estava aquilo a que James chamava a sua «folha de estradas». Feita de plástico branco pesado, tinha cerca de metro e vinte por metro e vinte e nela estava impresso um esquema elaborado de estradas do tamanho certo para carros de brincar e pequenos edifícios de peças de lego. Estivera dobrada em cima da prateleira da última vez que Conor ali se encontrara, mas agora estava no chão.

Aproximando-se, Conor ficou imóvel. Nem um músculo se moveu. Passou um minuto que pareceu uma eternidade.

— Miau? — sussurrou ele.

— Essa é a folha de estradas — disse James. — Os carros de brincar podem andar nela.

Os músculos contraíram-se no maxilar de Conor enquanto ele olhava para o quadrado de plástico no chão. Levantando uma mão, agitou-a freneticamente diante do rosto por alguns instantes.

— Homem na Lua — disse com uma clareza muito precisa.

— Vinte de Julho de mil novecentos e sessenta e nove. Neil Armstrong acompanhou Buzz Aldrin. Projecto Apollo. Puseram o primeiro homem na Lua. Vinte de Julho de mil novecentos e sessenta e nove.

Surpreendido por aquele discurso repentino, James estudou o rapaz. A regurgitação exacta de conversas ouvidas era comum nas crianças autistas, mas era a primeira vez em três semanas que James ouvia Conor fazê-lo. Será que Conor compreendia as palavras que acabara de dizer ou era simplesmente ecolalia autista?

— Alguma coisa te fez pensar nos homens que foram à Lua — disse James cuidadosamente. — Um pequeno passo para o homem, mas um grande salto para a humanidade. — James sondou mais para descobrir se havia algum vislumbre de entendimento. — Sim, foi isso que Neil Armstrong disse quando pisou a Lua, não foi?

Conor levantou a cabeça.

— O gato sabe.

CAPÍTULO TRÊS

Num mundo ideal, toda a terapia infantil era terapia *familiar*. Como os problemas de uma criança nunca surgiam isoladamente, James considerava tão vital ver a mãe, o pai e os irmãos como era ver a própria criança.

Toda a gente naquele trabalho sabia isso, claro, mas as coisas raramente funcionavam assim nos dias de hoje. As filosofias tinham mudado. O modelo de negócio dominava a psiquiatria como já dominava tudo o resto. O *superavit* e a «responsabilização» tinham substituído a «autodescoberta» e a «intuição». As companhias de seguros recusavam-se muitas vezes a pagar mais que doze sessões de terapia. Os contratos comportamentais e as economias simbólicas proporcionavam uma intervenção mais rápida do que a ludoterapia. Os medicamentos proporcionavam uma ainda mais rápida. Os pais trabalhavam e geralmente não estavam disponíveis para a terapia durante o dia. E toda a gente tinha pressa. A impaciência tornara-se o motivo da vida moderna. Como consequência, a função principal de muitos psiquiatras era simplesmente prescrever medicamentos. James sentia-se muitas vezes um dinossauro por tentar regressar a um modelo mais lento, mais humanista.

O Dacota do Sul não fora uma boa escolha para o renascimento dos valores terapêuticos tradicionais. Os seus habitantes eram auto-suficientes, pouco habituados a falar com estranhos acerca dos seus problemas pessoais, por isso era bastante difícil fazê-los transpor a porta. E, sendo a agricultura ainda a principal indústria, compreendiam perfeitamente os *superavit*. Muitos pais dos seus jovens pacientes recusavam-se a vir às sessões de terapia por causa do custo adicional. James acabou por ter de se tornar «comercial» para criar uma verdadeira terapia de família, criando o conceito de «pacote» — veria cada membro da família imediata em três sessões por um preço fixo. Ficou muito orgulhoso da ideia e achou que iria funcionar, mas não. Muitas vezes, ainda tinha de cativá-los.

Laura Deighton ia ser uma delas, percebia James. Tornou-se logo evidente que, da perspectiva dela, o problema de Conor era só dele. Quando James levantou a questão da terapia familiar, de vê-la, ao marido e à filha, bem como a Conor, Laura levantara-se. Chegara mesmo a dirigir-se para a porta e James não tinha dúvidas de que ela sairia se ele não recuasse imediatamente. Esta reacção fascinou-o, porque, naturalmente, lhe disse que ela não estava disposta a olhar para o problema muito mais profundamente que quaisquer palavras poderiam ter feito.

Já o pai de Conor, Alan McLachlan, foi exactamente o oposto. Quando James explicou como a terapia de Conor iria funcionar, Alan concordou imediatamente.

— Sim, claro — disse ele. Teria muito gosto em vir.

Com o mesmo cuidado que tinha posto no *design* da ludoteca, James decorou o seu gabinete para ser usado em entrevistas e sessões de terapia de adultos. A seguir à secretária, criara um «centro de conversas» rectangular com cadeiras confortáveis e um sofá. A mesinha baixa, as mesas ao lado do sofá e as plantas tinham sido escolhidas com cuidado para criar um ambiente agradável, arejado e descontraído. Escolhera deliberadamente madeira e materiais naturais para ajudar a mitigar a artificialidade da situação e um estofo bege-pálido para dar à sala um ar aberto, positivo. Lars brincara com ele por causa de tanta atenção aos pormenores, mas James estava contente com o efeito. Sentia que funcionava.

Laura Deighton mostrara pouco interesse no seu centro de conversas e sentara-se ao lado da sua secretária antes de ele ter a oportunidade de encaminhá-la para outro lugar. Quando Alan entrou, no entanto, avançou naturalmente para o sofá. Afundando-se na macieza bege, instalou--se confortavelmente. Tão confortavelmente, na verdade, que em breve estava a repousar uma puída e, como notou James, bastante suja bota de cobói na beira da mesinha.

Alan não era um homem alto. James tinha um metro e oitenta, não propriamente um gigante, mas devia ter mais uns dez centímetros que ele. O cabelo de Alan, grosso e amassado pela remoção de um boné vermelho e branco, tinha o cinzento desigual de metal galvanizado. Os seus olhos eram do mesmo azul-celta que os de Conor. Aparentava mais do que os seus cinquenta anos. Tinha um rosto corado e engelhado, a pele curtida de uma vida passada ao ar livre, mas ainda não perdera uma certa beleza desgastada.

James sentira-se um pouco nervoso a respeito de Alan. Nunca antes estivera cara a cara com esse estereótipo icónico do Oeste — um cobói —, um homem que andava a cavalo como parte do seu trabalho diário, que reunia o gado, o marcava, o ajudava a parir e, quando necessário, o tombava para o capar. Essas actividades falavam a James do tipo de masculinidade mítica que só existia nos filmes, e ele temera ter dificuldade em encontrar um terreno comum. Alan não ajudou nada a confiança de James com a forma como pusera tão casualmente a bota em cima da mesinha. Era uma espécie de marcação territorial. Mais subtil do que urinar, talvez, mas James sentia que significava praticamente a mesma coisa.

— Muito obrigado por ter vindo — disse James.

— Não, o prazer é meu.

Houve então uma pausa, enquanto James esperava que ele definisse o tom da sessão. No breve silêncio, James deu por si a interrogar-se sobre Alan e Laura como casal. O que a atraíra naquele homem do campo? Como lidava ele com uma mulher mundialmente famosa?

Todavia, Alan não deu a James muito tempo para pensar, já que perguntou quase imediatamente:

— Então como está o Conor a sair-se?

— Ainda estamos a estabelecer a confiança — respondeu James. — Ele parece muito inseguro na nova situação.

— Sim, ele não lida bem com situações novas. As crianças autistas são assim. — Uma pausa. — Então o que faz realmente com ele aqui? — perguntou Alan. — Porque não percebi muito bem de que se tratava pelo que a Laura me explicou.

— E como explicou ela? — perguntou James.

— Bom, é a versão dela, portanto, quem sabe? Para ser honesto, fico contente por me ter pedido para vir, porque desta forma tenho a oportunidade de perceber o que está a acontecer.

— Sente que não foi tão consultado sobre o tratamento de Conor no passado como gostaria?

Alan soltou um suspiro longo e pesado.

— Não acho que seja tanto não ser consultado... é que perdi há muito tempo a noção do que é que levou ao quê.

Uma pausa.

James esperou calmamente. Pressentia que tinha diante de si um homem que pensava de forma profunda, mas que não era rápido com as palavras, que levava tempo a organizar os seus pensamentos e a exprimi-los. Como é que alguém assim acabava com uma mulher cuja vida era feita de palavras?

— Nunca quis o Conor naquela escola do Colorado — disse Alan finalmente. — Essa é a primeira coisa que quero deixar clara. Quero dizer, quem é que envia um filho para uma escola a mil quilómetros de distância? Nunca devíamos ter feito isso. O autismo acontece. Muita gente tem filhos autistas. Lida com isso. Não manda a criança embora.

— Então como é que a decisão foi tomada? — indagou James.

— Laura. Isto, aqui — disse ele com um gesto largo da mão. — É que a Laura precisa de tratamento.

James não percebeu muito bem o que Alan queria dizer.

— Quer dizer que lidar com o Conor está a causar problemas à Laura? Ou lidar com a Laura está a causar problemas ao Conor?

— Ambas as coisas, na verdade. Não acho que sejam duas coisas diferentes — respondeu Alan. — Mas o maior problema até agora tem sido levar a Laura a assumir a responsabilidade por isso. Quando ela disse que isto era uma terapia familiar, que não conseguíamos ter cá o Conor se não estivéssemos envolvidos também, pensei: «Graças a Deus. Ela está *finalmente* a levar-me a sério.» Sempre ridicularizou a ideia de terapia e foi muito rápida a culpar Conor por tudo, a tornar tudo problema dele. Mas é também porque a Laura não é capaz de lidar com ele. Foi assim que me convenceu a mandá-lo para Avery.

— Pode dizer-me como acha que os problemas do Conor começaram? — perguntou James.

— Tivemos uns dois anos terríveis. Foi na altura que o Conor tinha dois ou três anos. Tudo aconteceu ao mesmo tempo. Eu estava com problemas financeiros graves no rancho. As pessoas julgam que por o trabalho de Laura ser conhecido devemos ser ricos, mas há uma grande diferença entre o literário e o comercial. A verdade é que dirigir um rancho e escrever livros são maneiras muito incertas de ganhar a vida.

«Nós estávamos com grandes problemas financeiros. No meio disso tudo, a Laura engravidou. Foi inesperado e bastante complicado. Pensámos que ela tinha perdido o bebé, porque abortou, mas aparentemente era uma gravidez de gémeos e ela perdeu apenas um. Enfim, houve vários problemas médicos e contas numa altura em que estávamos desesperados pelo dinheiro dela. Pobre Conor. A sua curta vida foi virada do avesso. Eu estava fora o tempo todo a trabalhar para outros ranchos para ganhar algum dinheiro extra e a Laura sentia-se tão mal. O Conor sempre foi uma criança sensível e aquilo piorou tudo. Ganhou medo de quase tudo. Não pensei muito nisso na altura. Julguei que ele iria acalmar-se quando as coisas estivessem mais estáveis, quando eu conseguisse estar mais perto e o bebé nascesse. O que não percebi foi que durante todo aquele tempo em que estive fora a Laura também se foi abaixo.

«Senti-me mal... sinto-me mal ainda agora... porque sei que deixei a Laura a lidar com tudo sozinha durante a maior parte desse período, mesmo quando via sinais de problemas. Mas, céus, é difícil saber o que é o correcto! Eu estava a trabalhar todas as horas possíveis para salvar o rancho e não podia estar em dois sítios ao mesmo tempo.

«O ponto de viragem ocorreu quando na pré-primária nos disseram que não podiam continuar a ter lá o Conor. Depois disso, ele ficou em casa o tempo todo. A Laura não conseguiu lidar com isso. De modo que foi então que começou a procurar um colégio interno para o Conor... Senti que tinha de deixar a Laura ter uma oportunidade de recuperar, porque senão... Bem, para ser sincero, receei que, se não o fizesse, iria acabar sozinho com duas crianças pequenas.

Alan ficou em silêncio.

James recostou-se na cadeira.

— Então colocar o Conor no colégio interno ajudou a Laura a recuperar? — perguntou.

— As coisas acalmaram. — Alan encolheu os ombros. — Mas acho que «recuperação» implica uma melhoria. Isso não aconteceu. O assunto ficou enterrado, porque essa é a maneira que a Laura tem de lidar com as coisas. E eu estou farto disso.

— Cavalo? — disse Conor num tom cantado, que estava entre uma afirmação e uma pergunta.

— Sim, é um cavalo — respondeu James.

— Uarrrrr, uarrrr. — Conor pousou o pequeno animal de plástico em cima da mesa. Enfiou a mão na cesta e tirou outro animal. — Elefante?

— Sim, é um elefante.

— Uarrrr, uarrrr. Porco? — disse ele, tirando o animal seguinte.

Conor não olhou para ele enquanto fazia aquilo. Não encorajou o menor contacto visual. James interpretava o comportamento de Conor como uma tentativa de interagir, mas podia não ser. Se James não fosse suficientemente rápido a responder, Conor passava depressa para o animal seguinte. Podia ser simplesmente o jogo de auto-referência tão típico das crianças autistas.

O animal seguinte a sair do cesto era um que James não conseguia bem identificar. Um gnu ou qualquer outra coisa igualmente estranha para estar num jogo de crianças. Conor olhou para ele e a perplexidade alterou as suas feições.

— Vaca? — perguntou ele e o seu tom agudo revelava uma pergunta genuína.

— Encontraste uma vaca — respondeu James, reflectindo as palavras de Conor para indicar que estava a ouvir. Fosse qual fosse a criatura, era inegavelmente parecida com uma vaca, portanto James sentia-se à vontade para lhe chamar vaca.

— Ehhh — murmurou o rapaz. — Ehhh-ehhh-ehhh-ehhh! — A seguir, os dedos abriram-se abruptamente e o animal de plástico bateu na mesa como se tivesse ficado demasiado quente para ser agarrado. Pegando no gato de peluche, Conor agarrou-o com força. — Ehhh-ehhh-ehhh-ehhh! Ehhh-ehhh-ehhh-ehhh!

James viu que ele estava a ficar agitado.

— Ehhh-ehhh-ehhh-ehhh — repetia uma e outra vez, como um motor que se recusa a pegar. Começou a tremer. A sua pele pálida e o cabelo incolor conferiam-lhe uma vulnerabilidade nua que fez James pensar em aves recém-nascidas, mochos e águias, quase grotescas na sua nudez.

— Não gostaste que eu tivesse dito aquilo — sugeriu James. — Estás preocupado por poder não ser uma vaca?

— Ehhh-ehhh-ehhh-ehhh.

— Queres saber exactamente que animal é. Não gostas de não saber — interpretou.

— Ehhh-ehhh-ehhh-ehhh! Ehhh-ehhh-ehhh-ehhh! — fez Conor freneticamente. Encostou-o aos olhos. — Miau? Miau?

James pegou no animal de plástico e examinou-o.

— Talvez seja um gnu. Ou um iaque. Não, não acho que seja um iaque. Eles têm muitos pêlos. Talvez seja um auroque. É uma espécie de vaca selvagem.

Sem aviso, Conor pegou no gato pela pata traseira e brandiu-o como uma arma em arco, limpando completamente a mesa. Todos os animais de plástico voaram, tal como o caderno de James. Emitindo um som estridente e agudo que faz a parte interna das orelhas de James vibrar, Conor gritou. A sua pele passou do branco ao vermelho, como manchas de sangue coagulado no leite. Deslizou da cadeira para o chão e apertou o gato sobre os olhos.

A perturbação emocional era uma parte esperada da ludoterapia e, desde que a criança não se magoasse, James achava que a melhor resposta era permanecer na sua cadeira, calmo e composto, para mostrar que as coisas ainda estavam sob controlo e, em seguida, tentar expressar por palavras a aflição inarticulada da criança.

— Estás a sentir muito medo — disse ele em voz baixa enquanto Conor estava deitado no chão a uivar. — Sentes tanto medo que queres gritar e chorar.

As suas palavras pareceram perturbar Conor ainda mais, porque ele começou a gritar ainda mais alto.

— Aqui não faz mal gritar, se é isso que precisas de fazer — disse James. — Ninguém vai ficar zangado. Ninguém vai ficar aborrecido. É seguro gritar aqui. Nada de mal vai acontecer.

Passaram-se minutos. Conor continuou a debater-se e a gritar. Uma birra?, perguntou-se James. Achava que não. Não houvera nada que a espoletasse, tanto quanto podia ver. Pânico? Apenas terror puro num mundo cheio de coisas que a criança não conhecia? Ou frustração, talvez, pelo seu mutismo?

Conor ficou rouco. Pondo-se na posição fetal, joelhos para cima, cabeça baixa, braços à volta das pernas, o gato encostado ao coração, Conor caiu finalmente num silêncio cheio de soluços.

Vários minutos se passaram com James ainda sentado calmamente à mesa e o menino enrolado no chão. Então, finalmente, Conor levantou-se devagar. Verificou com cuidado o estado dos seus quatro cordéis e ajeitou-os à cintura, depois olhou para James, fitando-o directamente nos olhos. As lágrimas ainda molhavam as suas faces e o ranho escorria do lábio superior. Num gesto inesperadamente normal e arrapazado, Conor levantou o braço livre e limpou o nariz na manga.

— Toma — disse James, pegando numa caixa de lenços. — Que-res um?

Desconfiado, Conor considerou a caixa.

James tirou um lenço de papel e colocou-o sobre a mesa perto de onde Conor estava.

Durante um longo momento, Conor ficou a olhar para ele, a testa franzida como se fosse um objecto misterioso. Então estendeu a mão para ele. Com muito cuidado, começou a alisar o lenço na mesa, uma tarefa difícil já que ainda estava a apertar o gato contra si com a outra mão.

— Iorque? — disse Conor inesperadamente. Dobrando-se, pegou no animal de plástico semelhante a uma vaca. Examinou-o atenta-mente. — Sim — sussurrou. — Sim, o gato diz que sim. — Acenou com a cabeça. — Iorque.

— Queres dizer auroque? — perguntou James.

— Sim — respondeu o rapaz na sua típica voz estridente can-tada. Não levantou a cabeça para reconhecer que James tinha falado. — Iorque. Iiiiorque.

— Auroque — murmurou James.

— Au-roque. Auroque. Sim. O gato diz que sim. Um auroque. Uma vaca selvagem. — As palavras foram ditas muito pausadamente, como se implicassem um esforço. Pousou o animal de plástico sobre a mesa. — O gato sabe.

James sentiu-se animado. Tinham comunicado. Na sua mente, imaginou-se um dos cientistas que manobravam as enormes antenas parabólicas que procuravam sons de vida alienígena no espaço exte-rior, que estavam alerta ao menor crepitar diferente que podia indicar inteligência consciente. Ouvia-se esse som e isso era suficiente para continuar, para manter a crença de que algo existia. O menor crepitar, o menor sinal.

CAPÍTULO QUATRO

Assim que James viu Mikey sair da manga do avião apenas em cuecas, soube que as coisas iam começar mal. Becky vinha a arrastar--se atrás, como costumava fazer quando achava o irmão totalmente repugnante. A seguir viu James e quase tombou Mikey na sua pressa.

— Pai! — gritou e lançou-se nos seus braços.

James pegou na filha de oito anos e deu-lhe um abraço à urso.

— Adivinha! — exclamou ela, alegremente. — O Mikey vomitou. Por isso é que não tem roupa. Olha. Pôs «gomitado» no meu vestido.

— Então, Michael, companheiro, o que te aconteceu? Comeste demasiada comida saborosa no avião? — James conseguiu levantar as duas crianças ao mesmo tempo, o que as fez guinchar.

— Comeu muitos *M&M* — respondeu Becky. — Porque a mãe comprou um saco para nós os dois, mas depois eu fui à casa de banho e o Mikey comeu-os todos. Portanto, a culpa é só dele. Não tenho pena nenhuma.

— Devias ter, sua monstrinha — disse James na brincadeira, apertando-lhe o nariz. — Ele é teu irmão, dê por onde der. — A seguir voltou a pegar em Mikey. — Aposto que vomitaste às bolinhas, hein, se foram *M&M*? — Mikey riu-se. — A tua mãe já devia saber que não te pode dar um saco cheio de doces.

— Tenho uma surpresa para vocês — disse James, enquanto ia buscar as malas dos filhos e se dirigiam ao carro.

— O quê? — perguntou Becky quando saíram do edifício do terminal.

— Esperem que já vão ver. Ali fora. No parque de estacionamento.

— Um pónei? — perguntou Becky esperançosa.

James riu-se e despenteou-a.

— Não, tolinha, eu não te vinha buscar montado num pónei, pois não?

— O tio Joey diz que cá toda a gente anda a cavalo.

— Não, olha para o carro fixe do pai! — James apontou para um *Ford Mustang* de 71, cor de cobre e descapotável. — Não é lindo?

Sandy ficara com o *Range Rover* porque era um carro seguro para as crianças. James fora para o Dacota do Sul num *Ford Taurus* velho que o seu irmão Jack tinha encontrado no eBay. Comprar o descapotável com capô enorme e futurista e o poderoso motor *Boss 429* foi o primeiro gesto de James a admitir que a sua velha vida acabara.

Becky não ficou tão impressionada.

— É só um *carro* — disse ela com pesar.

— É um carro *clássico*.

— É um carro velho — respondeu ela com desdém.

— É um carro fixe. Para pessoas fixes. Tal como nós, hein, Mike? O que achas? O teu pai tem um carro fixe ou quê?

— Sim, gosto — respondeu ele, passando a mão pelo pára-choques.

Becky espreitou pela janela enquanto James punha a mala no porta-bagagens.

— O banco de trás é muito pequeno. Não vejo como é que se entra. Não há portas atrás.

— Olha. Abres a porta da frente, em seguida pressionas a alavanca para baixo na parte de trás do banco da frente e inclina-lo para diante, assim.

— Cheira mal aqui. Como se tivessem fumado cigarros.

— Isso foi há muito tempo, portanto não te preocupes. Entra. E tu também, Mike. E apertem os cintos.

— Onde está o teu outro carro? — perguntou ela. — O verdadeiro.

— Se te referes ao jipe, ele não é meu. É do tio Lars. Normalmente, quando vocês me visitam, nós trocamos. Ele fica com este carro, porque sim, tens razão, não há realmente muito espaço para entrar e sair. Mas o tio Lars foi caçar alces este fim-de-semana, portanto precisava de usar o jipe porque tem tracção às quatro rodas. De qualquer forma, este carro é muito mais bonito. Vão ver. Se o tempo continuar bom, baixamos a capota. Depois vão adorar.

— Pai? — perguntou Mikey. — O tio Lars é mesmo nosso tio?

— Não é um tio de sangue. O tio Lars é meu sócio no consultório. Mas ele e a tia Betty são bons amigos do pai e lembram-se sempre de vocês, por isso fizemo-los membros honorários da família.

— Sim, temos outro tio assim — respondeu Mikey. — Chama-se tio Joey.

— Sim, o tipo que acha que aqui andamos todos a cavalo. Então, quem é ele?

— Bem, basicamente é o namorado da mãe — respondeu Becky.

— Então *não* é vosso tio — resmungou James, irritado.

— A mãe disse que lhe devíamos chamar tio. Se calhar porque, tal como tu e o tio Lars, ele é o grande amigo dela — disse Becky.

— O tio Jack é o vosso tio lá. Ele é o vosso verdadeiro tio. E eu sou o vosso verdadeiro pai.

— Sim, eu sei.

— Sim, bem, vê se não te esqueces.

James sentia tanto a falta dos filhos que se tornou fácil querer que as visitas fossem perfeitas, enfiar nelas todas as guloseimas e diversão que não partilhava com eles no dia-a-dia. De qualquer forma, um bocadinho de mimo não fazia mal.

A sua nova tradição familiar era uma viagem ao Toys 'R' Us para fazer compras no dia em que Mikey e Becky chegavam. Começava sempre com James a exclamar com ar brincalhão que, como os filhos não estavam com ele o tempo todo, «não tinha brinquedos suficientes em casa» e precisavam de «ter algo com que brincar» enquanto lá estavam. Isso provocava sempre gritinhos de excitação e uma agradável orgia de compras de brinquedos.

Antes de ir ao Toys 'R' Us, James parou primeiro em casa para deixar a mala. Foi nesse momento que Mikey vomitou todo o chão da cozinha.

— Será que é uma gastroenterite? — perguntou Becky.

— Esperemos que não — respondeu James enquanto enchia um balde com água e desinfectante.

— Esperemos que *eu* não a apanhe — disse Becky. Soou como uma ameaça.

Mikey não estava nada bem. Deitou-se no sofá em frente ao televisor com um alguidar de plástico.

Becky, cansada da longa viagem e muito desapontada com aquela reviravolta nos planos, começou a gemer. Não gostava do que Mikey estava a ver na televisão. Não queria estar ao pé dele porque ele estava doente. Não havia nenhum DVD bom para ver. As roupas na mala estavam todas amarrotadas. Esquecera-se de trazer a escova do cabelo. Acima de tudo, porém, gemia por não ir ao Toys 'R' Us. Queria ir. Agora! Desesperadamente. *Por favor*, não podiam ir? Porque não podia o Mikey andar apenas um bocadinho?

James explicou-lhe delicadamente que o Mikey estava demasiado doente de momento para sair de casa.

Becky não estava com disposição para se mostrar compreensiva e perguntou qual era o objectivo de vir até ali se não havia nenhuma visita ao Toys 'R' Us?

— Espero que haja outras razões para vires além dos brinquedos — disse James, um pouco magoado.

— Esta é a pior visita do mundo! — exclamou ela, acrescentando:

— Quem me dera estar em casa — ao sair da sala.

As coisas foram de mal a pior durante a noite. Mikey continuou a vomitar e James passou a noite acordado a fazer-lhe companhia. Chegou à cozinha com os olhos vermelhos para encontrar Becky a pôr açúcar nos seus cereais *Coco Pops*.

— Ei, não o açucareiro todo — disse ele.

— Quem me dera que tivesses um papagaio, pai — respondeu Becky animada.

— Um *papagaio*?

— O tio Joey tem um papagaio. Chama-se *Harry* e é capaz de dizer vinte e três palavras. Quem me dera que tivesses um, para eu poder falar com ele.

— Não tenho um papagaio porque eles não devem ser mantidos em cativeiro. São demasiado inteligentes. Precisam de muita estimulação. É cruel mantê-los como animais de estimação.

— Adivinha que mais tem o tio Joey? Uma casa em Long Island mesmo na praia. Vai levar-me a mim, ao Mikey e à mãe para lá nos fins-de-semana quando for Verão.

— Que sorte a tua — respondeu James.

— Sabes o que ele me comprou? Aquele cavalo da *Barbie* que eu queria tanto.

— Becky, eu comprei-te o cavalo da *Barbie*.

— Não, não é *esse*. Esse é o antigo. O tio Joey comprou-me aquele que tem as patas que se podem dobrar para o pormos como se estivesse mesmo a andar. E adivinha que mais? Comprou-me também a carruagem e eu nem sequer pedi.

— O que faz o Joey para poder pagar isso tudo? Assalta bancos?

Becky riu-se.

— Não, tolinho. É advogado.

— É praticamente a mesma coisa.

Era meio da tarde e Mikey ainda vomitava, portanto James pôs Becky, Mikey e o alguidar no *Mustang* e foram a uma clínica.

Durante a espera interminável para ver um médico, Mikey encenou uma recuperação suficiente para querer uma coca-cola da máquina. Foram precisas duas horas, uma análise ao sangue e a maior parte da paciência de James para saber que Mikey tivera «apenas uma daquelas coisas que os miúdos apanham». Mikey bebeu o resto da sua coca-cola e pareceu satisfeito consigo mesmo.

— Se o Mikey está melhor, podemos ir agora ao Toys 'R' Us? — perguntou Becky.

— Isso é do outro lado da cidade e é praticamente hora de jantar. Acho que aquilo de que realmente precisamos é de uma boa refeição.

— Quero ir ao McDonald's. Eles têm um parque infantil.

— Não, precisamos de algo saudável. Que tal aquele restaurante italiano que vende para fora? Podíamos ir buscar uma lasanha e levá-la para casa. Você gostaram da última vez, lembram-se? Podem ajudar-me a escolher uma salada.

Quando chegaram ao restaurante, Mikey já não se sentia tão bem. Não quis entrar e sentir o cheiro a comida.

— Olha, vamos fazer o seguinte — disse James. — Eu vou estacionar aqui perto da janela onde te possa ver o tempo todo. A Becks e eu vamos lá dentro buscar a comida e voltamos já. Tranca a porta enquanto estiveres sozinho. Nós estamos perto.

O restaurante encontrava-se inesperadamente movimentado. James concentrou-se apenas em passar pela multidão para fazer o seu pedido, portanto deu um salto quando lhe bateram no ombro e alguém disse olá. Ele virou-se.

Ali na outra fila estava Laura Deighton.

— Mãe, olha para isto — disse uma vozinha. — Podemos pedir um destes?

— Traz-me cá isso para eu ver, Morgana — disse Laura.

James olhou para elas. Morgana? A irmã de Conor? Ficou boquiaberto. Ela era tudo o que Conor não era: uma criança robusta, atlética, com enormes olhos castanhos e um emaranhado de caracóis escuros que lhe davam pelos ombros. Quando viu James a olhar para ela, enfrentou-o com um olhar arrojado e um sorriso angelical. *Yin* e *yang*. Esse foi o primeiro pensamento de James.

— É a sua filha? — perguntou Laura, olhando para Becky. — Que menina tão bonita.

— Sim. Sim, esta é a Becky. O meu filho está lá fora no carro. Não se sente muito bem.

— Lamento — disse Laura.

— Viemos apenas buscar alguma comida decente para que ele não tenha de cheirar os meus cozinhados — disse James ironicamente.

— Nós viemos pelas gulodices — respondeu Laura. — O Alan tem hoje o Conor, por isso nós as duas viemos dar uma volta.

James olhou novamente para Morgana, que tinha na mão um saco de biscoitos *amaretti*. Ela era uma criança incrivelmente bonita com olhos vibrantes, cabelos encaracolados e uma boca pequena, como uma daquelas crianças idealizadas pintadas em painéis para comemorar uma época de ouro que nunca existira realmente. Ao seu lado, Conor parecia tão pálido e insubstancial como um fantasma.

Becky, uma verdadeira borboleta social, estava encantada com aquela inesperada oportunidade de fazer amigos. Com um sorriso aberto, disse olá a Morgana, perguntou-lhe que idade tinha e momentos depois tinham-se afastado juntas para admirar as bolachas nas prateleiras adjacentes, enquanto James e Laura esperavam nas filas.

— É óptimo vê-lo. Como vai isso? — perguntou Laura animada, como se fossem velhos amigos.

Isso apanhou James de surpresa, porque ao longo das últimas semanas Laura raramente aparecera no consultório. James tinha a sensação de que andava a evitá-lo. E embora tivesse concordado com a terapia de família, que significava que ela teria pelo menos três sessões individuais com James como parte do tratamento de Conor, Laura não tinha combinado nada para avançar com a terapia. Como consequência, James construíra uma imagem dela como reservada, ansiosa e, muito provavelmente, pouco faladora. Agora, porém, achou-a precisamente o contrário: simpática, descontraída e genuinamente interessada nos filhos. Lamentou com James a indisposição de Mikey e a sua experiência na clínica.

James olhou em volta para ver onde as duas meninas se encontravam.

— Parece que gostam uma da outra — disse Laura.

James sorriu.

— Vai ser o ponto alto do dia da Becky. Ela sente sempre muito a falta dos amigos quando está cá. — Esticou o pescoço para ver acima das prateleiras mais baixas. — Oh, meu Deus. Espere um momento. Elas foram para o meu carro.

James correu para a porta, mas nesse momento as duas meninas vinham a entrar.

— Oh, pai! — exclamou Becky. — Adivinha! O Mikey vomitou em todo o lado!

— Chiu, chiu, não fales tão alto — disse James, pegando-lhe pelos ombros.

— Ele não acertou no alguidar! O teu carro está cheio de vomitado.

— Oh, que maçada — disse James. — Ouve, vai dizer ao senhor do balcão que não podemos esperar pela lasanha. Pede-lhe desculpa.

Laura apareceu ao lado dele.

— Deixe-me ajudá-lo. — Tirou guardanapos de uma das mesas. — Morgana, tu e a Becky vão à casa de banho e tragam alguns toalhetes de papel.

Becky não tinha exagerado. Mikey vomitara para cima da roupa, do tabliê, da manete das mudanças e do banco adjacente.

— Ei, rapaz, estás bem? — perguntou James, despenteando o cabelo do filho, que era praticamente a única parte dele livre de vomitado.

— Desculpa, pai — choramingou Mikey.

— Os acidentes acontecem. O mais importante é que estejas bem. — Ali no fresco crepúsculo de Outubro, James sentiu-se deprimido ante a perspectiva de tentar limpar Mikey e o carro com um punhado de guardanapos.

Laura pôs-lhe a mão no braço.

— Porque não limpamos apenas o suficiente para você levar o Mikey para casa? A Becky pode vir no meu carro e eu vou atrás de si. Isso seria mais fácil.

* * *

James sabia que era má ideia. Enquanto conduzia para casa, tentou convencer-se de que deixar Laura fazer aquilo não era quebrar as regras. Era tão importante que ele não cometesse erros desta vez. Não devia ter qualquer tipo de relações pessoais com os pacientes. Mas, por outro lado, ele encontrava-se numa situação realmente má. Ela estava simplesmente a ajudar, como qualquer pessoa decente faria. Além disso... se fosse sincero consigo próprio, James tinha de admitir que ela o intrigava. Usava a sua fama, os seus feitos de forma tão displicente que eram quase ilusórios, como se não passassem de histórias, mas havia também algo ilusório em Laura, a forma como podia ser tão simpática, tão preocupada e estar tão disposta a ajudar Mikey e ao mesmo tempo iludir os esforços de James para levá-la a falar sobre o próprio filho.

CAPÍTULO CINCO

Quando chegaram ao apartamento, as duas meninas desapareceram juntas, Becky a falar animadamente sobre um cavalo de brincar
que queria mostrar a Morgana. Laura levantou Mikey do carro e
levou-o para dentro, enquanto James ia à procura de materiais de
limpeza e de um pano na caixa ao fundo da garagem. Quando voltou
a entrar em casa, Laura tinha enchido a banheira e lavava Mikey, como
se fosse a coisa mais natural do mundo entrar numa casa estranha e
dar banho a uma criança que nunca vira antes.

James tomou o comando da situação a partir daí. Com Mikey
finalmente limpo e enfiado na cama, voltou para a sala e encontrou
Laura, com as mãos nos bolsos das calças de ganga, a examinar os
livros nas prateleiras. Sentiu-se constrangido. Embora tivesse a maioria dos livros dela, eles estavam todos no seu gabinete, porque o único
objectivo de os comprar fora para que as pessoas no trabalho pudessem
ver que ele os possuía. Os romances naquelas prateleiras eram o tipo
de livros que ele realmente lia — Terry Pratchett, Tom Clancy, Stephen King —, histórias despretensiosas que descontraíam e se podiam
deixar na casa de banho.

— Essa é a minha leitura de divertimento — disse ele timidamente.

Ela esboçou um sorriso enigmático.

— *Tenho* os seus — acrescentou rapidamente. — Mas de momento
estão no meu gabinete. Ando sempre a mudar os livros de um lado
para o outro.

Ela continuou a sorrir e olhou para ele.

— Então, isso significa que leu realmente algum deles?

41

James sentiu-se corar. Houve uma pausa desconfortável e, em seguida, ele admitiu:

— Quem me dera poder dizer que sim. *Tenciono* lê-los. Mas tenho andado muito ocupado desde que me mudei para cá.

— Pelo menos é sincero.

Desesperado por afastar a conversa da sua embaraçosa falta de leitura intelectual, James disse:

— Quer um café? Depois podemos tentar separar as miúdas.

Laura seguiu-o até à cozinha. Com as mãos ainda nos bolsos, deu uma volta pelo aposento, estudando a cozinha com o mesmo cuidado com que estudara a sua estante. A forma como ela circundava o espaço, inspeccionando tudo, lembrou a James Conor.

Isso recordou-lhe que Laura ainda não tinha mencionado o filho. Normalmente os pais que ele encontrava fora do consultório faziam-lhe perguntas, ansiosos por saberem como iam as coisas, para falarem do progresso dos filhos ou obterem alguns conselhos gratuitos. James estava grato, é claro, por ela não ter feito nenhuma dessas coisas, pois não seria apropriado discutir um caso fora da privacidade do consultório, mas era curioso ela nunca mencionar Conor de todo, mesmo que casualmente.

Levando o café para a mesa, James sentou-se.

— Tenho estado à espera de a ver no consultório — disse ele.

Laura ignorou o seu comentário. Levantou a caneca e bebeu um gole.

— Hummm. Bom café. Sabe a café de Nova Iorque.

— Posso pedir à Dulcie que lhe ligue esta semana para marcar uma consulta? — perguntou James.

Laura franziu a testa quando olhou para a caneca que libertava vapor. O silêncio arrastou-se e passaram alguns momentos sem resposta.

— Tenho de admitir que realmente não me agrada esse conceito — disse ela por fim.

— Que conceito?

— Terapia.

— Porquê? — perguntou James.

Pousando a caneca na mesa, Laura inclinou-se para a frente sobre os braços e olhou para o café como se a resposta estivesse lá dentro. Finalmente sorriu para ele.

— Porque a realidade de cada um é diferente.

Aquela era uma resposta inesperada. James ergueu uma sobrancelha.

— A terapia, como eu a vejo, parte do princípio de que o «normal» existe e de que as minhas percepções, sejam elas quais forem, devem estar em consonância com ele — disse ela. — Ao passo que eu acho que não *há* um «mundo real» lá fora. Nenhuma realidade absoluta. Tudo é subjectivo. Então porque devo aceitar que o que me diz é a realidade?

— Isso é uma posição interessante — disse James. — Tenho a impressão de que você teme que a sua perspectiva seja substituída ou julgada não tão boa ou aceitável como outras perspectivas. Talvez pense que um terapeuta pode tentar mudar percepções que você não considera erradas. — Sorriu para ela. — Mas a terapia não é bem isso. É simplesmente arranjar as coisas que não funcionam. Como se o seu carro deixasse de funcionar. Você levava-o a uma oficina e deixava o mecânico repará-lo. Não esperaria que ele fizesse coisas que você não queria feitas ou que personalizasse o carro a seu gosto e não lho devolvesse. Esperaria que ele descobrisse simplesmente qual era o problema e o reparasse para você poder desfrutar novamente do seu carro. É o mesmo aqui, só que eu trabalho com pessoas, não com carros. A sua relação com o Conor deixou de funcionar. Então trouxe-me o Conor para ver se eu posso reparar isso. E como os relacionamentos envolvem sempre mais de uma pessoa, preciso de ver todos os envolvidos para fazer o meu trabalho correctamente. Não vou obrigar ninguém a pensar ou a fazer coisas que não queiram. Vou apenas tentar reparar o que está avariado.

Ela corou. Baixou a cabeça e James viu lágrimas nos seus olhos. Recostou-se de forma casual para diminuir a intensidade da situação, porque aquele não era o momento nem o lugar. Na verdade, estava profundamente aliviado por as meninas terem permanecido entretidas a brincar no quarto de Becky.

— Desculpe — murmurou Laura. — Não queria que isto chegasse tão longe.

— Não se preocupe.

— Acho que foi o comentário «relações deixaram de funcionar». — Ela estava de novo lacrimejante. — Desculpe.

— Não se preocupe.

— É que... bem... «relações deixaram de funcionar» é um eufemismo — disse ela com ar cansado. — Porque não é só o Conor...

James sabia que devia impedi-la de falar mais. O lugar adequado para aquela conversa era o consultório. Ali na mesa da sua cozinha, com as meninas a conversarem no quarto ao lado e prestes a entrar ali a qualquer momento, não era o sítio mais adequado para incentivar a conversa na direcção que estava a tomar. Mas James percebeu uma brecha rara na armadura de Laura e se aprendera alguma coisa com toda aquela tragédia em Nova Iorque era a reconhecer que às vezes tinha de quebrar as regras. Então perguntou:

— O que aconteceu?

— O Alan deixou-me.

— Lamento ouvir isso.

— Fiquei tão chocada — disse ela e as lágrimas engrossaram-lhe a voz.

— Então, como aconteceu isso? — perguntou James.

— Tivemos uma discussão estúpida. Por causa de um cortador de relva, acredita?

James sorriu com compreensão.

— Deve ter sido muito perturbador.

— Foi muito estúpido. O Al fora à cidade e encontrara um cortador de relva em saldo. Tinha um bom preço, mas era uma coisa enorme, pesada e sem motor. Sou eu que trato da relva, portanto quem usa os cortadores lá em casa sou eu. Eu não seria sequer capaz de empurrar aquela coisa enorme. Portanto disse-lhe que tinha de devolvê-la.

«O Al recusou. Temos uma relação estranha com o dinheiro. Tivemos sempre. E era disso que se tratava. Ele pagou o cortador, portanto não quis devolvê-lo, porque nesse caso era como se eu tivesse dito que ele gastara mal o seu dinheiro. As coisas pioraram a partir daí, porque eu não queria ficar com a porcaria daquela máquina e ele não queria devolvê-la. Então, no final, devolvi-o *eu*. Saí e entrei na *pick-up*, pois a máquina ainda estava na parte de trás, e parti para a cidade.

«Eu não sou nada assim — disse ela, e olhou para ele. — Normalmente não entro em confrontos. Antes de chegar à cidade, já me arrependera de ter armado tanto barulho por causa daquilo. Quase dei meia-volta... — A voz falhou-lhe. — Mas não o fiz. Já tinha percorrido todo aquele caminho, então pensei que mais valia fazer uso dele. Portanto fui à mercearia. Quando voltei para o rancho, ele tinha-se ido embora. E, claro, levara as crianças.

Os ombros de Laura curvaram-se. Ela soltou um suspiro longo e lento.

— Aquele foi o pior momento que já tive. — As lágrimas brilharam mais uma vez. — Chegar a casa, encontrá-la vazia, perceber que eles se tinham ido embora.

— Quando foi isso? — perguntou James.

— Na sexta-feira. O Alan voltou entretanto. Tinha ido passar fora o fim-de-semana. Levou as crianças para casa da mãe dele. Mas isso fez-me perceber que tenho de fazer alguma coisa. Estamos em apuros. — Fez uma pausa e olhou para James. — Acho que talvez faça isto consigo. Talvez vá ao consultório.

— Cortador de relva? — repetiu Alan com descrença. — A Laura acha que isto tudo é por causa de uma máquina? Pensa que saí de casa porque estava chateado por causa de um maldito *cortador de relva*? — Recostado no sofá, ele abanou a cabeça. — Bem, aí está um belo exemplo do motivo por que estamos a afastar-nos: a Laura vive noutro mundo. Não percebeu nada do que estava a acontecer.

— Está a dizer que a Laura interpreta normalmente mal as coisas? — perguntou James, curioso. Com certeza um bom escritor seria bom na intuição e interpretação.

— Não «interpreta mal». A Laura não interpreta mal. É antes ter a sua própria versão do mundo. As coisas não são verdadeiras e falsas para a Laura. Não como são para a maioria de nós. — Alan fez uma pausa e baixou a cabeça, pensativo. — Como posso explicar isto? Não quero que pareça que a acho uma mentirosa patológica ou algo do género, porque não é assim tão claro. Mentir significa que deve haver algures uma verdade e sabemos que não estamos a dizê-la. Com a Laura, tudo é mais fluido do que isso. Quase como se a verdade não existisse e a criássemos à medida que avançamos.

«Como uma contadora de histórias», pensou James.

— Nos primeiros anos, era por isso que eu a amava — disse Alan. — Quero dizer, quando estamos junto de Laura algum tempo, percebemos que ela não é como as outras pessoas. Tem uma forma estranha e maravilhosa de pensar, não o tipo de coisa a que podemos chegar apenas com o intelecto. Há uma paixão nas pessoas criativas, não acha? Tendo crescido numa família de banqueiros e contabilistas, admirei isso. Talvez até me tenha identificado com isso um pouco, porque acho que o que me causou problemas em miúdo foi pensar de forma mais livre. Nada como a Laura, claro, mas o suficiente para saber que podia ter algo melhor do que apenas ganhar dinheiro. E animei-me com a ideia de que *ela* queria ficar *comigo*. De certa forma, foi isso que a atraiu. Ela queria o vulgar. Foi o que me disse uma vez. Eu era «real» para ela. Eu era a sua âncora...

«Mas essa qualidade já não é especial. É apenas muito trabalhosa. Hoje em dia sinto-me como um daqueles concorrentes que têm de adivinhar o que está por detrás da cortina. Sabe? Adivinhar entre isto e aquilo e ganhamos o prémio. Mas, quando a cortina sobe, há uma outra cortina atrás. Ou uma caixa para ser aberta. E lá dentro uma outra caixa. Nada é o que parece. Tudo esconde algo mais. Nunca encontrei a verdadeira Laura. Ao ponto de achar que ela não existe.

«Estou farto disto. De todas as mentiras e subterfúgios. Pergunta-mos-lhe alguma coisa e ela conta-nos a história que estiver na sua cabeça nesse momento. E é boa no que faz. Nunca sabemos se é verdade ou não.

Finalmente, Alan olhou para James.

— Quer saber o verdadeiro motivo por que a deixei. Não teve nada a ver com cortadores de relva. Devo contar-lhe o que aconteceu?

— Sim, claro — disse James.

— A nossa filha, Morgana, tem seis anos. Devia ter ido à festa de aniversário de uma menina depois das aulas na sexta-feira. Estava muito animada com isso, porque não é convidada para muitas festas de aniversário. A Morgana parece dar-se bem com as outras crianças, mas brinca muito sozinha. Principalmente porque vivemos tão longe. Portanto, isto era especial. Fartou-se de falar sobre o que queria vestir e sobre o que queria comprar de prenda à outra menina e tudo isso. Não falava de outra coisa.

«O dia da festa foi o dia em que a Laura fez a birra sobre o cortador de relva. Sentia-me cansado e farto e não me apetecia estar ali quando ela voltasse. Como já tínhamos combinado que eu ia buscar a Morgana à festa, decidi ir para a cidade mais cedo. Meti o Conor no carro e pensei em levá-lo comigo para lavar o carro. Ele gosta disso. Bom, havia obras na rua principal, portanto tomei um caminho diferente que passa pelo parque. Quando passei por lá vi a Morgana, a brincar sozinha.

«Pensei: que diabo? Puxei o travão, saí do carro e peguei nela. "O que estás aqui a fazer?", perguntei. Ela começou a chorar imediatamente... a berrar... e senti um grande alívio pelo facto de o acaso me ter levado por aquele caminho. A Morgana estava tão chateada que não consegui obter uma explicação para o que tinha acontecido. Só me ocorreu que quem organizara a festa daquela menina levara as crianças para o parque e depois se enganara na contagem quando se foram embora. Fiquei furioso, portanto fui a casa deles.

«Bati à porta e perguntei: "Que raio se passa convosco, deixarem uma criança de seis anos sozinha no parque?" E a mãe da menina olhou para mim como se eu fosse louco. Respondeu: "A Caitlin não faz anos hoje. O seu aniversário é em Agosto."

Os ombros de Alan curvaram-se em derrota.

— Foi então que descobri a história toda. — Olhou para James. — A Morgana inventara tudo. Estava desejosa de poder brincar no parque sozinha, porque é isso que as crianças da cidade fazem. Queria levar aquela roupa nova para a escola, mas a Laura dissera-lhe que não, que era para ocasiões especiais como festas de aniversário. E o maldito conjunto de canetas de feltro que tínhamos comprado de prenda para a menina era algo que a Morgana queria para ela. Portanto, ela inventou o aniversário. Estamos a falar de uma criança da primeira classe.

«Algo fez clique dentro de mim quando a Morgana me contou aquilo. Pensei, aqui está ela, aos seis anos, a fazer o que a mãe faz. A mostrar a mesma atitude indiferente em relação à verdade. A agir como se pudesse inventar a realidade. Pensei, raios, isto é a porra do futuro. A Morgana vai tornar-se uma outra Laura. Portanto, uma vez que o Conor já estava no carro comigo, arranquei. Pensei, *não* vou deixar que isto aconteça. Não vou deixar que a Laura estrague estes dois miúdos. Portanto, não fui para casa. Levei as crianças para casa da minha mãe em Gillette.

Alan encheu os pulmões e soltou lentamente o ar.

— O problema é que foi apenas um gesto. Não consigo deixar o rancho. Não consigo. É o *meu* rancho. Tenho lá demasiadas responsabilidades para poder simplesmente ir embora. Além disso, sair de lá magoaria demasiado os miúdos. A Laura e eu temos de resolver isto como adultos. Mas foi um gesto que precisava de ser feito, porque ela finalmente percebeu que estou determinado. As coisas têm de mudar, senão tiro-lhe o Conor e a Morgana.

CAPÍTULO SEIS

Vestida de calças de ganga e ténis, as mãos enfiadas nos bolsos de um blusão cinzento enorme, Laura parecia ter acabado de sair do ginásio no dia em que chegou para a primeira sessão.

— Não quer entrar? — convidou James, satisfeito por ela ter cumprido a promessa de aparecer.

Como antes, Laura evitou o espaço concebido para as conversas, preferindo a cadeira ao lado da sua secretária. Sentando-se nela, manteve as mãos nos bolsos do blusão, cruzando-as diante dela para se proteger como se o aposento estivesse frio. Que grande contraste, pensou James, com a mulher confiante que ele encontrara no restaurante.

— Como estão os seus filhos? — perguntou ela. — O Mikey melhorou a tempo de desfrutar da visita?

— Sim, estão ambos muito bem, obrigado. Foi apenas uma virose. No dia seguinte ele estava o terrorista do costume — respondeu James e sorriu.

— Chegaram bem a Nova Iorque? É um longo percurso para as crianças!

— Eles são dois aventureiros. Gostam da emoção de viajar sozinhos e das atenções das hospedeiras.

Laura aconchegou mais o blusão junto ao corpo.

— Estou a sentir-me muito nervosa — disse ela por fim, esboçando um sorriso de desculpas.

— Porquê? — perguntou ele delicadamente.

Ela encolheu os ombros.

— Não sei. Penso que seja porque sei que o Alan já cá esteve. Você já ouviu a sua versão de tudo. Temo estar em desvantagem.

— Não estou aqui para tomar partido — respondeu James. — Lembra-se da outra semana em minha casa? Quando disse que tudo isto é simplesmente para fazer as coisas funcionarem novamente? Essa é a verdade. Não estou aqui para julgar nenhum de vocês. Isso não seria útil. Estou aqui apenas para que você, o Alan e o Conor consigam desenredar as coisas.

— Pois — disse ela, parecendo pouco convencida.

Houve um momento de silêncio. Laura olhou em volta. Por fim, olhou brevemente para ele.

— Então sobre o que quer que eu fale? O Conor? O Alan?

— Aqui você decide. Você controla a sessão.

— Se eu detivesse realmente o controlo, controlá-la-ia ao não estar cá — disse ela com um sorriso.

— Também tem essa opção. Se precisar de sair, pode fazê-lo. Aqui *você* decide. Anda tudo à volta disso.

James percebeu pela expressão dela que não lhe tinha ocorrido que realmente tinha a liberdade de se levantar e sair dali. Agora parecia ainda mais nervosa.

— Está a sentir-se pouco à vontade — disse ele, dando-lhe um assunto de conversa.

— Sim.

Houve um momento de silêncio.

— Gostava que isto fosse mais natural. Como aquela noite em sua casa. Quero dizer, eu *consigo* falar. — Riu-se embaraçada. — Só quando me vejo numa situação destas é que perco o dom da fala.

— Não faz mal — disse ele em voz baixa. — Não se preocupe com isso. — O gabinete ficou em silêncio. Ela estava a olhar para as mãos pousadas uma em cima da outra na sua barriga. Continuavam dentro dos bolsos do blusão, portanto ela olhava para o tecido cinzento.

— O que está a dificultar isto... — começou ela timidamente — ... é... que antes de discutirmos o Conor ou o Alan, quero falar-lhe sobre outra coisa. Porque deu forma a toda a minha vida... precisa de saber, se quiser compreender o que está a acontecer. Mas não sei como começar...

— Tudo bem — disse James. — Leve o seu tempo. O ritmo é seu. Não há pressa.

— É só que, bem, nunca contei isto a ninguém. — Ela franziu o sobrolho. — Não, isso não é verdade. Já contei. A bastantes pessoas, na verdade. Mas nunca num contexto como este. Nunca de uma forma que reconheça o seu lugar legítimo na minha vida. Nunca com verdade, do princípio ao fim. — Encolheu os ombros, desculpando-se. — Foi isso realmente o que me impediu de cá vir antes. Não sei como começar a falar sem fazer com que tudo soe a loucura. No entanto, ao mesmo tempo, sei que tenho de o fazer. Porque... e se eu realmente perco o Alan? Ou a Morgana? Ou o Conor? Isso não pode acontecer. Portanto tenho de começar a falar-lhe desta coisa, porque de outra forma nada mais fará sentido.

James assentiu.

Houve um silêncio total, tão completo que os ruídos subtis do escritório exterior e da sala de espera fluíram para o gabinete como uma maré.

Laura finalmente respirou fundo e soltou o ar com lentidão.

— Começa no Verão quando eu tinha sete anos. Na minha cidade natal, que fica a oeste daqui, nas Black Hills. Em Junho. Início da noite, talvez por volta das sete. Ia sozinha por um caminho de terra que começava no fim da nossa rua, Kenally Street, atravessava um terreno baldio junto ao lago e depois ligava à rua mais próxima, que é Arnott Street. Era apenas um caminho de crianças no meio de um terreno baldio que pertencia a um velhote, o senhor Adler. Sabe como é. Utilizávamo-lo como atalho para a escola e como forma rápida de chegar ao cais no final de Arnott Street.

«Bom, nessa noite houvera aguaceiros e trovoada ao fim da tarde. Quando as nuvens finalmente se dissiparam, o Sol pairava sobre aquela montanha baixa e corcunda a que todos chamavam Pão de Açúcar. Eu avançava directamente para a luz do Sol e lembro-me de olhar para ele e perguntar-me por que motivo podíamos olhar directamente para o Sol quando ele está baixo no céu e não ferir os olhos.

«Então, à minha direita, detectei um movimento pelo canto do olho, parei, virei a cabeça e continuei encandeada. Não consegui ver claramente, durante um momento, mas, quando consegui, estava lá uma mulher.

Laura fez uma pausa e inspirou.

— Não era como ninguém que eu já tivesse visto. Nem mesmo nos meus sonhos. Tinha cerca de vinte anos, era alta, com feições ousadas e pele cor de poeira. O seu cabelo era preto como carvão, grosso e muito, muito liso. Pendia solto sobre os ombros. Isso chamou-me logo a atenção, porque estávamos no início dos anos sessenta, antes da geração Flower Power, e as mulheres usavam o cabelo curto como a Doris Day ou armado como a Jackie Kennedy. Se fosse mais comprido, era apanhado num coque ou *chignon*. Nunca tinha visto uma adulta com o cabelo solto.

«A outra coisa realmente visível era a sua musculatura. Ela era muito magra, mas tinha uns músculos tensos, salientes. Lembro-me de pensar que se estendesse a mão e lhe tocasse a sua carne seria dura como a do meu irmão, não macia como a da minha mãe.

«Mais do que qualquer outra coisa, porém, o que mais a definia eram os olhos. Eram encovados, sob sobrancelhas escuras, não depiladas, e da cor mais extraordinária. As íris eram de um cinzento muito claro e vagamente amareladas à volta, como os olhos de um lobo.

«Toda a sua roupa era de um branco cremoso. A blusa era larga e tinha um bordado elaborado à frente e nos punhos, mas o bordado era branco sobre um fundo branco, portanto não se conseguia ver bem sem se olhar de perto. As calças eram como os calções largos que os miúdos usam agora e que terminam logo abaixo dos joelhos, mas eram feitas do mesmo tecido branco da blusa. Nos pés usava sandálias de estilo romano, daquelas que se prendem nos tornozelos.

«Lembro-me de olhar para ela, porque parecia muito estranha. E também porque ela era realmente muito bonita de uma forma selvagem. Ela olhou para mim. Não de forma discreta, como os adultos normalmente olham para as pessoas em que estão interessadas. Olhou *fixamente*. Como as crianças olham umas para as outras. Tinha uma expressão confusa, como se a surpreendesse ver-me ali naquele caminho através do terreno baldio do senhor Adler, tal como eu me surpreendera ao vê-la.

«Esse momento pareceu durar uma eternidade. Ficámos ali, a olhar uma para a outra. Não senti medo nenhum. Quando muito, uma excitação receosa.

«Ela virou-se finalmente e começou a avançar para o canto do terreno. Não havia uma saída para a rua por ali. Apenas uma velha sebe de lilases. Os lilases eram altos e irregulares, mas, mesmo assim, não se conseguia passar por eles. Não me perguntei por que motivo ela ia nessa direcção. Só sabia que estava a fugir e eu não podia deixar que isso acontecesse. Tive de segui-la. Então segui.

Laura parou.

James ergueu as sobrancelhas.

— E?

— A minha recordação seguinte foi a de ser atingida por maçãs que o meu irmão adoptivo estava a atirar. Quando olhei em volta, encontrava-me no beco do outro lado do caminho. Junto ao portão do nosso quintal. Isso ficava a mais de meio quarteirão de onde eu tinha visto a mulher.

«Lembro-me de olhar para baixo e ver as ervas daninhas do beco, de ver a sua cor. Era daquele amarelo-pálido das coisas que ficam secas no calor do Verão, e a terra era dura por baixo delas. Por um momento, perguntei-me se a mulher me enfeitiçara e me mandara para ali porque ainda ficava longe do caminho através do terreno baldio. Eu tinha sete anos e ainda queria acreditar em fadas e magia. Mas não era ingénua. Acho que já sabia que essas coisas realmente não existiam. Mas já conhecia bem a minha imaginação para saber o que ela fazia. Não era a primeira vez que ficava tão absorta num jogo imaginário que deixava de ver onde estava e acabava noutro lugar.

— Então, reconheceu que ver aquela mulher foi uma experiência imaginária? — perguntou James.

— Oh, sim. Não estou a falar de extraterrestres ou de coisas paranormais ou algo parecido. Eu imaginei-a. Por muito real que me tenha parecido no terreno do senhor Adler, soube até nessa altura que se tivesse estendido a mão, nunca lhe poderia ter tocado. Sabia que, ela tinha vindo de dentro de mim.

— Então o que acha que lhe aconteceu durante esse período em que a viu e acabou no portão do seu quintal? — perguntou James.

— É simples. Eu seguira-a. Entrara num outro mundo nessa noite — respondeu Laura calmamente. — Um mundo dentro da minha cabeça. Em lado nenhum e eu sabia que era em lado nenhum. Mas ainda assim era um outro mundo, e não menos real por estar lá, em vez de aqui. Experimentei-o com uma enorme clareza. De forma tão nítida e vibrante como vejo esta sala em torno de nós agora.

Olhou directamente para James.

— Soa-lhe a loucura?

James esboçou um sorriso meigo.

— Não, não a loucura. Muitas crianças são dotadas de uma imaginação surpreendente e conseguem criar fantasias muito pormenorizadas.

— Foi mesmo incrível. Mas revelou-se muito mais do que fantasia de criança, porque não parou na minha infância. É por isso que é tão difícil falar do assunto. Porque *há* nisto um tipo de loucura e eu sei-o. — Observou os dedos por um momento. — Mas também preciso de lhe contar tudo. Porque aquela noite no caminho através do terreno do senhor Adler influenciou tudo o que me aconteceu desde então.

James não estava à espera de nada daquilo. Fascinado, inclinou-se para ela.

— A fantasia tende a ser um reflexo das nossas vidas, das necessidades que não estão a ser satisfeitas, dos desejos que temos — disse. — Gostaria muito de saber como era a sua infância naquele momento.

Laura ficou pensativa.

— A maioria das pessoas cria logo um estereótipo da minha infância quando sabe que fui adoptada — disse ela por fim. — Parte do princípio que deve ter sido perturbada e cheia de acontecimentos traumáticos. A verdade é que, na sua maior parte, foi realmente uma infância muito boa. Eu era feliz.

«Só vivi com uma família. Estava com eles desde que tinha apenas poucas semanas de vida, por isso sempre os considerei a *minha* família. Os meus pais adoptivos tinham quatro rapazes, todos mais velhos do que eu, portanto eu era a filha que nunca tiveram e senti-me muito querida. Chamavam-se Mecks. Eu tratava-os por mãe e pai e eles sempre me trataram como se eu fosse sua filha. Era muito amada e sabia-o.

— Como foi parar à assistência social? — perguntou James.

— A minha mãe teve uma embolia e morreu dois dias depois de eu nascer. Eu fora um pouco um acidente, de qualquer maneira, pois os meus dois irmãos são oito e dez anos mais velhos do que eu. Naquela altura os homens não eram muito domésticos. O meu pai sentiu que podia criar dois rapazes em idade escolar, mas não um bebé. Portanto fui para os Mecks muito cedo.

Laura ficou pensativa.

— Em muitos aspectos, foi uma vida idílica para uma criança imaginativa. Eu era essencialmente a última filha, o que significava que fui mimada, que me deixavam à vontade, e não esperavam muito de mim. E foi um ambiente fantástico para crescer. Os Mecks tinham uma enorme casa antiga do virar do século, com uma grande escadaria no vestíbulo e um corrimão pelo qual podíamos deslizar, como fazem as crianças nos filmes. Toda a gente lhe chamava «Casa do Lago», pois fora construída no fim de Kenally Street e as traseiras davam para o lago Spearfish. Até tínhamos o nosso próprio bocado de costa. Pensando nisso agora, desconfio que a casa não era tão grandiosa quanto me lembro. Na verdade, provavelmente era bastante pobre pelos padrões adultos, porque havia bastante tinta a descascar, papel de parede manchado e tábuas rangentes. Mas era um paraíso infantil.

«O meu pai adoptivo tinha convertido parte do sótão num quarto para mim quando eu tinha cinco anos. Era gigantesco... um espaço enorme e escuro cheio de correntes de ar que era um forno no Verão e um congelador no Inverno, onde eu não conseguia ficar de pé em três quartos do quarto por causa da inclinação do telhado... e eu achava que era o paraíso na Terra. Eu era uma daquelas crianças que estavam sempre a fazer coisas, que tinha sempre um "projecto" em andamento. E sempre a coleccionar coisas. Coleccionava muito. Pedras, folhas, cavalos... sabe, aqueles cavalos de plástico *Breyer* que eram tão populares na altura... todo o tipo de coisas. O meu pai construiu-me prateleiras sob o beiral para tudo e fez uma mesa a partir de uma porta velha. — Sorriu a James. — Foi maravilhoso.

— E a juntar a tudo isso... a sua imaginação — disse ele.

— Oh, Deus, sim. Isso era o que eu mais gostava de fazer... fingir. Aos sete estava na minha fase dos cavalos. Queria desesperadamente um verdadeiro, mas não havia, naturalmente, nenhuma possibilidade de ter um. Então passei cerca de dois anos a fingir que era um. *«Borboleta*, o pónei.» — Ela sorriu. — Costumava andar com uma toalha nos ombros a fazer de cobertor de cavalo.

«Também "construí" um cavalo no sótão, ligando uma cabeça de cartão e uma cauda de cordel ao escadote. Montava-me no cimo e fingia que era a grande amiga de Dale Evans, e ela e eu cavalgávamos ao encontro de Roy ou arrebanhávamos cavalos selvagens e disparávamos contra os maus.

«Na verdade, foi por isso que a Torgon se destacou tanto. Embora eu não tivesse ficado admirada com o facto de uma senhora desconhecida ter aparecido no terreno do senhor Adler, o que *era* extraordinário era ela não estar a cavalo! — Laura riu com gosto.

— Torgon?

— Sim, foi isso que lhe chamei. Desde o início, porque sabia que esse era o nome dela. Achei a sua chegada muito auspiciosa. Aconteceu na altura em que eu andava sempre a fingir ser o pónei *Borboleta*. Uma das coisas de cavalos que eu gostava de fazer era comer aveia crua e a minha mãe estava convencida de que comer aquilo me provocaria uma apendicite. Ouvi-a dizer ao meu pai que estava desejosa de que eu saísse da minha fase de cavalo. Então, tenho uma recordação maravilhosa de estar na banheira na noite em que vi pela primeira vez a Torgon. Estava a pôr água nos braços com uma luva turca e a pensar no que tinha acontecido, e lembro-me de me sentir muito orgulhosa por ter visto Torgon e não simplesmente um outro cavalo. Soube que aquilo significava que eu estava a crescer! — Riu-se de forma tão contagiante que era difícil não lhe fazer companhia.

— E a sua família biológica? — perguntou James. — Tinha contacto com eles?

— Oh, sim! O meu pai morava aqui em Rapid City na altura. Ia ver-me todos os terceiros domingos, sem falta. Os meus irmãos Russell e Grant iam sempre com ele, por isso, apesar de eu não viver com eles, éramos muito chegados.

«O meu pai ia buscar-me a casa dos Mecks e levava-me a um restaurante chamado Wayside, onde comíamos o prato especial de domingo, que era carne assada, seguido de tarte de maçã à sobremesa. Depois, se o tempo estava bom, íamos dar um passeio pelas Black Hills. Se estava mau, jogávamos *bowling*. — Laura sorriu. — Como consequência, sou uma excelente jogadora, ainda hoje!

«Eu vivia para esses domingos. O meu pai sabia como fazer uma criança sentir-se especial. Chegava sempre desejoso de me ver, cheio de novidades sobre coisas que pensava que eu gostaria de ouvir, e sem falta levava-me uma prenda. Uma *boa* prenda, sabe? Não apenas um par de meias ou uns lápis ou algo assim. Principalmente era um novo cavalo *Breyer* para a minha colecção. Isso significava muito para mim. Eu cobiçava imenso aqueles cavalos. Eram bastante caros, por isso a maioria das crianças não tinha muitos, mas, como o meu pai me dava um quase todos os meses, eu tinha a maior colecção da minha turma. Noutras coisas não tinha um grande estatuto, mas naquilo era a melhor...

«É claro que o que eu mais queria realmente era viver com o meu pai e os meus irmãos. Por muito contente que me sentisse na casa do lago com os Mecks, era diferente do que outras crianças tinham, e diferente é péssimo quando se é pequeno. Sempre odiei ter de explicar porque é que o meu apelido não era o mesmo que o deles, porque tinha ido viver com eles, porque não vivia com a minha família. Por isso sonhava incessantemente com o dia em que estaria reunida com a minha verdadeira família. O meu pai também gostava muito desse jogo, dessa ideia de que eu estava com os Mecks apenas temporariamente. Um dos rituais mais felizes das visitas de domingo girava sempre em torno de ele me dizer que estava na iminência de me levar de volta com ele, e a seguir planeávamos como iria tudo ser quando ele o fizesse. Ele estava sempre a dizer-me que iria acontecer dali a uns seis meses. Assim que arranjasse um novo emprego ou comprasse uma casa com quintal, viria buscar-me. Ou a sua razão preferida: quando arranjasse uma nova mãe para mim. Adorava falar sobre isso. A cada visita deliciava-me com histórias tentadoras sobre todas as possibilidades e se eu aprovava ou desaprovava. A seguir, fazíamos muitos planos emocionantes sobre o que nós e essa nova mãe iríamos fazer quando estivéssemos todos juntos de novo...

«Eu era incrivelmente crédula — disse Laura num tom ligeiro. — *Nunca* duvidei dele. Nem uma única vez. Mês após mês, ano após ano, o meu pai contava-me essas histórias sobre o que estava a fazer para eu voltar para ele e eu sempre acreditei. Devia de ter pelo menos uns nove quando percebi que "dali a seis meses" era uma medida de tempo real e não apenas um sinónimo para "um dia".

— Ficou ressentida quando descobriu isso? — perguntou James.

— Não, não na altura. Ele era tão confiável noutros aspectos: vinha sempre todos os terceiros domingos, trazia-me sempre uma prenda, levava-me sempre a fazer coisas divertidas. Mesmo quando percebi que vários períodos de seis meses tinham passado, continuei a acreditar que ele fazia todos os possíveis para nos reunir.

— E durante todo esse tempo teve essa companheira imaginária? Essa personagem Torgon de que me falou? — perguntou James.

Laura assentiu.

— Oh, sim. A Torgon e eu estávamos apenas a começar.

CAPÍTULO SETE

— Olá, Becks!

— Pai! Olá! Adivinha? Quando o telefone tocou, eu *disse* que eras tu! Disse à mãe. Ela e o tio Joey iam levar-nos a patinar no gelo esta noite, mas eu disse que queria ficar em casa porque achava que ias telefonar. E telefonaste! Tenho poderes psíquicos, não achas?

— Sim, provavelmente tens, Becks — concordou James, rindo-se. Não lhe lembrou que costumava ligar nas sextas à noite.

— Obrigado por me mandares o livro da Ramona Quimby, pai. Ainda não tinha aquele. E é muito bom! Estou quase a acabá-lo e só comecei ontem à noite. Fiquei tão feliz quando abri o pacote e vi que era o livro.

— Bem, eu é que agradeço a *tua* longa carta cheia de novidades — disse James. — Recebi-a na segunda-feira. Que surpresa agradável na minha caixa de correio.

— Foi tão comprida que quase parecia um livro da Ramona Quimby, não achas? — retorquiu Becky alegremente. — A minha professora disse que provavelmente vou ser escritora quando for grande, porque sou muito boa nos detalhes.

— Sim, lá isso és. Gosto dos teus detalhes. E fico contente por saber que estás a gostar tanto da ginástica.

As palavras de James foram interrompidas pelo barulho surdo de uma luta do outro lado da linha.

— Sai! — resmungou Becky. — Ainda estou a falar!

— Pai! Pai! — Era a voz de Mikey.

— Olá, Mike, como vai isso?

— A Becky não me deixa falar ao telefone e é a minha vez.

Mais luta abafada e o som de Becky a murmurar:

— Porquinho metediço. Depois dá-me o auscultador.

— Recebeste o postal que te mandei, pai? — perguntou Mikey. — Tem um farol.

— Sim, recebi. Muito obrigado.

— Escrevi tudo sozinho. Até escrevi a tua morada.

— E fizeste um trabalho de Super-Homem — disse James. — Foi muito fácil de ler. O carteiro trouxe-o à minha porta sem qualquer problema.

— Pai?

— Sim, Mike?

— Quando é que podemos chegar à tua porta outra vez? Tenho saudades tuas. Quero ver-te.

— Sim, eu também tenho saudades tuas, Mikey. Muitas. Essa é uma das razões por que estou a telefonar. Para combinar com a mãe vocês virem cá passar o Dia de Acção de Graças.

— Não quero esperar tanto tempo. Tenho saudades tuas agora.

— Sim, eu sei. Eu também — disse James. — Todas as noites digo «Boa noite, Mikey. Boa noite, Becky» para a fotografia ao lado da minha cama.

— Sim, e todas as noites eu digo «Boa noite, pai» para a *tua* fotografia — respondeu Mikey. — Mas queria que fosses mesmo tu.

— Então porque não passas o telefone à tua mãe para podermos combinar as coisas?

— Está bem, pai. Beijinhos. — Deu um beijo ao telefone. — Adoro--te para sempre.

— Também te adoro para sempre, Mikey.

Houve uma pausa enquanto Mikey pousava ruidosamente o telefone na mesa. Depois ouviu-se a voz de Sandy, grave para uma voz de mulher, mas suave e fluida como o melaço sobre cascalho.

— Bem, sim, recebi o teu *e-mail* — disse ela. — E quero saber exactamente o que estás a planear.

— Devia ter sido bastante claro, Sandy. Não vou pagar a hipoteca que pago por essa casa para ter o Joey a morar aí, e sei que mora, porque as crianças me disseram. Deixa o Joey pagar a maldita hipoteca.

— A hipoteca foi parte do acordo, James.

— Não, se ele está a viver aí.

— A hipoteca foi parte do acordo — repetiu ela num tom tenso que enfatizava o significado das palavras. — Porque os *nossos* filhos estão a viver nesta casa. Isso ainda acontece. Então porque estás a preocupar-te com essa merda?

— Porque estou a ganhar um ordenado do Dacota do Sul e a pagar um palacete no West Side. O Joey é a porra de um advogado. Em Manhattan, por amor de Deus! Pode pagar o que quiser.

— Bem, se achas que podes ter as crianças sempre que quiseres e depois mudas de opinião e dizes que não vais pagar a hipoteca...

— Isto não tem nada a ver com quando eu tenho as crianças. Combinámos essas datas com mediação, Sandy.

— Sim, bem, também concordámos a hipoteca com mediação.

— *Sandy*.

Ela bateu com o telefone.

— Tens de ignorá-la, Jim — disse Lars. — É como no futebol. Se queres concluir um bom passe, então só tens de pensar nesse passe. Tens de ignorar totalmente a outra equipa, porque eles estão apenas a tentar fazer-te desconcentrar. É o mesmo com a Sandy. Ela não quer que completes nenhum passe, quer seja receberes as crianças aqui no Dia de Acção de Graças ou dizer àquele advogado matreiro para sair do raio da tua casa.

— Eu sei — disse James frustrado, afundando-se na cadeira. — Mas quando ela começa com aquele tom condescendente...

— É uma interferência, Jim. Nada mais. Ela está apenas a fazer interferência. Tens de a esquecer e pensar no que é positivo. Naquilo que queres realizar.

— Ela sabe como torcer a faca — murmurou James. — Sabe que pode ferir-me através das crianças.

— Jim, não a deixes afectar-te.

— Ela faz-me sentir patético. É isso que eu odeio. Age como se eu tivesse fugido ao vir para cá, quando na verdade eu fiz precisamente o contrário. Já fiz uma introspecção e sei onde errei. Fiz algumas escolhas más e tomei algumas opções erradas, mas quando percebi isso tomei medidas para criar uma vida melhor. Só que não era aquela que ela esperava.

Muito lentamente, Conor começou a falar mais. Era difícil dizer se era um discurso significativo ou simplesmente ecolalia, porque era composto em grande parte por frases que James usara primeiro, mas tornou-se cada vez mais claro que Conor queria interagir.

Certa manhã, quando chegou, Conor disse:

— Aqui, tu decides — à porta da ludoteca, quase como se fosse uma saudação.

— Bom dia, Conor. Não queres entrar? — retorquiu James.

— Ehhh-ehhh-ehhh-ehhh.

Durante um longo momento, Conor permaneceu à porta. Pressionou o gato contra o rosto, os olhos, depois baixou-o e apontou-o à volta da sala.

— Aqui, tu decides — disse ele novamente. — Aqui, andas à volta da sala. — Começou a sua habitual perambulação no sentido dos ponteiros do relógio. Uma, duas, três vezes andou à volta da sala.

— Onde está o auroque do menino? — perguntou ele de repente.

— Aqui, tu decides.

— Sim — disse James. — Nesta sala podes decidir por ti se queres brincar com animais de plástico.

— Onde está o auroque do menino? Tu decides.

— Gostarias de me ajudar a encontrar a cesta? — perguntou James.

— Encontrar a cesta com os animais — respondeu Conor, embora James não conseguisse discernir se era uma resposta verdadeira ou apenas um eco incompleto.

Levantando-se da cadeira, James dirigiu-se às prateleiras.

— Aqui estão os animais — disse ele, e levantou a cesta de arame vermelho. — Queres que a ponha na mesa para ti?

— Aqui, tu decides.

— É isso mesmo. Tu decides se queres que eu a leve para a mesa.

— Leva-a para a mesa.

Conor seguiu-o. Levantando o gato, examinou a cesta, e depois esticou o braço e tirou um animal.

— Aqui está um cão — disse ele e colocou-o sobre a mesa. Isso pareceu agradar-lhe. Havia quase uma sugestão de sorriso nos seus lábios. — Aqui está um pato. — Pô-lo também na mesa.

James viu-o progredir com a cesta dos animais. Embora as acções dele fossem lentas e obsessivas, não eram exactamente o mesmo que as repetições de rotina de uma criança autista. Tinham umas *nuances* que fizeram James ter a certeza de que possuíam um significado, embora naquele momento ainda não fosse capaz de especular qual poderia ele ser.

— *Aqui* está o auroque do menino — disse Conor com ênfase.
— O auroque vai ficar com os outros. — Observou-os. — Há muitos animais. Quantos? Quantos são muitos? — Depois começou a contá--los. Aquilo era novo. James não o tinha ouvido contar antes. — Quarenta e seis. Quarenta e seis são muitos. Quarenta e seis no total — disse Conor.

— Gostas de ver muitos animais — disse James. — Ouço uma voz contar com gosto.

— Não há gato.

— Não, não há nenhum gato entre eles.

— Muitos animais. Quarenta e seis animais. Mas nenhum gato — disse Conor.

— Não. Todos esses animais, mas nenhum deles é um gato — comentou James para indicar que estava a ouvir atentamente.

— Agora eles vão morrer — disse Conor com naturalidade. — O cão vai morrer. — Fez tombar o cão de lado. — O pato vai morrer. O elefante vai morrer. — Um por um, fez os animais de plástico caírem de lado. Não havia nenhuma tensão na sua voz. Os animais morreram todos com a mesma serenidade como haviam estado alinhados.

«Morreram. Muitos animais morreram — disse Conor. — Não há mais dentro e fora. Não há mais vapor. — Tirou o gato de debaixo do braço onde estivera escondido. Fê-lo examinar os animais caídos, encostando o nariz dele a cada um individualmente. — O gato sabe.

O gato sabe?, pensou James. O gato sabe o quê? Ou talvez ele tivesse entendido mal todo aquele tempo. Talvez fosse «o nariz do gato». Talvez Conor acreditasse que o gato era capaz de farejar alguma coisa.

— Onde está o tapete? — perguntou Conor de repente e olhou para James.

James levantou os olhos sem expressão.

Conor virou a cabeça e olhou à volta da sala. De repente, o seu rosto iluminou-se e ele foi atrás de James para pegar na caixa de lenços.

Voltando à mesa, Conor tirou lenços da caixa e colocou-os um a um sobre os animais de plástico. Isso ocupou a maior parte do espaço na mesa. E gastou também a maioria dos lenços.

Quando terminou, Conor inspeccionou o seu trabalho.

— Onde está o cão? — perguntou. Então, levantou um lenço.

— O cão está aqui. Onde está o pato? O pato está aqui. — Repetiu o mesmo com todos os animais, perguntando onde estava um animal e, em seguida, levantando o lenço para dizer que estava ali. Havia um tom repetitivo e cantado nas suas perguntas e respostas. Isto lembrou a James um jogo de escondidas de um bebé. No entanto, havia também uma qualidade de disco riscado naquilo, como se, uma vez iniciado, ele não conseguisse parar.

— Estás preocupado que o cão não esteja lá, que o cão possa não estar sob o lenço se não conseguires vê-lo — aventurou-se James a interpretar. — Queres olhar uma e outra vez para teres a certeza.

Por um breve momento, Conor levantou a cabeça, olhou directamente para James, os seus olhos de um azul toldado, indistinto. Tinha registado o comentário de James e pela sua reacção James adivinhou que a sua interpretação devia ter sido correcta.

— Estás preocupado com o que vais encontrar sob o lenço, portanto tens de ver — reiterou James.

— O cão está morto — respondeu Conor.

— Achas que o cão está morto, portanto é por isso que puseste um lenço sobre ele.

— Um tapete.

— Então puseste um tapete sobre ele.

— O gato sabe.

— O gato sabe que o cão está morto? — perguntou James.

— Ehhh-ehhh-ehhh-ehhh.

— Estás a fazer o teu som preocupado — disse James.

— O cão está morto — disse Conor muito baixinho. — O pato está morto. O auroque está morto. — Olhou para o gato de brincar nas suas mãos. — Um dia o gato vai morrer também. — E uma única lágrima caiu, abrindo um caminho molhado pela sua face.

CAPÍTULO OITO

— Então o que lhe aconteceu exactamente naquela tarde em que viu Torgon pela primeira vez? — perguntou James quando Laura se instalou para a sessão seguinte. — Quando experimentou aquele intenso episódio imaginativo?

Laura ficou em silêncio alguns minutos.

— Bem, quando segui Torgon até à sebe de lilases, estava no mundo dela. Num momento encontrava-me no caminho através do terreno baldio do senhor Adler e no momento seguinte encontrava-me num promontório de pedra calcária branca. O próprio solo era branco. Não friável como nas Badlands, mas rocha que era empurrada para cima em grandes nervuras distintas para formar o penhasco, como se um gigante tivesse juntado um punhado de giz. Abaixo de nós havia uma enorme floresta que se estendia em todas as direcções. Mais ou menos como calculo que seja a bacia amazónica se a virmos de cima. Lembro-me das árvores ondularem inquietas com a brisa, quase como as ondas no oceano. Foi assim que ganhou o seu nome. Daquele momento em diante, chamei-lhe sempre a Floresta, por causa daquela vista do penhasco.

Laura fez uma pausa, pensativa.

— Quando digo «fui lá» ou «fui com ela», não é exactamente certo. É difícil descrever o que realmente aconteceu, porque eu estava consciente de que não me encontrava lá. Isso era uma das coisas que eram diferentes na Floresta das minhas outras fantasias. Em todas elas, eu estava sempre no centro da acção, imaginando-me como a estrela, fazendo coisas com os personagens que criei. A Floresta era completamente diferente. Era mais como ver um filme.

«De início, não conseguia descobrir qual o papel de Torgon. Foi imediatamente óbvio que ela era alguma espécie de líder. Percebia--se logo pela forma como as pessoas a tratavam. Julguei a princípio que ela era uma rainha, mas vim a perceber que era, na verdade, uma pessoa santa. Não exactamente uma sacerdotisa, mas do género. A palavra na língua do povo da Floresta para o seu papel era *benna*.

— Então, tinham a sua própria linguagem? — perguntou James.

— Sim. Embora a única vez que tenha estado ciente disso fosse com palavras como *benna*, que não têm um equivalente em inglês. Eu «ouvi» essas palavras.

James escutou, fascinado. Sempre achara intrigantes os amigos imaginários das crianças, em parte porque ele próprio não tivera amigos semelhantes, pelo que era difícil conceber a experiência. Becky, no entanto, passara por uma fase aos três anos em que um tigre invisível chamado *Ticky* a acompanhara por todo o lado, de modo que isso lhe dera uma valiosa experiência em segunda mão. Sabia que os companheiros imaginários, embora pudessem parecer estranhos, eram uma parte da infância normal e saudável e geralmente indicavam uma criança com inteligência acima da média. Não era estranho que o mundo imaginário de Laura tivesse chegado tão tarde, já que a idade mais comum para esse tipo de coisas era entre os três e os seis anos, mas não era inédito, principalmente em crianças altamente criativas.

James olhou para Laura. Enquanto ela falava sobre a Floresta, foi--se descontraindo. A ansiedade da sessão anterior tinha desaparecido completamente e ela estava sentada numa posição aberta, confortável. O seu contacto visual era excelente, o sorriso pronto.

— A Torgon não vivia na aldeia onde viviam os outros — disse —, porque era considerada divina pelo seu povo, uma encarnação do seu deus, Dwr. Portanto, vivia num recinto murado na floresta, uma espécie de mosteiro. Havia outra pessoa santa de estatuto elevado a viver lá também. Chamava-se Valdor, mas era sempre chamado de Vidente, porque tinha visões divinas. Esse era realmente o seu papel, ser uma espécie de oráculo. Vestia roupa branca muito pesada com bordados de ouro nas bordas e era muito velho quando o vi pela primeira vez... talvez estivesse nos setenta. Havia também algumas mulheres no recinto. Como freiras. E crianças. Muitas e muitas crianças de todas as idades. Vinham da aldeia, principalmente de famílias abastadas, para serem educadas. Eram chamadas acólitos, embora não fizessem nada muito religioso.

«Na primeira noite que lá fui... — Laura esboçou um pequeno sorriso. — Fiquei realmente um pouco desapontada ao descobrir tudo aquilo. Até então, a minha vida tinha andado à volta dos livros de banda desenhada e dos programas de TV. Estava apaixonada por Roy Rogers e Dale Evans, e lembro-me de ter pensado porque não fora Dale Evans a aparecer no terreno do senhor Adler? Mas levei pouco tempo a apaixonar-me por Torgon. Ela era uma pessoa maravilhosa. Muito carismática. E inteligente. Realmente experiente, sabe? Um pouco autodidacta. Mas também era muito emotiva. O seu humor podia mudar com uma rapidez súbita e ela nunca parecia inclinada a controlá-lo. No entanto, podia ser atraente, encantadora, mesmo no meio do comportamento menos razoável. Eu adorava isso nela, esse lado selvagem complicado.

— Quem sabia de Torgon? Contou a alguém? Ao seu pai, por exemplo?

— Mais ou menos — respondeu ela e ficou pensativa por um instante.

— Estou a ouvir mais alguma coisa na sua voz — disse James. — Será que o seu pai não aprovava?

— Não era tanto desaprovar. Ele não percebia, portanto não fazia muito sentido contar-lhe. Falei com ele sobre isso, mas ele não me «ouviu», percebe?

— Pode explicar um pouco melhor?

Ela ponderou o pedido de James e, em seguida, assentiu.

— Lembro-me de uma vez em que tinha oito anos. Estava na minha visita anual à casa dele aqui em Rapid City. Vinha todos os meses de Agosto ficar uma semana com ele e com os meus irmãos. Era o ponto alto da minha vida naquela época. Não o Natal, não o meu aniversário, mas aquela última semana de Agosto, quando o meu pai tirava férias e eu vinha ficar com ele.

«Eu dormia num divã que ele punha no canto do seu quarto. Durante bastante tempo, habituei-me a ir à Floresta durante o período em que me deitava e adormecia. Gostava de o fazer nessa altura, porque era um período agradável e relaxante, e eu não era interrompida. Em casa dos Mecks nunca ninguém percebeu porque eu estava no sótão, portanto nunca reparei se falava em voz alta ou não. Mas, é claro, no pequeno apartamento do meu pai, ele ouviu e veio ver o que eu estava a fazer. Lembro-me da silhueta dele na porta, a perguntar: "Estás a falar connosco?" Respondi que não, que estava apenas a brincar.

«Ele entrou no quarto, sentou-se na beira da cama e disse: "Pareces estar a divertir-te imenso aqui sozinha. A que é que estás a brincar?"

«A Torgon aparecia-me há cerca de um ano, portanto eu sabia todos os pormenores da sua vida. Por exemplo, ela era a mais velha de duas filhas e tinha uma irmã quatro anos mais nova chamada Mogri, e eu sabia todas as coisas que elas tinham feito juntas ao crescer. Também sabia imensas outras coisas. A sociedade da Floresta tinha uma hierarquia incrivelmente rígida de castas e a casta em que se nascia determinava tudo. Determinava quem se era, que trabalho se podia fazer, com que outros membros da sociedade uma pessoa se podia associar. A casta mais elevada era uma classe dirigente religiosa, constituída pelo Vidente, a *benna* e os seus descendentes. Eram quase como uma família real, porque governavam de forma absoluta. A casta seguinte era a dos anciãos, que faziam as leis e arbitravam os assuntos civis. Depois vinha a casta dos guerreiros, a seguir a dos comerciantes e assim por diante. A casta mais baixa era composta pelos trabalhadores, as pessoas que faziam o trabalho manual. Nem sequer eram autorizados a viver na mesma parte da cidade que as castas superiores. Estavam fora de muros e eram mantidos fora da aldeia principal, excepto para fazer o seu trabalho. Torgon e a família pertenciam a esta classe mais baixa. A mãe era tecelã, o pai construía e reparava carroças. Como ela nascera numa casta inferior, fora um grande choque para todos, incluindo Torgon, quando ela foi identificada aos dezanove anos como a *benna* seguinte. De repente lá estava ela, lançada da classe mais baixa para a mais alta. Tinha vinte e três anos quando me apareceu no terreno baldio e ainda estava com dificuldades em adaptar-se à sua nova condição.

— Caramba, isso *é* bastante complexo — disse James, achando que eram pensamentos extraordinários para uma criança de oito anos. Ao tentar imaginar Becky a dizer-lhe coisas daquelas, podia facilmente imaginar como se sentiria desconcertado alguém que era pai uma vez por mês ao descobrir que Becky passava a maior parte do tempo a inventar jogos com pessoas santas e sistemas de castas e a preocupar-se com os problemas vocacionais de uma jovem imaginária de vinte e três anos.

— A questão é que eu sabia isso — respondeu Laura. — Quando eu tinha oito anos, já tinha percebido que as outras crianças não pensavam naquele tipo de coisas, ou, se o faziam, não era com tanto detalhe.

Não sei porque o fazia. Não sabia porque estava na minha cabeça e não na de mais ninguém, mas estava. Quando o meu pai me perguntou o que eu estava a fazer naquela noite, foi como se tivesse chegado a meio de um filme. Eu estava a seguir o enredo e tudo fazia sentido para mim, mas como ia eu contar-lhe o que ele não sabia?

«E lembro-me dessa sensação de confusão. Fiquei ali deitada, a estudar o seu rosto na penumbra, sem dizer nada, porque não sabia o que dizer. Percebi pela sua expressão que ficou magoado. Pensou que eu estava a esconder-lhe coisas de propósito, que provavelmente partilhava aquelas histórias com os Mecks porque eram os meus pais todos os dias, mas não com ele, porque não estava por perto o suficiente. O que não era nada verdade, porque eu não partilhava aquilo com ninguém, mas percebi que era isso que ele estava a pensar. Então disse-lhe que estava a brincar ao faz-de-conta, porque ainda não tinha sono, e estava a passar o tempo.

«O meu pai esboçou aquele sorriso especial que usava sempre que ia fazer algo que achava que me ia realmente agradar e disse: "Sabes uma coisa? Tive uma boa ideia. Acho que mereces deitar-te mais tarde. De agora em diante, podes ficar a pé mais meia hora todas as noites. Isso agrada-te, não agrada? Ficar a pé até mais tarde?"

«Eu disse que sim, porque percebi que ele queria que eu ficasse realmente feliz com aquilo, mas a verdade é que não queria ir para a cama mais tarde. Preferia ir para a cama quando ia porque queria estar com a Torgon.

«Ele esboçou um sorriso caloroso. "E um dia destes vais crescer, Laurie. Quando se é pequeno, fingir é muito divertido, mas à medida que se cresce já não é preciso fingir porque se tem coisas reais em que pensar e as coisas reais são sempre mais agradáveis."

Laura recostou-se na cadeira.

— Lembro-me de o meu pai me beijar e, em seguida, de puxar para cima a roupa de cama. De me aconchegar e sair do quarto. A Torgon desaparecera de momento e eu estava ali sozinha, deitada na escuridão.

«Sempre soubera que, obviamente, as pessoas um dia largam os seus jogos imaginários. Aos oito anos, a maioria dos meus amigos já largara. Eu convencera-me, no entanto, que ia ser uma excepção e que isso nunca me iria acontecer. Teria Torgon e a Floresta para sempre. Naquela noite, porém, foi a primeira vez que me ocorreu que poderia estar enganada. Talvez eu não fosse diferente e um dia a Torgon partisse.

«Fui invadida por uma enorme solidão e comecei a chorar. Pensei que, se perder tudo aquilo era crescer, então eu não queria crescer. Mas e se não tivesse escolha? E se chegasse uma altura em que já não conseguisse ver a Floresta? E se a minha mente deixasse de ser capaz de captar as suas paisagens, sons e cheiros? E se eu já não estivesse a par das complexidades da vida de Torgon? Lembro-me de pensar que teria demasiado cérebro para a minha cabeça se a Torgon não estivesse nele. Ela era diferente dos meus jogos de fingir como o pónei *Borboleta*. Torgon era orgânica. Não era tanto uma coisa que eu tinha criado, mas algo que eu tinha descoberto. Era a minha outra metade, aquela parte de mim de que eu precisava para ser inteira. Era a união do eu e do não-eu.

A sessão de Laura ficou na mente de James de uma forma que não costumava acontecer. Em parte, sem dúvida, pela estranheza daquela companheira imaginária. As pessoas que vinham à terapia por causa do fim de um casamento geralmente falavam sobre relacionamentos. James já percebera que Laura não ia ser convencida a falar de Conor. Ele podia aceitar que, talvez, essa relação estivesse tão danificada que seria necessário mais alguma preparação antes de Laura poder ser persuadida a restabelecer o vínculo com o filho. No entanto, como a quebra da sua relação com Alan fora o motivo que ela própria dera para concordar com a terapia, James julgara que iriam começar por aí. O facto de ela ter escolhido falar antes sobre a sua relação infantil com uma pessoa imaginária era curioso, mas também emocionante.

Parte do fascínio da sessão era também a forma como Laura falava. Enquanto vivera em Nova Iorque, James conhecera diversos escritores, principalmente porque Sandy achava que eram convidados impressionantes em jantares. Ele ficara muitas vezes menos do que impressionado. A maioria parecia triste e desagradavelmente pretensiosa, sempre preocupada com as exigências do seu «dom» e, em igual medida, com a falta de valorização mundial do mesmo. A diferença de Laura desses convidados era imediatamente perceptível. Ali estava uma contadora de histórias tão boa que, embora James não tivesse dificuldade em manter a objectividade profissional adequada com a própria Laura, lutava para manter-se à distância da sua história, para se lembrar de parar a narrativa de vez em quando, a fim de fazer perguntas ou analisar o que fora dito em vez de se deixar levar.

* * *

Aproximando-se das prateleiras no seu gabinete, James pegou num dos romances de Laura. Olhou para a capa, que era estranhamente simples. Os quatro quintos de cima eram azul-claros e o último quinto era esbranquiçado. Embora o *design* fosse sóbrio, James adivinhou ali as planícies do Dacota do Sul. Demasiado céu sobre uma terra plana e pálida. O nome de Laura estava escrito num tipo simples. O título, *O Sonhador do Vento*, parecia pequeno, comparativamente, e numa letra a imitar a manuscrita, inclinada para baixo no azul para a terra minimalista como uma seta a cair.

Virando o livro, James olhou para a fotografia de Laura. Ela sorria. Olhando directamente para a objectiva, tinha uma expressão muito agradável. Muito franca. James ficou admirado com aquela franqueza, porque ainda não fora uma expressão que vira na vida real. Ocorreu--lhe que talvez fosse ali, nos seus livros, que Laura era verdadeiramente ela própria.

Sentando-se na sua cadeira, abriu-o.

— Oi, pá! — A porta do gabinete de James abriu-se e Lars espreitou lá para dentro. — Vou-me embora — disse ele. Fez uma pausa. — O que estás a ler?

James levantou o livro.

Lars levantou uma sobrancelha, divertido.

— Estás a tornar-te um fã?

— Não. Só a fazer os trabalhos de casa.

— Como é ela realmente? — perguntou Lars com curiosidade.

— Interessante — respondeu James. — Complexa.

— Bem, sim, isso já eu tinha adivinhado. — Lars hesitou. — O meu primo conhece muito bem o irmão dela. Segundo ele, era uma família muito simples. Inteligente. Todos se deram muito bem na escola. Mas sem formação literária, nada de especialmente criativo. O irmão é vendedor de seguros. Mas também foi isso que ele disse. «Ela é complexa.»

James assentiu.

— O talento extraordinário fascina-me. Especialmente quando surge do nada — disse Lars. — Pergunto-me como é que acontece.

— Sim.

Uma pausa.

Lars encolheu os ombros.

— Ouve, o que realmente vim dizer era o seguinte: quando fores lá a casa esta noite, podes levar o carreto de pesca que compraste? Aquele que disseste que não conseguias montar? Tirei para fora o meu material de pesca no gelo a noite passada e se não conseguirmos arranjar esse carreto encontrei outro que podes usar.

James sorriu.

— Estás determinado a fazer-me matar uma criatura inocente, não estás?

— Sim, bem, é mais tentar tirar de ti o fedor da cidade — disse Lars com uma gargalhada. — De qualquer maneira, o jogo na televisão começa às oito, portanto o resto da malta chega às oito menos um quarto. Se quiseres aparecer com o carreto um pouco mais cedo, eu posso dar-lhe uma olhadela.

— Muito bem, vejo-te mais tarde — respondeu James.

Quando Lars saiu, James levou o livro para o sofá. Recostando-se, colocou os pés em cima da mesa e começou a ler.

Era a história de um jovem sioux chamado Billy, que era perseguido pela sua cultura nativa. Nascido numa família que trocara a reserva pelo conforto da cidade, recebendo o nome de um homem branco e a educação de um homem branco, Billy era um modelo de «integração moderna» quando assumiu o seu posto de professor numa escola secundária. No entanto, a sua herança, cada vez mais simbolizada na história pelas Badlands do Dacota do Sul, perpassava o seu estilo de vida urbano contemporâneo. Começou a ouvir as vozes «dos outros», do céu, da terra e dos espíritos dos seus antepassados.

O livro começava com os esforços comoventes de Billy aos catorze anos para se atribuir um nome nativo. Não tendo nenhuma ligação real com a tradição espiritual da sua herança, a única cerimónia de nomeação nativa que tinha presenciado fora num episódio de *Star Trek — O Caminho das Estrelas*. Assim, foi o primeiro-oficial Chakotay que o guiou quando ele «recebeu» o seu nome da única coisa natural que encontrou no seu apartamento da cidade naquele momento — o vento.

O que era inteligente na escrita de Laura — para além do facto de ter um estilo narrativo cativante que rapidamente prendia o leitor — era ela ser capaz de criar uma realidade muito substancial a partir dos pensamentos de Billy. Inicialmente, James não percebeu se aqueles «outros» que Billy experienciava eram literais e Billy estava a ter uma experiência paranormal ou se eram metafóricos e Billy estava simplesmente a personificar os seus conflitos de identidade.

Esta incerteza incomodou James de início. Por muito cativante que o estilo de escrita fosse, ele ficou irritado por não ser capaz de dizer se estava a ler uma exploração realista da mente humana ou apenas uma fantasia. Na verdade, isso incomodou-o tanto que se levantou e procurou críticas na Internet para ver como é que os outros tinham resolvido o problema.

As críticas davam grande importância à ascendência nativa de Billy e à tendência dessas culturas xamânicas de incorporar visões e visitações nas suas crenças religiosas, muitas vezes provocadas por uso de drogas, privação de sono ou jejum. Nenhuma das críticas catalogava o livro como fantasia ou «realismo mágico», portanto James deduziu que os espíritos estavam todos na cabeça de Billy e se lesse o resto do livro isso ficaria claro.

James sabia o que os críticos não sabiam: a existência de Torgon. A descrição realista de Laura do seu encontro de infância assombrava as experiências de Billy de «ouvir» o céu ou «ver» os seus antepassados voar diante das nuvens de tempestade nas planícies. Teria o romance sido uma forma aceitável de Laura explorar as suas próprias experiências com Torgon?

Cativado pela história, continuou a ler.

Quando James voltou a levantar os olhos, eram 9h45. Olhou espantado para o relógio. *Como* era possível ter passado tanto tempo? O serão de cerveja e futebol há muito planeado com os amigos de Lars já devia estar quase a acabar e Lars estaria com certeza aflito por ele não ter aparecido e não estar em casa ou contactável pelo telemóvel, já que o desligava sempre no trabalho.

Teria o telefone no gabinete da frente tocado? Ele não ouvira nada. Fechando o livro, James olhou para a capa enganadoramente simples.

Aquilo assustou-o, aquele fascínio inesperado. Achou profundamente inquietante que a imaginação de Laura Deighton tivesse com tanto êxito conseguido dominar o seu mundo real.

CAPÍTULO NOVE

— Fecha a porta — disse Conor abruptamente. Estava junto à porta da ludoteca, que Dulcie já tinha fechado ao ir embora.

— Hoje queres a porta fechada — disse James.

— Hoje queres a porta fechada — ecoou Conor. Houve uma pausa. Os seus olhos passaram pelo rosto de James e seguiram em frente.

— Cerra a porta — disse ele.

James detectou a ligeira mudança gramatical e ficou intrigado. Conor não estava sempre a ecoar. Manipulava frequentemente frases, alterando a sua estrutura de forma subtil. Era fácil acreditar erroneamente que eram apenas ecos, porque regra geral uma pessoa prestava atenção consciente apenas ao significado da conversa, não à gramática, a menos que fosse errada. No entanto, James notou que Conor estava cada vez mais a fazer isso.

Alterar a construção gramatical indicava que Conor compreendia o significado das palavras. Mas então porquê tanto eco? Seria por razões de segurança? A frase ecoada era segura porque alguém a dissera em primeiro lugar. Conor sabia que não estava a arriscar nada ao ecoar. Seguir o eco com um refrasear subtil tornava a frase sua.

James decidiu seguir esta possibilidade.

— Isso mesmo — disse ele. — Fecha a porta. Sabes usar as palavras, não sabes?

— Sabes usar as palavras, não sabes? — ecoou Conor.

— Às vezes é assustador dizer coisas que são diferentes.

— Ehhh-ehhh-ehh-ehh-ehh — respondeu Conor.

— Não te preocupes. Aqui tu decides. Se quiseres usar as tuas próprias palavras, podes fazê-lo. Mas, se preferires usar as minhas palavras, também está bem. A escolha é tua.

— Ehhh-ehhh-ehh-ehh-ehh.

James abriu o caderno para escrever.

— Cerra a porta — disse Conor timidamente.

Houve uma pausa.

— Fecha a porta — disse Conor.

— Cerra a porta. Fecha a porta. Sim, está certo — disse James.

— Duas palavras diferentes podem ter a mesmo função. Tu percebes de palavras, não percebes?

— Sim, está certo — respondeu Conor e James desconfiou que não era um eco.

— O que é tão deprimente para mim — disse Alan, no início da sua sessão — é que já dei cabo de um casamento. Já passei por todas essas merdas de lutar com uma ex-mulher, de perder as crianças, de não conseguir vê-las crescer. Já lá estive. Portanto, não percebo como é que acabei aqui de novo. Pensei que tinha feito tudo bem desta vez.

— E a sua vida antes de Laura? — perguntou James.

— Venho de uma família bem-sucedida que estava no Wyoming desde os tempos dos pioneiros. O meu bisavô fundou o primeiro banco em Gillette. Quando se aposentou, o seu filho... o meu avô... tornou-se o presidente do banco. Então, quando chegou a hora, passou-o para o meu pai, que era *seu* filho. Depois, é claro, partiu-se do princípio de que eu também ia para a banca.

«Tentei. Fui para a faculdade e tirei o curso necessário. Encontrei a minha esposa-troféu na Fran. Casámos em Junho do ano em que me formei e ela estava grávida da nossa primeira filha em Julho. Entrei para o banco em Agosto. Fiz tudo o que devia. Mas odiava a minha vida. O mundo da banca parecia-me tão maçador e parado. Eu era péssimo, porque me estava nas tintas.

«Foi através do banco, porém, que comecei a tratar de gado. Comecei por conceder empréstimos. Isso é parte da razão por que eu era tão mau, porque estava sempre a emprestar dinheiro àqueles pobres rancheiros que queriam fazer algo estúpido como comprar um touro continental como o charolês que era completamente inadequado para as condições do Wyoming. Pouco depois comecei a sair para ir ver o gado. De início para verificar os nossos investimentos, mas era uma coisa que me agradava. Gostava de sair do banco. Quando dei por mim, tinha comprado algumas cabeças de gado. A seguir comprei um pequeno rancho para as ter lá. Isso foi o ponto de viragem. Até àquele momento eu pudera fingir que era realmente um banqueiro. Mas eu era *bom* com o gado. Podia fazer com o gado o que o meu pai fazia com os números, e adorei. Era uma sensação nova para mim... fazer algo de que gostava... e adorava todos os aspectos. Os sons, os cheiros, estar ao ar livre. Ser bem-sucedido.

«Quando o meu pai descobriu o rancho, tornou-se frio como o Pólo Norte em relação a mim. Para ele, o importante era o legado, quem iria ficar com o banco depois dele, quem é que ia manter o nome McLachlan na porta do escritório, e eu estava a desapontá-lo. Não cumpria as minhas obrigações. Ainda não tinha conseguido gerar um filho, apenas três filhas.

«Para Fran, o rancho foi um insulto. Era um trabalho desprezível aos seus olhos. Fartava-se de dizer: "Mas eu casei com um *banqueiro*", como se ao comprar o rancho eu estivesse a faltar a algum acordo que tínhamos. Ela recusou-se a ir para o campo, o que, é claro, era tudo o que eu queria fazer. E o que eu precisava de fazer, se queria tornar aquilo um negócio decente.

«Mantive a minha posição. Na altura já estava quase com trinta. Tinha idade suficiente para entender que só podemos ir até certo ponto para realizar os sonhos de outras pessoas, por muito que quei-ramos fazê-las felizes. Mas perdi muito enquanto aprendia a lição. A minha relação com o meu pai nunca recuperou. E o meu casamento com a Fran só durou mais um ano. A seguir ela conheceu outra pessoa e pronto. O que deu cabo de mim, porque tinha três belíssimas meni-nas e mal consegui vê-las depois disso.

«Portanto, desta vez foi muito diferente. Entrei neste casamento com os olhos abertos e tentei realmente evitar cometer os erros que cometi da primeira vez.

— Como é que conheceu a Laura? — perguntou James.

Inesperadamente, Alan riu-se.

— Passei-lhe por cima do pé na bomba de gasolina! — E riu-se de novo, uma gargalhada grave e gutural. — A sério. Tinha parado num posto da reserva de Pine Ridge para encher o depósito. Ela já lá estava, mas pusera-se no lado errado da bomba. Portanto estava a tentar puxar a mangueira de forma a chegar ao seu tanque. Pensei, «condutora estúpida», porque ela tinha bloqueado a passagem para a outra bomba. Tentei enfiar a minha carrinha no espaço e passei-lhe por cima do maldito pé.

James arregalou os olhos.

— E também o parti — disse ele alegremente. — Portanto, o mínimo que um cavalheiro podia fazer era convidá-la para jantar.

— É de espantar que ela tenha saído consigo depois disso!

Ele riu de novo.

— Sim, foi o que pensei. Mas saiu. Independentemente do que se possa dizer sobre ela, a Laura é boa pessoa.

Seguiu-se um silêncio saudoso.

— Ainda me lembro do nosso primeiro encontro, naquela noite em que a levei para jantar. Fomos a um restaurante chamado Mill. Ela tinha o pé engessado, por isso não podíamos dançar nem nada. Limitámo-nos a comer e a conversar, mas o sítio era realmente muito barulhento, pelo que sugeri: «Vamos a outro lado.» Estava a pensar no Bear Butte Lounge junto à estrada, porque é um sítio calmo, mas quando entrámos no carro a Laura disse: «Vamos às Badlands.» Achei aquilo muito estranho, mas pensei: «Que diabo? Porque não?» Estava uma agradável noite de Primavera. O céu estrelado. Então passámos por Wall, parámos num dos miradouros e ficámos a conversar.

«Fartámo-nos de falar. — O seu sorriso era terno. — E quer saber o que aconteceu? Conversámos mesmo toda a noite. Sobre as Black Hills, principalmente. Lembro-me de lhe falar do rancho e do meu gado, e de ela começar a contar-me todas aquelas histórias sobre como a terra onde o rancho estava ter sido sagrada para os Sioux. Ela estava a trabalhar na reserva nessa altura, portanto encontrava-se muito bem informada sobre essas coisas índias. E a Laura pode ser uma contadora de histórias fantásticas, se estiver embalada.

Ele riu-se.

— Fiquei banzado. Pensei: ali estava alguém que pensava na terra como eu, que *amava* esta região, sabe, amava com toda a alma. Então, falámos e falámos e não fizemos mais nada. Nem sequer nos beijámos nessa noite. Nem uma única vez, o que nos faz parecer um par de jarretas, mas foi tão bom falar assim com alguém.

«De qualquer forma, quando dei por mim, eram cinco e meia da manhã e ainda estávamos sentados naquele miradouro das Badlands. Pensei: "Oh, meu Deus, o que diabo vou dizer à Patsy?" A Patsy é a minha filha do meio e viera passar as férias da Páscoa da faculdade comigo ao rancho. Eu só sabia que ela ia voltar e contar à minha ex-mulher que eu passava as noites fora com mulheres! Só cheguei a casa depois das oito, porque as Badlands ficam a uns bons noventa minutos do rancho, e lá estava a Patsy na cozinha quando entrei. "Tiveste uma noite agradável?", pergunta ela. E respondi: "Está tudo bem, Pats, não é o que parece." E ela riu-se. Percebi que não acreditou em mim. Disse: "Não te preocupes, pai. Eu compreendo." Mas eu sabia que não compreendia.

«Senti-me protector em relação à Laura. Não queria que a Patsy pensasse que a Laura era o tipo de mulher que faz tudo logo no primeiro encontro. Então disse: "Pats, se vais contar isto à tua mãe, mais vale saberes que vou casar com ela. Também podes contar isso à tua mãe." — Alan deu uma gargalhada. — Então, foi nesse momento que decidi que ia tornar a Laura minha mulher, mas só quase dois anos depois é que a informei disso!

— Parece que a vossa atracção foi muito instantânea — comentou James.

— Foi. Eu sabia que era a coisa certa. Soube logo. — Alan olhou para James. — Portanto, agora continuo a perguntar-me: como é que tudo correu tão mal?

CAPÍTULO DEZ

A estranha relação de Conor com a fala fez James pensar em Laura, enquanto via o menino a mover-se em volta da sala. O mundo estranho de *O Sonhador do Vento* ainda assombrava James, pendendo como teias de aranha nos cantos tranquilos da sua mente para prender os seus pensamentos em momentos inesperados, puxando-os de volta ao reino fantasmagórico das Badlands e à demanda do jovem. Interessante, pensou James, como ela conseguia criar algo tão poderoso apenas com palavras. Também era interessante Conor parecer achar as palavras tão perigosas que se limitava a nomear as coisas, descrevendo as suas características físicas óbvias ou repetindo coisas que outros já haviam dito.

Ao fazer a sua habitual circum-navegação da ludoteca, Conor tinha parado junto de um grande cesto de legos no chão. Deteve-se e empurrou o nariz do gato para ele. Esticando o braço, pegou num boneco de lego. Estudou-o cuidadosamente.

— Aqui está um homem. Com cabelo preto e camisa amarela. — Pondo o homem na mesma mão que o gato, baixou-se e olhou para a caixa novamente. — Coisas de jardim! — exclamou com uma inesperada surpresa deliciada. Pegou nalgumas flores de lego.

— Pareces contente por ter encontrado algumas flores — disse James.

Conor debruçou-se sobre a caixa.

— *E* árvores. Flores e árvores. Coisas para um jardim. — Vasculhou energicamente a cesta.

Surpreendido pela repentina animação de Conor, James inclinou-se para observar.

— Muitas árvores. Vês? — perguntou Conor. Não estabeleceu contacto visual, mas estava definitivamente a interagir com James. Quando tirou as coisas da cesta, pô-las na beira da prateleira.

— Sim, há aí muitas árvores e tu estás a encontrá-las.

— Há árvores na Lua — respondeu Conor.

Isto foi dito com serenidade, metido rapidamente como se fosse apenas outra descrição.

— Três árvores na Lua.

Quando se acabaram as árvores de brincar, a alegria de Conor diminuiu. Revolveu o lego com a mão, para o caso de não ter visto alguma, mas não disse mais nada.

Finalmente, endireitou-se e começou a organizar as que tinha encontrado numa linha muito direita ao longo da prateleira. Contou-as, não em voz alta, mas com o dedo.

— O que é isto? — perguntou. Era o plástico com as estradas, dobrado na prateleira onde ele estava a alinhar as suas árvores.

— É a folha de plástico com as estradas desenhadas — disse James. — Lembras-te? Já a vimos antes. Quando está no chão, as crianças gostam de conduzir carros de brincar ao longo das estradas ou fazer casas de lego e criar bairros.

Encostando o gato a si próprio com uma mão, Conor usou a outra para puxar cuidadosamente a folha da prateleira e deixá-la cair no chão. Era de plástico pesado, portanto abriu-se facilmente, mas caíra do avesso. Isso pareceu hipnotizá-lo. Inclinou-se e endireitou a folha.

— As estradas estão do outro lado — comentou James.

Conor ficou-se sobre os calcanhares e olhou para a folha.

— Acho que é a Lua.

James lembrou-se do encontro anterior de Conor com a folha de plástico e os seus estranhos comentários ecoláticos sobre a aterragem lunar. Parecia uma resposta estranha. James não via nenhuma ligação entre a folha branca ou, de facto, as árvores de plástico da Lego e a Lua.

Tirando o homem de lego da outra mão, Conor tentou pô-lo na folha. O plástico não estava completamente plano, pelo que o brinquedo caiu. Ele tentou novamente. Mais uma vez caiu. Frustrado, ele empurrou o pequeno homem para debaixo do plástico, até ele desaparecer completamente de vista.

Isso agradou-lhe. Conor puxou-o para fora e, em seguida, colocou-o de novo sob o plástico de uma forma que lembrou a James o seu fascínio anterior em encobrir animais de brincar com os lenços de papel. No entanto, como em tantas outras coisas que Conor tinha feito na ludoteca, uma intensidade começou então a dominar as suas acções e ele repetiu o comportamento várias vezes obsessivamente.

O comportamento obsessivo-compulsivo é normalmente associado à ansiedade e James percebeu que os músculos do rapaz começavam a retesar-se de ansiedade quando ele mudava as figuras. Conor levantou uma mão e agitou os dedos freneticamente.

— Ehhh-ehhh-ehh-ehh-ehh. Ehhh-ehhh-ehh-ehh-ehh. Ehhh--ehhh-ehh-ehh-ehh — gritou.

— Estou a ouvir o teu ruído preocupado. Sentes medo quando pensas na Lua — aventou James.

O menino começou a balançar-se para trás e para a frente. Levantando a mão, agitou os dedos na frente do rosto.

— Conor?

— O gato sabe — murmurou o menino.

James observou-o. *Sabe o quê? O que sabe esse maldito gato?*

Ao clarificar a sua filosofia terapêutica, James criara aquele seu mantra «aqui tu decides». Na sua experiência, as pessoas só faziam mudanças substanciais e duradouras nas suas vidas quando decidissem activamente fazê-las, mas, mais importante ainda, se sentissem que controlavam esse processo. Assim, muitas das questões difíceis que as pessoas tinham com a vida eram sobre o controlo.

Essa era a pedra angular da sua abordagem com as crianças, que eram impotentes por defeito, mas ele achava igualmente importante aplicar esse princípio aos seus clientes adultos. Por isso, tentou não dizer nada a Laura ou a Alan que pudesse fazê-los sentir que ele estava a empurrá-los numa ou noutra direcção.

Quando Laura chegou para a sua sessão seguinte, James decidiu não mencionar que lera *O Sonhador do Vento*, no caso de isso a fazer sentir-se exposta como escritora.

— Estou curioso em relação a essa sua imaginação — disse ele.

— Pelo que disse no outro dia, é evidente que passou muito tempo com Torgon e o seu mundo. Como resultou isso em relação às outras crianças? Na escola, por exemplo. Tinha muitos amigos com essa idade?

— Todas essas coisas a acontecerem na minha cabeça fazem provavelmente parecer que eu era uma criança solitária sem amigos, mas realmente não era assim — disse Laura. — Eu não tinha muitos amigos, mas porque não queria. Gostava de estar sozinha. Com o meu tipo de imaginação, tinha sempre algo divertido e excitante para fazer.

«Tinha uma grande amiga e creio que por ela gostar tanto de fingir como eu. Chamava-se Dena. Conheci-a na primeira classe e fomos as melhores amigas a partir daquele momento.

«Éramos bastante diferentes em alguns aspectos. Embora eu não tivesse uma família convencional, os Mecks eram solidamente classe média e todos tinham expectativas de classe média para mim. Por exemplo, os meus dois irmãos foram alunos do quadro de honra durante toda a escolaridade, pelo que o meu pai esperava ver a nota máxima em todas as minhas disciplinas. Era tudo tão diferente para a Dena. Ela era a filha do meio de sete irmãos e vinha de uma família de cobóis barulhentos e bebedores de cerveja que vivia enfiada numa casa pobre no beco atrás de Arnott Street. Todas as sextas-feiras, os seus tios e primos vinham do campo e espalhavam-se pelo quintal, a tocar música de cobóis nas suas guitarras e a embebedarem-se. Dena sentia-se perdida na escola. Não conseguia entender a matemática e pertencia sempre ao grupo de leitura mais fraco, e ainda assim sentia-se perfeitamente feliz. Ninguém na família se importava com as suas notas. Muitas vezes, ela forjava o nome da mãe no boletim e eles nem sequer viam. E pareciam nem reparar.

«O que a Dena e eu tínhamos em comum era a nossa imaginação. Quando a Torgon apareceu, contei imediatamente a Dena. Sabia que ela iria entender. E assim foi. Ela achou que era maravilhoso. Quase imediatamente, inventámos o nosso próprio jogo baseado em Torgon. Jogávamo-lo num choupo enorme na viela ao lado da casa de Dena. Trepando até grandes alturas, lutávamos contra nativos hostis, tigres, ursos e todas as outras coisas ferozes em que conseguíamos pensar, mesmo que essas coisas realmente não parecessem existir no mundo de Torgon. Os cavalos também não existiam lá, mas, mesmo assim, no nosso jogo dei a Torgon um lindo cavalo cinzento que era da cor dos seus olhos.

Laura sorriu.

— Nada disso era a verdadeira Torgon, é claro. Era apenas a nossa versão de brincadeira. Tal como fingir ser Dale Evans não se assemelhava à vida da verdadeira Dale Evans. É difícil expressar isso: que o jogo que estávamos a jogar era diferente da verdadeira Torgon e do seu mundo, apesar de os dois estarem dentro da minha cabeça. Mas a Dena entendeu sempre a diferença.

James assentiu.

— Ela parece ter sido uma amiga muito boa.

— Sim, era. Perdi o contacto com ela quando saí daqui aos doze anos. Sempre lamentei isso.

A pungência de outros tempos, de outras estradas não tomadas, intrometeu-se. O silêncio tornou-se pensativo à medida que se prolongava.

— Suponho que queria mais amigos — disse Laura. — De certa maneira. Quero dizer, não me lembro de os querer de forma consciente, mas talvez fosse apenas porque sabia que no fundo isso não iria acontecer.

Laura mudou a sua posição na cadeira e ficou em silêncio um momento.

— Lembro-me de uma miúda em particular. Chamava-se Pamela. Era uma daquelas crianças «perfeitas». Conhece o género. Fazem tudo bem. Toda a gente as adora ou pelo menos almeja ser como elas.

«Fantasiei um pouco ser amiga da Pamela. Ela estava no grupo rápido em Matemática, como eu, portanto tive a certeza de que se lhe mostrasse os meus projectos de ciências no sótão ela iria achá-los o máximo. Lia muito, assim imaginei que podíamos criar juntas peças a partir das histórias que tínhamos lido. E sabia que ela iria entender Torgon, a verdadeira Torgon, que era muito mais do que um jogo de faz-de-conta num choupo.

«A minha oportunidade surgiu na Primavera da quarta classe. Quando eu estava a brincar lá fora, encontrei um pato pousado em cima dos ovos no mato à beira do lago; por isso, quando foi a minha vez de falar, disse a todos na sala de aula que, se o pato estivesse em cima deles o tempo suficiente, os ovos iriam eclodir e teríamos patinhos dali a vinte e oito dias. Devo ter falado de forma bastante eloquente, porque depois a professora me deixou ficar em pé diante da turma e responder a perguntas dos outros miúdos. Fui celebridade por um dia por causa disso.

«No intervalo, a Dena e eu estávamos a jogar à macaca quando a Pamela passou. Lembro-me de ela parar ao pé de nós e de nos observar, com as mãos enfiadas nos bolsos do casaco.

«"Queres jogar?", perguntou a Dena.

«"Não", respondeu ela com ar chateado. Quando foi a vez da Dena, Pamela chamou-me. "Anda cá. Quero perguntar-te uma coisa."

«Abandonei prontamente a Dena.

«"Posso ir a tua casa hoje depois das aulas?", perguntou a Pamela. "Vou perguntar à minha mãe à hora do almoço, mas ela provavelmente vai deixar. Quero ver o pato. Posso?"

«Claro que eu disse que sim. Na verdade, fiquei delirante de alegria. Saí da escola à hora do almoço e corri até casa para contar a novidade à minha mãe. A Pamela, que nunca tinha sequer falado comigo no recreio, queria vir a *minha* casa brincar! Mal consegui comer ao almoço, porque tinha tanto que preparar. Corri até ao meu quarto para arrumar as minhas coisas e fazer a cama. Talvez a Pamela quisesse ver a minha colecção de cavalos ou as minhas rochas ou as minhas folhas prensadas. Talvez a Pamela gostasse de ver como eu conseguia transformar água azul em transparente, como que por magia, com o velho estojo de química do meu irmão adoptivo. Talvez a Pamela quisesse desenhar; trepei até à prateleira de cima onde guardava a caixa com papel de desenho. Depois perguntei à minha mãe se podia fazer os seus biscoitos de manteiga de amendoim especiais que tinham a forma de caras de gatos.

«A Pamela veio. Foi a pé para casa comigo. Entrou em minha casa, olhou para o meu quarto e bebeu um copo de leite acompanhado de biscoitos na minha mesa. Não comeu nenhum dos gatos de manteiga de amendoim, porque disse que não gostava de biscoitos de manteiga de amendoim; portanto, a minha mãe abriu um pacote de *Oreos* para ela. Em seguida, a Pamela perguntou: "Posso ver o pato agora?"

«Levei-a até ao lago. Gatinhámos na escuridão e a Pamela murmurou algo sobre o pivete a cocó de pato. O pato, pousado no seu ninho, silvou para nós.

«"Quero ver os ovos", disse a Pamela. Afastei o pato e peguei num para ela. Pamela examinou-o cuidadosamente. "Posso ficar com ele?", perguntou ela. Não me ocorreu dizer que não ou saber para que é que ela o queria, uma vez que ela não tinha forma de chocá-lo. Limitei-me a dar-lho. Depois saímos novamente da moita.

«Pamela pôs o ovo no bolso do casaco. "*Okay*", disse ela casualmente, "vejo-te na escola amanhã." Virou-se e começou a afastar-se.

«"Ei!", gritei. "Espera aí! Não queres brincar?"

«Ela abanou a cabeça. "Não, tenho de estar em casa às quatro e um quarto. Preciso de praticar no meu piano. Prometi à minha mãe que não chegaria atrasada."

«"Mas... mas ainda não fizemos nada", disse eu.

«"Só vim ver os ovos de pato, Laurie. Agora que os vi, tenho de ir."

«"Mas não queres fazer nada comigo?"

«"Já disse que preciso de praticar piano."

«"Queres vir outro dia? A minha colecção de cavalos costuma estar mais bonita. Eu puxo-lhes o brilho com creme das mãos e ficam mesmo brilhantes. Queres vir vê-los depois de eu os polir? Deixo-te brincar com o *Stormfire*. É o único que é branco e está empinado nas patas traseiras. É o meu melhor cavalo. Quando a Dena e eu jogamos, eu guardo-o sempre para mim e ela nunca chega a brincar com ele, mas a ti deixo-te."

«"Não."

«"A minha mãe não faz sempre biscoitos de manteiga de amendoim. Muitas vezes faz de chocolate. Gostas mais desses?"

«A Pamela disse: "Laurie, não ouviste? Eu só queria ver os ovos de pato. Já os vi, portanto quero ir-me embora."

«Olhei para ela com o rosto inexpressivo.

«"Porque achas que iria brincar contigo?", perguntou ela. "Tu és maluca. Toda a gente na escola sabe que és maluca."

«"Isso não é verdade!"

«"És maluca, sim senhor", respondeu Pamela. "Falas sozinha e isso significa que és maluca. É por isso que ninguém quer brincar contigo."

«"Não sou maluca!", respondi, indignada. "E muita gente quer brincar comigo."

«"Só a Dena. E sabes o que faz o pai dela? Trabalha na estação de tratamento de água. Passa os dias dentro do cocó das pessoas." Beliscou o nariz. "É por isso que *ela* brinca contigo, porque é demasiado malcheirosa para brincar com mais alguém."

«"Ela não é malcheirosa", disse eu. "Além disso, não é a minha única amiga. Tenho muitos amigos. Amigos que nem sequer conheces. Amigos que nem sequer gostariam de ti."

«"Sim, claro, Laurie, aposto que sim. Como quem, por exemplo?", perguntou ela.

«"Não os conheces."

«"Sim, porque provavelmente acabaste de os inventar."

«"Não senhor, amigos *verdadeiros*."

«"Os malucos pensam que tudo é verdadeiro. Não sabem mais. É por isso que são malucos", disse Pamela com um sorriso arrogante. Então virou-se, saiu pelo nosso portão e desceu a rua.

Laura fez uma pausa. Recostou-se na macieza do sofá e ficou mais alguns instantes em silêncio.

— A questão era que eu não estava a mentir — disse ela. — As pessoas sempre me acusaram disso. Que o que eu experimentava não era real e que por isso tinha de ser mentira. Preto e branco para eles. Real ou irreal. Verdade ou mentira. Mas não era assim. Eu *não* estava a inventar. Não era falso. *Havia* um outro mundo lá. Como o nosso, mas diferente. Eu podia vê-lo, mas, por qualquer motivo, eles não podiam. Não sei porquê. Mas isso não o torna irreal.

Houve uma pausa longa, reflexiva.

— Lembro-me de aprender sobre as abelhas quando estava no quinto ano — disse ela baixinho —, sobre como as abelhas conseguem ver além do espectro de cores visíveis. Os seres humanos olham para um cravo branco e vêem-no liso. Para nós isso é verdade. Mas, se uma abelha olha para a mesma flor, vê pétalas estampadas. Isso porque as abelhas conseguem ver no espectro infravermelho para além do que os olhos humanos conseguem. O padrão existe para elas, mas é invisível aos nossos olhos. E quando li isso lembro-me de ter pensado: «Isso é *exactamente* como a Floresta.» Lá porque não podemos ver o desenho sobre a flor, isso não significa que a abelha esteja a mentir. Como eu posso ver a Floresta e outras pessoas não podem, isso não significa que eu esteja a mentir.

Laura parou de falar e olhou para James. Novamente o silêncio, girando em torno deles.

— Tenho tentado descobrir uma forma de partilhar toda esta coisa da Torgon consigo de uma maneira que mostre a vibração de tudo; como algo pode ser real e irreal ao mesmo tempo e tão bonito. Porque se você não conseguir ter uma noção disso, então reduz rapidamente o que eu estou a dizer a algo insubstancial...

Ela arquejou e James sentiu uma onda súbita de emoção. Não disse nada. Deixou-a pensar sobre os seus sentimentos sem pressão.

Finalmente, Laura inclinou-se para a frente e levantou a mala do chão.

— Escrevi muito quando era mais nova. Para registar o mundo da

Torgon. Foi assim que aprendi a escrever, a tentar captar tudo isso. Então lembrei-me... talvez se eu lhe der algumas das histórias... — Tirou um pequeno maço de páginas dactilografadas da mala. — Achei que talvez isto desse ao mundo dela uma maior imediatez do que a minha narrativa na terceira pessoa... que tornaria mais fácil de entender o que eu estava a dizer...

James estendeu a mão.

— Sim, isso é uma boa ideia. Gostava muito.

— Não estão muito bem escritas. Eu era adolescente quando escrevi a maioria.

— Tenho a certeza de que serão boas.

— São apenas histórias. Eventos que aconteceram no mundo da Torgon. Eu via-os e depois escrevia-os para tentar compreendê-los melhor. Sempre usei a escrita para isso. Para as coisas fazerem sentido.

CAPÍTULO ONZE

Só nessa noite em casa é que James teve tempo de olhar para o material que Laura lhe havia dado. Era antigo. James reconheceu a pressão desigual de uma máquina de escrever manual a formar as palavras e que os cantos das folhas estavam amarelados e ligeiramente dobrados, como se tivessem sido virados muitas vezes.

Servindo-se de um copo de vinho e pondo mais um tronco na lareira para aquecer o ambiente naquela tarde de Outono inesperadamente tempestuosa, James sentou-se e começou a ler.

Bateram à porta, mas sem esperar por uma resposta a acólita abriu-a.

— Está escuro aqui — disse com surpresa súbita. Era Loki. Tinha apenas oito anos e fora enviada para o recinto a fim de começar a sua vida como acólita. Ainda não dominava as regras.

— Normalmente, as pessoas esperam à porta dos aposentos da benna *até serem autorizadas a entrar — disse Torgon, e em seguida acrescentou: — E, quando um acólito entra, o primeiro acto é obediência.*

Loki agitou as mãos em frustração.

— Oh, sinto muito. Faço sempre tudo errado. O que quer que eu faça agora? Que saia e entre de novo?

— Não, basta lembrares-te da próxima vez.

Loki olhou em volta interrogativamente.

— Está muito escuro aqui, santa benna. *Não reparou? A minha mãe diz que não se deve trabalhar no escuro, pois ofende os olhos.*

— Sim, a tua mãe está certa — disse Torgon e afastou a colcha para se levantar.

Loki arregalou os olhos.

— *Santa* benna*! Não tem calças nem botas!*

— *Voltei durante o nevão. As calças ficaram molhadas, então tirei-as para secarem mais depressa.*

— *Não sabia que tinha pernas como toda a gente* — *disse Loki, admirada.* — *Ou pés. Pois os pés são muito feios, não acha?*

Torgon riu-se.

— *Eu sou como qualquer outra mulher, Loki, pés feios e tudo.*

A menina corou.

— *Oh, eu não quis ofender os seus pés!*

— *Os meus pés não estão ofendidos. Nem eu, não pelas tuas palavras nem pelos meus pés. Antes de Dwr me escolher como sua* benna*, eu era filha de um trabalhador e precisava muito dos meus pés para me susterem quando labutava nos campos.*

— *Era filha de um trabalhador?* A sério?

— *Sim. Então é por isso que devemos sempre efectuar as nossas tarefas com orgulho, porque Dwr tem tanto prazer num bom trabalho como na boa educação.*

Loki assentiu.

— *De qualquer forma* — *disse Torgon* —*, parece-me que deves ter aqui vindo numa missão, Loki, pois eu não te mandei chamar.*

— *Fui enviada para dizer que a refeição da noite está pronta.*

— *Ah, bem. Diz ao Vidente que esta noite não vou comer nada.*

— *Porquê? Tem algum problema?*

Torgon sorriu.

— *És* muito *nova entre nós, não és?*

A menina baixou a cabeça.

— *Sinto muito. Não devo fazer-lhe perguntas?*

— *Bom, talvez não tantas.*

Pouco depois de Loki ter saído, o Vidente entrou.

— *Estás indisposta? O que te aflige?*

— *Nenhuma verdadeira doença. Apenas uma pequena queixa, mas o meu estômago quer um descanso da comida.*

O Vidente deu alguns passos e inclinou-se, aproximando-se de Torgon para lhe examinar o rosto. Ela fitou-o, estudando os olhos lacrimejantes do velho, uma vez que seria pouco próprio não o fazer. Apertando a cabeça dela entre as mãos, tacteou-lhe o queixo com os dedos.

— *Vamos queimar os óleos purificadores esta noite* — *disse ele.* — *Posso sentir o mal a crescer nos teus ossos.*

— Eu estou bem, a sério — conseguiu ela dizer, enquanto ele continuava a agarrar-lhe o rosto.

— Então virás para a sala de jantar como de costume. A sopa é tão líquida que vai assentar-te bem no estômago.

Torgon disse:

— Não tenho fome e temo ficar pior se comer. Manda uma acólita com uma tigela de sopa aqui para a minha cela e se me sentir melhor como-a.

— Vais comê-la — declarou ele.

— Se me sentir suficientemente bem.

— Vais comê-la. Emagreceste muito desde que vieste para cá e temo que estejas cheia de vermes. Por isso, não faz mal que vomites a sopa. Melhor ainda, de facto, porque assim poderei ver que vermes te infestam.

Foi Loki quem veio. Destrancou a porta e entrou às arrecuas no quarto, carregando com cuidado a tigela de madeira, tentando não deixar entornar o caldo.

— Esqueceste-te outra vez de bater — observou Torgon.

— Oh! — exclamou a menina desesperada. — Peço desculpa. — Os seus ombros curvaram-se. — É que existem tantas regras aqui e ainda não estou habituada a elas. Quer que saia e bata à porta?

— Não — respondeu Torgon. — Mas, mais uma vez, tenta por favor lembrar-te. Receberás uma palmada desagradável nas orelhas se uma mulher santa te apanhar a não esperares por autorização.

— Porque é que não me bate?

Torgon conseguiu sorrir.

— Talvez bata quando me sentir melhor.

A menina retribuiu o sorriso.

— Acho que não. Acho que não gosta de bater, porque nunca a vi fazê-lo.

As náuseas invadiram Torgon de novo e ela respirou fundo para as reprimir.

— Parece bastante doente, santa benna — disse Loki, pousando a tigela de sopa em cima da mesa pequena perto da janela. — Tive uma vez a doença dos vómitos — disse ela, alegremente. — Revolveu-me o estômago doze vezes numa noite. E depois cada um dos meus irmãos apanhou-a. Tenho quatro irmãos.

— Tens uma família grande. Os teus pais são muito abençoados.

— O meu pai é um guerreiro poderoso do bando benita e está contente por ter tantos filhos.

— Também estará contente por te ter, pois é da natureza dos pais amarem muito as suas filhas. E a tua mãe estará grata pela tua ajuda a cuidar de tantos homens.

Loki sorriu.

— Deves ter saudades da tua família, agora que estás aqui — disse Torgon.

— Sim, um pouco — disse ela, depois levantou os olhos, nervosa. — É errado eu dizer isso?

— Não. É natural, porque os amas. Eu também perdi a minha família quando vim para o recinto. Na verdade, isso fez-me chorar muitas vezes durante a noite.

— Fez? — perguntou Loki, chocada. — A sua mãe não lhe ensinou a não chorar? Não lhe disse que o seu pai teria vergonha se chorasse?

— O meu pai é um trabalhador. Não se envergonha com tanta facilidade.

— Verdade seja dita, santa benna, às vezes encontro um pouco de água nos meus olhos. Não lhe disse com medo de que ficasse zangada comigo. — Uma pausa. — Verdade seja dita, santa benna, a senhora é muito diferente do que eu pensava.

— Para começar, pensaste que eu não tinha pernas!

Loki riu-se.

— Só achei que seria ainda mais assustadora que o Vidente, pois é mais santa do que ele. Pensei que não gostasse de falar com crianças.

— Não é assim. Na verdade, acho que a tua conversa me faz sentir um pouco melhor.

— A sério? — perguntou Loki com um sorriso de admiração. Em seguida, o seu rosto pequeno iluminou-se. — Sabe o que devia fazer? Pedir ao santo Dwr para fazer com que não fique doente. Isso seria bom, não?

— Só que não posso — respondeu Torgon.

— Porque não? É divina. E para mim não é uma coisa muito piedosa dar-lhe a volta ao estômago.

Torgon sorriu.

— Mas eu não sou um deus.

— As leis dizem que é deus-feito-carne. É por isso que temos de a reverenciar.

— Sim, mas deus-feito-carne significa que sou o mesmo que qualquer outra pessoa.

A testa de Loki franziu-se.

— Como pode isso ser?

— De que vale ser carne se um deus não experimentar tudo o que ser carne implica? Isso inclui adoecer. E vomitar a comida. Então, como vês, não seria correcto pedir a Dwr para poupar-me a isto, porque é assim que Dwr me quer.

Insatisfeita, Loki ponderou.

— Além disso, a doença não é do domínio de Dwr. Dwr governa o reino da consciência, da escolha e do bem e do mal. Tudo o resto está no grande reino da Natureza e nem mesmo o santo Dwr pode mudar as leis que a Natureza fez.

— Mas a doença não é uma espécie de mal? — perguntou Loki. — Senão então para que chamamos a mulher sábia para espantar os maus espíritos? Eles não são maus? Será que isso não os faria parte do domínio de Dwr? E, por conseguinte, devemos lutar contra isso e tentar mudá-lo para tornar o mundo um lugar melhor?

Torgon levantou uma sobrancelha.

— Tem cuidado com o que dizes, pequenita.

Loki baixou a cabeça.

— Desculpe — disse ela rapidamente. — Disse alguma coisa errada outra vez? É um defeito meu. Há tanto que aprender aqui. Tantas regras. Não sou boa nisso. Receio que não devo ser muito inteligente.

— Não é que não sejas inteligente, criança. O teu verdadeiro problema é que o és.

— Quantos anos tinha quando escreveu esta história? — perguntou James no início da sessão seguinte de Laura.

— Já não me lembro exactamente — disse Laura. — Só comecei a pôr as histórias no papel na minha adolescência, mas lembro-me muito bem de quantos anos tinha quando tive a primeira experiência. Onze. Ainda me lembro do dia. Era uma manhã de sábado de Outono e nessa tarde a Dena e eu juntámo-nos para ir ao parque. Lembro-me de estarmos empoleiradas no cimo das barras, sentadas como dois marinheiros no cesto da gávea, a conversar. Dena fartava-se de pensar na adolescência nessa altura. Estava a contar-me que tinha contado os seus pêlos púbicos e a perguntar-me se os meus já haviam começado a crescer. Enquanto a Dena falava, lembro-me de olhar para o outro lado do parque, para as árvores que cintilavam douradas ao sol. Torgon não estava comigo naquele momento, mas não sei porquê o sol a brilhar nas folhas coloridas fez-me pensar nela.

«"Às vezes sinto que vou explodir", disse eu.

«"Então? Qual é o problema?", perguntou ela.

«"A Torgon e outras coisas. A forma como o mundo da Torgon parece cobrir tudo o que vejo. É como uma transparência. Tudo aqui tem uma espécie de camada desse mundo por cima."

«"*Ainda* andas a brincar a isso?", perguntou Dena, admirada. Porque não percebeu. Os ventos da mudança tinham há muito soprado através da nossa relação. Quando fez nove anos, ela já não estava interessada em fingir, por isso, aos poucos, isso deixou de ser parte do que fazíamos juntas. Tive de explicar que sim, que ainda tinha tudo na minha cabeça.

«"Ela nunca se foi embora", disse eu. "Ainda os ouço o tempo todo, a falarem uns com os outros. Ouço tudo o que a Torgon diz. Mesmo o que ela pensa e não diz em voz alta. Ouço os seus pensamentos. Sinto o que ela sente."

«"Estranho", disse Dena. "Como fazes isso?"

«Encolhi os ombros. "Não sei. Simplesmente acontece."

«"Sabes uma coisa?", perguntou ela animada. "Tenho esta imagem da tua mente como uma daquelas grandes antenas parabólicas que localizam satélites e naves espaciais e outras coisas, que roda para um lado e para o outro a captar aquelas vozes estranhas."

«"Não, é mais comum do que isso", respondi. "Mais como se eu estivesse na sala ao lado e pudesse ouvi-los falar através das paredes, e a seguir pudesse ir à sala deles, se quisesse."

«"*Okay*, então faz isso agora", disse Dena. Ela não estava a desafiar-me. Estava apenas curiosa. Disse: "Vai para onde a Torgon está agora e deixa-me ver-te fazer isso."

«Imediatamente dei por mim na Floresta. Nem sequer precisei de fazer nada. Ela apareceu diante de mim. Torgon estava na sala do altar com o Vidente. Era mais tarde na mesma noite em que falara com Loki, mas agora estava ocupada com uma parte dos rituais sagrados. Olhei para trás, para Dena, e disse: "Ali."

«"Oh, desiste, Laurie. Não fizeste nada", disse ela

«"Fiz, sim. Perguntaste-me se eu conseguia ir para onde ela estava e consegui."

«"Oh, *desiste*, Laurie."

«Fiquei chateada porque sabia que ela pensava que eu estava apenas a inventar. Disse-lhe: "Está bem, então vou contar-te tudo o que aconteceu desde esta manhã. Que a Torgon estava no seu quarto quando uma menina chamada Loki entrou e Torgon não estava a sentir-se bem. Tinha problemas de estômago. E sabes que mais, Dena? Quando ela se sentiu assim, eu também me senti mal do estômago. Podia sentir o que ela sentia."

«"Ela vomitou?", perguntou Dena. "Viste-a vomitar?"

«"Dena, pára com isso. Estou a tentar dizer-te uma coisa séria."

«"Sim, bem, então ela vomitou? É isso que quero saber."

«"No fim, sim, mas e depois?"

«Os olhos de Dena arregalaram-se. "Uau. *Que estranho*. Tens uma pessoa a vomitar no teu cérebro." Fez uma pausa, abanando a cabeça. Então olhou para mim. "Tenho de te dizer uma coisa", disse ela.

«"O quê?"

«"Bem, acho que não devias andar por aí a falar disso a muita gente. Comigo não há problema. Eu compreendi-te porque sou a tua melhor amiga."

«"Não ando por aí a falar com muita gente", respondi. "Só contigo."

«"Sim, bem, a razão por que estou a dizer isto é... Detesto dizer isto, Laurie, mas tu *soas* um pouco maluca quando falas do assunto."

«"Mas não sou. Tu sabes isso."

«"Bem, sim, sei, mas às vezes quando estás a falar comigo tenho de me lembrar disso."

«Então, sem sequer fazer uma pausa, Dena continuou: "Sabes o que o Keith Miller fez ontem na aula de Miss MacKay? Aproximou--se da Sally por trás e passou-lhe a mão pelas costas, para ver se ela usava sutiã."

«Enquanto a Dena falava, lembro-me de olhar de novo para a luz através das folhas, o dourado do Outono sobre o verde do Outono, cores fugazes e cintilantes, e de me perguntar: *o que é real?* O que determina se algo existe? E lembro-me de que ainda sentia aquela sensação adoentada e fraca.

CAPÍTULO DOZE

No final da sua sessão seguinte, Alan disse:

— Quero falar da possibilidade de o senhor ver também a Morgana. Fazia parte do pacote, não era? Parte do funcionamento disto?

James assentiu.

— Óptimo. Porque, como eu disse na primeira sessão, a Morgana já está a começar a fazer coisas que eu não quero que ela se habitue a fazer.

Alan fez uma pausa.

— Merda, não é horrível ouvir-me dizer isto? — Fez uma careta. — Considerar a possibilidade de que demos cabo de duas lindas e inocentes crianças? Isso não abona muito a nosso favor como pais, pois não?

— Não pense dessa maneira — respondeu James. — É importante não se concentrar nos problemas em termos de propriedade. É uma atitude muito popular hoje em dia, mas é limitativa, porque nada acontece num vácuo. A família é um meio e a Morgana faz parte da família. Portanto, é natural que ela afecte e seja afectada pelo que está a acontecer.

— *Okay*.

— É por essa razão que considero tão importante incluir os pais e irmãos na terapia quando trabalho com uma criança.

— Vejo que aquilo que faz está a ajudar Conor e também quero isso para a Morgana. — Alan sorriu. — *Começo* a notar as mudanças. Apenas pequenas coisas, mas estão lá. Às vezes, por exemplo, percebo que o Conor me está a ouvir. Já não está tanto no seu mundo.

— O Conor está a sair-se bem aqui — disse James. — Avançamos devagar, mas a um ritmo estável. Ele está a começar a reagir melhor.

93

— É tão bom ouvir isso — disse Alan com sentimento. — Seria o melhor momento da minha vida se conseguíssemos dar a volta ao Conor.

No início da sessão seguinte, Conor foi direito às prateleiras e tirou a folha de plástico das estradas para fora. Examinou-a com o gato e depois colocou-a no chão com a superfície branca para cima. Passou a mão sobre ela, alisando-a.

— Eh-eh-eh. Uarrrr. Brr-brr-brr.

Empurrando a mão para debaixo da folha, Conor deixou-a assim uns momentos. Depois começou a movê-la para um lado e para o outro, como um gatinho debaixo de um cobertor.

— Terria — murmurou ele e levantou a mão.

— Desculpa? — perguntou James.

— A alunagem no Taurus-Littrow — respondeu ele e alisou a folha com a mão. — Não há aqui nenhum túmulo. Onde está o homem?

James não foi capaz de seguir o raciocínio da criança. Anotou «Taurus--Littrow» e a transcrição fonética da palavra «Terria» no seu caderno.

Conor olhou para cima, para James.

— Aqui é Terria. — Havia uma certeza no seu discurso que James não ouvira antes, e com ela uma ligeira urgência, como se ele percebesse que James não entendia o significado da palavra e isso o preocupasse. Isso também dava às palavras de Conor um sentido definitivo de comunicação.

— Aqui é Terria — disse Conor novamente. Bateu na folha das estradas. — *Terria*. Sim, isso é Terria. Onde está o homem?

— Referes-te ao homem de brincar? Com que brincaste da última vez? — perguntou James. — Deve estar com os outros brinquedos de lego. Além. Na cesta.

Os ombros de Conor curvaram-se num gesto tão claro de derrota que James soube que não tinha acertado. Sentiu-se também um pouco derrotado, porque, apesar de Conor querer tão obviamente dizer-lhe alguma coisa, ele não era capaz de perceber.

Desistindo, Conor levantou-se e deixou o plástico branco no chão. Com o gato apertado contra o peito, vagueou em direcção às grandes janelas. Até àquele momento, ignorara-as sempre. Agora, parou e olhou para fora. Passaram algum tempo em silêncio.

— Onde está o homem na Lua? — perguntou Conor.

— Não podemos vê-lo neste momento, porque a Lua ainda não apareceu.

Nas feições de Conor surgiu uma expressão de alarme. Levantou o gato e encostou-o ao rosto.

— Eh-eh-eh-eh-eh-eh.

— Estou a ouvir o teu ruído preocupado — disse James. — Não gostas de não ser capaz de ver a Lua?

— Para onde foi o homem na Lua?

— Referes-te aos homens que pousaram na Lua? Já lá não estão. Desembarcaram na Lua há muito tempo, mas agora voltaram à Terra.

— O homem na Lua pode ver-nos, mas nós não podemos vê-lo. Ele pode ver-nos. Eh-eh-eh-eh-eh.

— Tens medo do homem na Lua? — perguntou James num tom meigo. — Ele não é real, Conor. Não existe lá um homem a sério. São apenas desenhos na superfície da Lua e quando olhamos para eles da Terra parece-nos a cara de uma pessoa. Mas não há realmente um homem na Lua.

— A alunagem no Taurus-Littrow. Mil novecentos e setenta e um! — exclamou Conor.

— É confuso, não é? — comentou James, numa tentativa de interpretar o medo de Conor. — Dizemos «homem na Lua» para nos referirmos à forma como a Lua nos parece da Terra, mas não estamos a falar de um homem real. É apenas uma expressão. Mas depois há também os astronautas que andaram na Lua e que são homens de verdade. Mas eles não ficaram na Lua. É demasiado estéril. Ninguém podia lá viver. Então, agora todos voltaram para a sua casa na Terra.

O menino começou a chorar.

— Não! Não quero que o homem na Lua volte para casa! — Encostando o gato ao rosto, caiu no chão a chorar.

Muito diferente da criança barulhenta e confiante que James tinha visto a perseguir Becky em sua casa, Morgana encontrava-se na sala de espera a apertar a mão do pai com firmeza e a olhar para James com um olhar desconfiado.

— Olá — disse James. — Que bom é ver-te de novo.

Ela apertou-se contra a perna de Alan.

James estendeu-lhe a mão.

— A ludoteca é por aqui. Porque não vens comigo e eu mostro-te?

Relutantemente, Morgana deu um beijo ao pai e pegou na mão de James. Ele caminhou com ela pelo corredor e abriu a porta da ludoteca. Ela ficou parada um momento e a seguir olhou lá para dentro, entrando com cautela. Por muito que tentasse persuadi-la, James não conseguiu convencê-la a avançar mais. Fechando a porta suavemente, dirigiu-se à mesinha e sentou-se.

— Nunca vi um consultório assim — disse Morgana com ar de dúvida, enquanto examinava a ludoteca. — O do doutor Wilson é muito diferente.

— O doutor Wilson e eu somos médicos diferentes. Ele é do tipo que nos ajuda a manter os nossos corpos saudáveis. Eu sou do tipo que nos ajuda a manter os nossos sentimentos saudáveis.

Ela olhou para ele.

— O seu tipo de médico dá injecções?

— Não, geralmente não.

Uma expressão de enorme alívio surgiu no rosto dela.

— Ah, que *bom*!

— Estavas com receio que eu pudesse dar-te uma injecção? — perguntou James.

Assentindo com fervor, ela disse:

— *Sim*, porque pensei que *todos* os médicos davam injecções. — Sorriu timidamente. — Por isso não queria vir para aqui sozinha. Se fosse apanhar uma injecção, queria que o meu pai estivesse comigo.

Ela olhou em volta da sala com mais confiança.

— Há aqui muitos brinquedos. São todos da Becky e do Mikey?

— Não. Os brinquedos deles estão em minha casa. Os brinquedos neste espaço são dos meninos e meninas que vêm aqui ver-me.

— Como o meu irmão, hã?

— Sim — disse James — e hoje como tu também. Assim, enquanto estiveres aqui, podes brincar com tudo o que te interessar. A escolha é tua. Aqui, as crianças escolhem o que querem fazer.

— *Isso* parece bom. — Esboçou um sorriso alegre. — O que é isso?

— O meu caderno. Gosto de escrever apontamentos para me lembrar do que falámos aqui.

— Como?

— Porque talvez tenhamos estado a trabalhar na solução de um problema e eu não quero esquecer nada do que de importante uma criança me contou — explicou James.

Colocando as mãos sobre a mesa, Morgana inclinou-se para a frente e observou James. Os seus olhos brilhavam.

— Sabe o que o meu irmão faz? — O seu tom era conspiratório. — Faz chichi no caixote do lixo na cozinha, porque pensa que é uma casa de banho. — Soltou uma gargalhada. — Mas isso é segredo. Não diga à minha mãe que eu contei.

— Porque não?

— Porque a minha mãe diria que não é simpático contar-lhe. — Riu de novo.

James riu também.

— Eu contei à Becky. Ela disse que o Mikey fez chichi no banho uma vez. Disse que ele até fez o número dois uma vez e aquilo flutuou.

— Sim, infelizmente ela tem razão.

— Os rapazes podem ser *muito* nojentos.

James assentiu.

— Porque é que a Becky não vive consigo o tempo todo?

— Porque a mãe da Becky e eu estamos divorciados. A Becky vive quase sempre em Nova Iorque com a mãe, porque é lá que está a sua escola e os avós e os primos também. Mas, embora as coisas não tenham corrido bem entre a mãe da Becky e eu, eu amo a Becky, e o Mikey também, tanto como dantes, e queremos passar muito tempo juntos. É por isso que ela e o Mikey vêm cá.

O sorriso de Morgana tinha desaparecido.

— Os meus pais também estão a fazer isso. A divorciar-se, quero dizer.

— O que pensas disso? — perguntou James.

— Não quero que se divorciem.

— Podes falar mais disso?

— Na escola conheço uma menina chamada Kayla e, quando estávamos no jardim-de-infância, os pais dela divorciaram-se. Agora, ela só vê o pai dois dias por mês e às vezes ele esquece-se. Não quero que isso me aconteça. Amo muito o meu pai.

— Claro — disse James.

— O senhor nunca se esquece da Becky, pois não?

— Não. Os pais nunca esquecem os filhos, mesmo que nem sempre possam vê-los.

— Também não quero que eles se divorciem por causa de outra coisa — disse Morgana.

— Que coisa?

— O nosso rancho. Porque eu adoro o nosso rancho. Gosto muito, muito do nosso rancho e quero viver lá para sempre. Mesmo quando for grande. Vou ser uma rancheira, como o meu pai. Mas a minha mãe diz que, quando ela e o meu pai se divorciarem, eu e o Conor já não podemos viver no rancho porque vamos viver noutro lado. Mas eu não quero. Mas depois também vou querer estar com a minha mãe.

— Tens muitas preocupações.

— Sim — respondeu Morgana, enrugando a testa —, tenho.

Observou a caneta de James enquanto ele escrevia.

— Mas e agora? — perguntou ela. — A Kayla diz que tem dois Natais. Primeiro, passa um com a mãe e a seguir outro com o pai e a namorada dele. E sabe que mais? O Pai Natal vai aos dois sítios! — Morgana esboçou um sorriso travesso. — Não me importava de ter *essa* parte.

James sorriu também.

Voltando as costas à mesa, Morgana olhou em redor.

— O senhor tem mesmo uma data de brinquedos aqui. Parece quase uma loja de brinquedos. — Afastou-se para ver o que podia encontrar.

Depois de explorar os vários brinquedos e materiais na sala, Morgana contentou-se apenas com uma folha e uma caixa de lápis de cor. Levou-os para a mesa e sentou-se em frente de James. Escolhendo um lápis azul, escreveu cuidadosamente o seu nome com letras grandes e arredondadas.

— Pronto. Fiz isto bem, não fiz? — perguntou ela num tom satisfeito, mostrando a folha a James. A seguir, escolheu um lápis de cera verde. Pareceu prestes a desenhar, mas depois deu a volta às letras do seu nome com a segunda cor.

— Adivinhe — disse ela. — Sei ler.

— Isso é muito bom.

— Estou no melhor grupo de leitura na escola. Embora esteja só na primeira classe, leio livros de verdade. Não os livros para bebés com que nos ensinam.

— Sim, os livros verdadeiros são mais interessantes, não são?

— Eu já sabia ler aos três anos.

— Obviamente, a leitura é importante para ti — disse James.

— Sabe outra coisa? — perguntou Morgana animadamente.
— O meu melhor amigo não sabe ler.

— Quando se tem seis anos e se está a começar, às vezes ler pode ser muito difícil — disse James.

— Oh, ele não tem seis. Tem oito.

— Algumas crianças acham a leitura muito mais difícil do que outras.

Morgana escolheu uma terceira cor e contornou de novo as letras do seu nome.

— Não, não é porque ele ache difícil. É porque ele e a prima aprendem em casa mas não recebem aulas de leitura. Ele diz que ninguém em sua casa sabe ler.

— Isso é muito raro — comentou James.

— Bom, eu também pensava assim. Não acreditei nele de início. Porque pensei: não há adultos que não saibam ler. Mas ele está certo. Ele realmente não sabe ler. Nem sequer sabe o alfabeto. Então adivinhe?

— O quê? — perguntou James.

— Eu disse que ia ensiná-lo. Vou levar-lhe um dos livros da escola.

— És uma amiga muito atenciosa.

— É porque ele e eu somos os melhores amigos. Brincamos juntos o tempo todo. Quase todos os dias.

— A que coisas gostam de brincar? — perguntou James.

— Ao faz-de-conta, principalmente. É o nosso jogo favorito. — Ela deu uma gargalhada inesperada. — Ele é *tão* tolo. Sabe o que diz? Que quando for grande quer ser rei. A sério. Realmente pensa isso! Eu disse-lhe que não podia ser, porque já não há reis a sério, porque eles só existem nos contos de fadas. Mas ele disse que eu estou errada. E sabe que mais? Perguntei à minha mãe e ela disse que é verdade. Ainda *há* reis verdadeiros, mas ela disse que não acha que ninguém no Dacota do Sul pode chegar a ser rei. — Morgana riu-se alegremente. — Então agora gozo com ele. Chamo-lhe Rei Leão.

— Porque lhe chamas isso?

— Já lhe disse. Porque ele quer ser rei quando crescer.

— Refiro à «parte» do leão — disse James.

— Bem, duas razões. Uma: porque ele tem cabelo comprido como um leão. Dá-lhe pelos ombros, assim. — Indicou. — Realmente,

parece mesmo cabelo de menina, mas eu não quero fazê-lo sentir-
-se mal, por isso chamo-lhe cabelo de leão. E a segunda razão: porque
ele é sempre um felino.

— Um felino? — perguntou James, intrigado. — Como é que ele
faz isso?

— Bem, *fingindo*, claro — disse com uma gargalhada. —
Encontramo-nos sempre perto do riacho. É lá que brincamos. Se ele
chega lá primeiro, esconde-se nas rochas e salta para cima de mim e
tenta assustar-me. Faz: «Graurrr! Tem cuidado comigo! Sou o Grande
Felino!» Refere-se a um puma. Mas eu não me assusto. Corro atrás dele!
— Riu de novo alegremente e fez um gesto com as mãos.

Seguiu-se uma pausa. Morgana olhou para o papel. Ao longo da
conversa continuou a embelezar o seu nome com cores diferentes.

— Olhe. Fiz um arco-íris. — Levantou o papel para mostrar a
James. — Está a ver, sei as cores do arco-íris. Sei as cores na ordem
certa. Quer que as diga? Vermelho, laranja, amarelo, verde, azul,
índigo e violeta.

— És muito inteligente — respondeu James.

— Sim, sou inteligente. Posso dizer-lhe o meu QI. É cento e quarenta e seis. Sei-o porque os meus pais me mandaram fazer um teste.
— Apertou os lábios. — Mas não devo dizer às pessoas, porque a
minha mãe diz que faz a minha cabeça inchar. Mas o senhor é médico,
achei que podia estar interessado.

James sorriu para ela.

— Sabes o que é um QI?

Morgana chupou os lábios entre os dentes e olhou em volta, a seguir
encolheu os ombros e sorriu.

— Nem por isso. — Depois a sua testa franziu-se numa expressão
pensativa. — Mas sei que temos de ter um se somos espertos. E isso
é que nos faz ter boas notas na escola.

— Sim, acho que se pode dizer isso — respondeu James.

Uma pequena pausa.

— Posso perguntar uma coisa? — Morgana inclinou a cabeça interrogativamente.

— Sim, claro — disse James.

— Não sei qual é o QI do Conor, mas sei que ele também tem
um, porque sabe uma coisa? Ele aprendeu a ler ainda mais cedo que
eu. Tinha apenas *dois anos*. O meu pai contou-me.

— Isso é incrível — comentou James.

— Mas um menino que vai no autocarro da escola comigo disse que o Conor é atrasado.

— Como é que isso te faz sentir?

— Não me importo que ele diga isso, porque não é verdade. Porque o Conor sabia ler quando tinha dois anos. Portanto, não pode ser verdade e não podemos tornar algo verdadeiro só por dizê-lo.

— Sim, tens razão.

— Mas o que quero saber é porque é que o Conor não vai para a escola como eu e tira boas notas? Se ele tem um QI, porque é que é como é? — perguntou ela.

— Essa é uma pergunta difícil de responder — respondeu James. — Nós somos feitos de muitas coisas diferentes e o nosso QI é apenas uma delas. Então, às vezes, mesmo que o nosso QI seja bom, qualquer outra coisa precisa de ajuda.

— Gostava que ele pudesse ser mais como um verdadeiro irmão — disse Morgana melancolicamente.

— Gostavas de um verdadeiro irmão — reflectiu James.

Ela assentiu com a cabeça.

— Gostava que ele tomasse conta de mim. Ele tem nove anos. É três anos mais velho que eu, mas sabe uma coisa? Na maioria das vezes eu tomo conta *dele*.

— Percebo como isso é difícil — disse James.

— E ele assusta-me.

— Como?

— À noite no quarto dele. Fala sozinho e consigo ouvi-lo através da parede.

— E isso assusta-te?

Ela assentiu com a cabeça.

— Sim, porque ele fala sempre sobre o homem fantasma. É por isso que tem de estar sempre a ajustar os fios todos, porque o gato vê o homem fantasma a aproximar-se. Por isso, o Conor fica em pé o tempo todo. A falar e a ajustar. Às vezes eu entro e tento que ele volte a adormecer, mas depois ele quer que eu me sente dentro dos fios com ele. Diz que, se nos sentarmos nos fios, o gato dele vai salvar-nos do homem fantasma.

— Parece que tu e o Conor falam bastante — disse James.

Morgana assentiu.

— Isso é porque eu ouço.

— E o Conor diz quem é este homem fantasma? — perguntou James.

— É o homem que vive debaixo do tapete.

— Estou a ver. E viste alguém a viver sob qualquer um dos tapetes em tua casa?

— Não — disse Morgana. — São apenas tapetes normais.

— Sim, acho que é isso mesmo. O Conor fica confuso sobre as coisas — disse James baixinho. — Provavelmente é melhor não prestar muita atenção.

— Sim. É isso que o meu pai também me diz. Diz que estas são apenas as palavras do Conor para os seus sentimentos na sua cabeça. Mas mesmo assim tenho medo. Sou pequena e ele é grande e, por isso, ele deve ser corajoso por mim, mas eu é que tenho de ser corajosa por ele. E não importa o que eu lhe digo. O Conor passa a vida a acordar durante a noite, preocupado. Continua a dizer que o gato viu o homem fantasma no corredor e que, se não tivermos cuidado, o homem vem buscar-nos.

CAPÍTULO TREZE

— Tudo mudou no ano em que fiz doze anos — disse Laura no início da sessão seguinte. — Entrei no secundário. A nova escola ficava na direcção oposta à da escola primária, por isso, quando a Dena e eu voltávamos para casa juntas, chegávamos primeiro à casa dela e eu tinha de percorrer os últimos dois quarteirões sozinha.

«O meu irmão adoptivo Steven começou a esperar por mim na viela entre a Kenally e a Arnott. Sempre tivemos problemas de relacionamento. Ele era um ano mais velho que eu e o único dos meus irmãos adoptivos com quem tive problemas, mas conseguia ser mesmo mau. O meu pai biológico disse que eu devia simplesmente ignorá-lo, que provavelmente era apenas inveja, pois ele era o mais novo dos quatro rapazes e a seguir eu aparecera e roubara-lhe todas as atenções; a verdade é que o Steven tinha problemas com muita gente. Estava sempre a meter-se em apuros na escola.

«Quando eu era mais pequena, as coisas entre mim e o Steven eram toleráveis, principalmente porque eu era tão forte como ele era e muito mais coordenada, portanto dava-lhe tantas como levava, se fosse preciso. Mas no liceu ele já tinha crescido bastante e tinha a vantagem do tamanho.

«Bom, ele começou a emboscar-me nos dois últimos quarteirões antes de casa. Se havia outros rapazes com ele, geralmente não faziam muito mais do que empurrar-me e, em seguida, fugir. Uma vez um miúdo chamado Bruce deu-me um pontapé na lancheira e partiu-me o termo, mas a maioria das vezes ficava apenas com arranhões e hematomas.

«Se o Steven estava sozinho, porém, era pior. Ele só conseguia pensar em sexo. Então, se me fazia cair, sentava-se em cima de mim e tentava tirar-me as cuecas. Eu normalmente conseguia fugir contorcendo-me para fora delas, mas depois ele corria atrás de mim a acenar com elas na mão e deitando-as fora.

«Uma tarde, vi o Steven à espera com outros dois rapazes chamados Jimmy Hill e Loring Bardon. Sabia que isso significava problemas, portanto tentei fugir deles indo pelo lago. Eu corria muito depressa nessa altura, muito mais depressa que o Steven, e conhecia atalhos, portanto normalmente conseguia chegar a casa em segurança. Julguei que ia conseguir isso daquela vez, porque tomei um caminho secreto ao longo do lago que quase ninguém conhecia. Então, quando estava a chegar à nossa vedação no beco, ouvi o Steven gritar: "Carga da Brigada Ligeira!" Deixei cair os meus livros da escola e corri de volta em direcção ao lago, o que foi um grande erro, porque tropecei na erva alta e caí.

«Eles estavam logo em cima de mim. O Loring pressionou-me os braços e o Steven subiu para cima de mim. O Jimmy estava em pé, a rir-se e a atirar-me terra para a cara. Em seguida, o Steven disse: "Vamos a isto!"

«O Jimmy disse que não imediatamente, mas o Steven já estava a começar a abrir o cinto.

«Comecei a chorar. O Steven era muito grande nessa altura. Já tinha treze e era corpulento, portanto não havia maneira de eu o empurrar. Além disso, eles eram três. Mas Jimmy conteve-se. Disse: "Acho que não devemos fazer isto, Steve."

«O Steven disse: "Qual é o teu problema? Não consegues ter tusa?" E não perdeu tempo. Despiu-me as cuecas e tirou a pila para fora e fez aquilo o melhor que conseguiu.

«Gritei quando ele tentou. O Loring, assustado, soltou-me os braços, mas isso não fez qualquer diferença para o Steven. Colocou a mão sobre a minha boca, baixou a cabeça e disse: "Não vais contar a ninguém, pois não?" E da maneira como ele o disse era uma ameaça. Então sorriu para mim, apenas um pouco, e disse: "Porque tu não és ninguém. E nada aconteceu se aconteceu a ninguém."

— Que horrível para si — murmurou James. — Deve ter sido assustador. Contou a alguém?

— Dois domingos depois, o meu pai veio para a sua visita habitual. Vinha sozinho, como normalmente nessa altura. O meu irmão Russell já se formara e estava a trabalhar em Sioux Falls. O Grant estudava na Universidade de Stanford. Por isso eu já quase não os via.

Era apenas o meu pai e eu. Mas nada havia mudado. Ele ainda me levava ao mesmo restaurante para o mesmo almoço de carne assada. Naquele domingo lembro-me de estarmos sentados de frente um para o outro num dos compartimentos de vinil verde. A mesa de fórmica entre nós parecia-me enorme.

«"Estás muito calada hoje", disse o meu pai, depois de termos pedido a comida. Não respondi, então ele perguntou-me se me sentia bem. Fiquei calada. Durante as duas semanas anteriores eu planeara contar-lhe o que o Steven tinha feito naquele dia. Revira a cena uma e outra vez na minha cabeça, decidindo exactamente o que ia dizer, como e quando, mas, com o meu pai realmente lá, não sabia como começar.

«Finalmente, perguntei: "Pai? Vou mesmo viver contigo?"

«Ele respondeu: "Sim, claro. Naturalmente, Laurie. Estou a tratar disso agora."

«"Quando?"

«"Bem, a casa onde estou agora não é muito grande. Tu estás habituada àquela bela casa e àquele enorme terreno onde podes brincar e ao lago..."

«"Isso não importa. Não me importava de viver numa casa mais pequena."

«"Além disso, precisamos de arranjar uma mãe simpática para ti", acrescentou.

«"Já sou suficientemente grande para não precisar de uma mãe que cuide de mim", respondi. "O Grant e o Russell tinham a minha idade quando moravam contigo e saíram-se bem sem uma mãe. Eu não daria muito trabalho, pai, prometo. Por favor, posso ir morar contigo já?

«"Porquê? Pensei que eras feliz aqui com os Mecks."

«"Odeio o Steven", respondi. "O Steven Mecks. Chamo-lhe o Steven Sex."

«O meu pai não perguntou porquê.

«A empregada veio então com os nossos pratos de carne assada. O meu pai pôs *ketchup* na sua carne e começou a comer. Eu não tinha fome. Achei que talvez tivesse um vírus, porque de repente senti que ia vomitar. Mas não vomitei. Fiquei ali a olhar para a comida.

«O meu pai sorriu de repente e inclinou-se sobre a mesa. Num tom de voz conspiratório disse: "Bem, tenho uma notícia especial. Há *alguém* de quem sou próximo, Laurie. Ela chama-se Marilyn e sei que vais gostar dela. Tem cabelo preto e é muito bonita."

«Ao ouvir falar de cabelo preto, vi instantaneamente a Torgon. A ideia de a Torgon me vir salvar sabia bem. Isso animou-me. O meu pai disse: "Mas tens de me dar um pouco mais de tempo, Laurie. Mais seis meses. Talvez então possas vir."

— Menos de duas semanas depois desse domingo com o meu pai, eu estava lá em cima no quarto. Era sexta à noite e muito tarde. Eu estivera a ler na cama e a seguir apaguei a luz para ir dormir. Essa era ainda a minha melhor altura para ir para a Floresta, o período entre o apagar das luzes e o adormecer, porque eu estava relaxada e muitas vezes saía do mundo da Torgon para o dos sonhos.

«Então, quase sem fazer barulho, a minha porta abriu-se. O vulto de Steven apareceu indistintamente no escuro. Sentei-me e disse-lhe que ele não podia entrar no meu quarto. Aquele era o meu espaço privado e eu tinha o direito de o mandar sair. Ele ignorou-me e meteu-se na minha cama.

«Eu disse-lhe que ia gritar pelos pais. Ele agarrou-me no cabelo com uma mão e tapou-me a boca com a outra. Disse: "Se gritares vais estar em apuros."

«Libertei-me e tentei saltar da cama, mas ele agarrou-me o pijama. "Ouve, Laurie", disse, "faz o que eu te digo. Se não fizeres, eu mato o *Felix*. Estou a falar a sério. Se não fizeres o que eu digo, vais encontrar o corpo dele ensanguentado aqui à tua espera amanhã à noite."

«O *Felix* era o meu gatinho. Era o mais pequeno da ninhada, uma bolinha preta e branca de pêlo que eu mimara horas e horas durante o Verão, até ele recuperar a saúde. Adorava-o. Ele era tão doce. E confiante. Nunca iria perceber que não devia deixar o Steven pegar-lhe.

«Assim, quando o Steven me atirou para a cama naquela noite, eu deixei por causa do *Felix*. Ele baixou-me as calças do pijama. A sua pila saía-lhe do corpo como um gancho. Um gancho pequeno. Ainda mal crescera. Ele era um rapaz tão grande e tinha aquela pila minúscula. Mas ele não se importava e, certamente, o tamanho não era importante para mim. Foi igualmente horrível, apesar de ser pequeno.

«Quando ele terminou, saiu e eu fiquei ali no escuro. O pior para mim não foi o Steven ter-me violado, pois ele já o fizera antes. Foi ter ameaçado o *Felix*. O *Felix* nunca mais estaria em segurança. Nem eu.

Agora era obrigada a fazer o que o Steven queria. Naquele momento percebi que as coisas em Kenally Street tinham mudado para sempre. Soube então que não podia ali ficar.

«Esperei arquejante na escuridão, até que deixei de ouvir barulho no resto da casa. Então aventurei-me para fora e desci as escadas em bicos de pés. Eram quase duas horas da manhã. Indo para a cozinha, tirei o telefone do gancho. Marquei o número do meu pai. A voz ensonada de uma mulher atendeu.

«Achando que me tinha enganado, desliguei imediatamente e marquei o número com mais cuidado. De novo atendeu a mesma mulher, a sua voz ainda estava ensonada, mas agora também irritada. "O que é que quer?", perguntou ela. "O meu pai está aí?", perguntei. Ela respondeu: "Enganou-se no número. Por favor, não ligue para aqui outra vez", e desligou.

«Acendi a luz da cozinha para ver o que estava a fazer e, em seguida, marquei de novo o número, com muito cuidado.

«E ela atendeu novamente. Então, antes que ela pudesse desligar, eu disse: "O nome do meu pai é Ronald Deighton. Ele está aí?"

«Houve uma pausa. Ouvi a mulher dizer: "Ron? Ron? Acorda. É para ti."

«Então, "Estou?" e era a voz do meu pai. Comecei a chorar de alívio. Disse: "Pai, tens de me vir buscar. Imediatamente."

«Foi uma grande confusão quando contei ao meu pai o que tinha acontecido. Eu telefonara-lhe às duas e um quarto da manhã e às oito horas ele estava à porta dos Mecks. Seguiu-se uma cena horrorosa com a minha mãe a chorar e o meu pai a gritar com o meu pai adoptivo sobre chamar a polícia. O Steven estava sentado numa cadeira na mesa da cozinha e parecia tão assustado que senti realmente pena dele.

«"Pega nas tuas coisas, Laura. Vens comigo", disse o meu pai no final.

«Como eu *ansiara* por ouvi-lo dizer aquelas palavras. *Vens comigo*. — Ela abanou a cabeça tristemente. — Corri para cima com uma mala e comecei a meter roupas lá dentro. Juntei alguns dos meus cavalos de plástico. Muitos não iriam caber, mas eu não estava muito preocupada. Não importava. Iríamos buscá-los mais tarde.

«A importância do que estava a acontecer só começou a fazer-se sentir quando fui buscar um móbile que estava pendurado junto à janela de sacada. Vi o lago através da janela, o sol reflectido nas ondas perto da margem. De repente perguntei-me como seria já não viver ao pé do lago. Um terrível sentimento de perda tomou conta de mim naquele instante. Então o meu pai gritou-me das escadas e a sensação passou. Em breve estava a arrastar a minha mala até ao carro.

«O meu pai disse-me que me despachasse, que tinha de estar de volta a Rapid City à hora do almoço, portanto pus a minha mala no carro. Então eu disse: "Espera um pouco. Tenho de ir buscar o *Felix*."

«"Quem é o *Felix*?"

«"O meu gatinho. Tu sabes. Eu falei-te dele no Verão. Só um minuto. Vou buscar uma caixa para ele."

«O meu pai abanou a cabeça. "Não podes levar um gato contigo, Laura. Vivemos num apartamento. Não permitem animais de estimação."

«Comecei a chorar. Eu fizera tudo aquilo por causa do *Felix*. Fora apenas por ele que eu contara a alguém o que o Steven tinha feito. Como podia deixá-lo agora? Mas tinha de deixar. Não havia alternativa.

«Os Mecks não saíram para se despedir quando chegou o momento. Ficaram dentro de casa. Quando entrei no carro do meu pai, no entanto, vi-os reunidos junto à janela da sala de estar, todos, até o Steven. Não acenaram, limitaram-se a assistir. No alpendre da frente, o *Felix* estava sentado com as suas orelhas em pé, também a assistir.

«Lembro-me de parar junto ao portão, a olhar para a casa, para os Mecks à janela, para o *Felix* no degrau, e soube naquele momento que, independentemente do que me pudesse acontecer, por muito feliz que pudesse voltar a ser no futuro, nunca seria feliz da mesma maneira como fora ali. Deixar Kenally Street foi para mim o fim da infância. Mesmo aos doze anos reconheci isso.

«"Há uma coisa que tenho de te dizer", começou o meu pai quando saímos de Black Hills e acelerámos rumo a Rapid City. "Lembras-te de te ter falado na Marilyn na outra semana?"

«"Sim", respondi.

«"Bem, a Marilyn e eu decidimos casar."

«"Isso é óptimo! Quando?"

«"Bem, na verdade, já casámos."

«"*Quando?*", perguntei, chocada.

«"Eu queria contar-te. Só que não houve oportunidade."

«"Como foste capaz de *não* me contar uma coisa dessas, pai?"

«"Eu queria."

«Passei o resto da viagem atordoada. Tentar conciliar aquela desconhecida Marilyn com as minhas fantasias de longa data de ir viver com o meu pai era impossível, porque eu não sabia absolutamente nada sobre ela, excepto que tinha cabelo preto.

«Afinal, não fez mal, porque nada me poderia ter preparado para a pessoa que nos recebeu. Quando entrámos na garagem do prédio do meu pai, apareceu uma *rapariga*. Tinha apenas mais cinco anos que o meu irmão Russell, alta, magra e bonita de uma forma irreal. Tinha um pequeno tufo de cabelo preto no alto da cabeça, armado como o da Jackie Kennedy, e os seus olhos eram muito redondos e tinham uma expressão atordoada de felicidade, como a expressão de uma boneca antiga.

«Quando ela me viu, exclamou com demasiado entusiasmo: "Bem-vinda! Oh, bem-vinda, bem-vinda! Então, tu és a pequena Laurie! E, oh, és tão bonita! Olha para o teu lindo cabelo!"

«Olhei para ela com descrença. Era provavelmente a única pessoa no universo que dissera que eu tinha o cabelo bonito, porque basicamente era um emaranhado comprido e muito gorduroso da cor de vómito de cão.

«O meu pai dissera-me que podia ficar com o quarto dos meus irmãos, pois eles já não estavam em casa. Pegou na minha mala e pô-la numa das duas camas, dizendo-me que eu podia escolher a que quisesse. O quarto era mais pequeno que a nossa casa de banho em Kenally Street e estava cheio com as coisas do Grant e do Russell. A janela dava para a parede do prédio ao lado. Lembro-me de estar sentada na cama a olhar à minha volta e a pensar que de alguma forma aquilo não era como devia ser.

«Nunca mais voltei à casa de Kenally Street. Nunca. Os Mecks embalaram o resto das minhas coisas e o meu irmão Grant foi lá buscá-las. Não fui com ele. Nunca mais vi os meus pais adoptivos, nem o *Felix*.

«Assim que me instalei, tive de passar os meus pertences a pente fino e livrar-me de muitos, porque o meu novo quarto era muito pequeno. Não havia espaço para as minhas colecções ou para os meus projectos. Durante algum tempo pus alguns dos meus cavalos em cima da cómoda ao lado dos aviões do Grant, mas sentia-me sempre esquisita quando olhava para eles. Uma noite, quando o meu pai e a Marilyn saíram, peguei nos cavalos todos e atirei-os um a um para o incinerador. Não sei porquê. Talvez porque fosse já grande de mais para eles. Não sei bem. Só sei que tive uma vontade irresistível de me livrar deles, portanto foi o que fiz, e nunca gostei muito de cavalos desde então.

CAPÍTULO CATORZE

Um grito de pânico puro atravessou a escuridão. Súbito e eléctrico, um relâmpago de som despertou James de um sono profundo, sem sonhos, e fê-lo dirigir-se para a porta antes de estar suficientemente acordado para saber o que estava a acontecer. Freneticamente, tacteou à procura do interruptor no corredor.

— Becky? Becks? Acorda, querida. Estás a ter um sonho mau — disse James assim que entrou no quarto de hóspedes onde ela estava a dormir com Mikey.

Mikey já estava sentado na cama.

— Não é um sonho, pai — disse ele no escuro. — Ela está a ter um pesadelo.

— Becks? — Sentando-se na beira do leito, James puxou a filha para si. — O pai está aqui.

— Vou acender a luz — disse Mikey, levantando-se. — É o que a mãe costuma fazer.

Becky agarrou-se a James, segurando-lhe o casaco do pijama com tanta força que os pêlos do seu peito foram apanhados no aperto. A luz do tecto acendeu-se. Os olhos de Becky estavam abertos, mas ela não olhava para James. Não reagia à sua voz. Em vez disso, gritava e debatia-se contra ele.

— Chiu, chiu, chiu — sussurrou James. — Eu estou aqui. O pai está aqui.

Mikey estava ao lado da cama, o rosto franzido de preocupação.

— Gostava que ela não fizesse isso — murmurou ele.

— Ela está bem. Vai voltar a adormecer daqui a pouco e não se vai lembrar disto.

— Porque é que ela nunca se lembra?

111

— Porque é assim que funciona — respondeu James. — Sabes como sei? Porque, quando eu era pequeno, às vezes também tinha terrores nocturnos.

— Como é que isso acontece? — perguntou Mikey.

— Bem, geralmente acontecia-me porque eu me cansava muito, e pode ser o que aconteceu à Becky também. Vocês os dois fizeram uma longa viagem hoje e ficámos a pé até muito tarde.

— Oh.

— Mas às vezes acontecia-me — continuou James — porque eu me sentia perturbado com alguma coisa e não sabia como dizê-lo. A Becky tem andado perturbada?

Mikey encolheu os ombros exageradamente.

— Não sei.

Lentamente, a aflição de Becky acalmou. Ela pestanejou vagamente e James percebeu que ainda não estava acordada.

— Chiu, chiu, chiu — sussurrou ele, afastando-lhe o cabelo do rosto. — Fecha os olhos, querida. Está na hora de dormir.

Por fim, Becky fechou os olhos e acalmou-se. Delicadamente, James deitou-a na cama e tapou-a.

Levantando-se, virou-se para Mikey.

— Tu também, cobói. Anda. Para a cama. — Aconchegou a roupa ao filho, puxando-lhe o cobertor até ao nariz.

— Vais deixar a luz acesa?

— Vamos apagar a do tecto porque é muito intensa. Deixo acesa a luz do corredor. Que tal?

— *Okay*.

James riu-se.

— Pareces um Furby aí deitado. Só consigo ver cabelo espetado e dois grandes olhos a olharem para mim por cima dos cobertores. — Inclinou-se e beijou a testa de Mikey.

Mikey não sorriu.

— Pareço um Furby porque estou com medo.

— E o que mete medo aos Furbies, hein? — perguntou James suavemente.

— Não gosto quando a Becky faz aquilo. Despertou-me e agora fiquei com medo de estar aqui sozinho.

— Bem, não estás sozinho, cobói, porque a Becky está ali. E eu estou ao fundo do corredor. Muito perto. — Alisou o cabelo de Mikey.

— Mas vamos fazer o seguinte: chega-te para lá que eu fico aqui deitado contigo até já não te sentires assustado como um Furby. O que achas?

— Ficas até eu adormecer? — perguntou Mikey.

— Sim, até estares a dormir em segurança.

James deitou-se na cama de solteiro e puxou os cobertores para cima. Mikey aninhou-se contra ele. Com a face encostada à cabeça de Mikey, o nariz de James encheu-se com o cheiro do seu filho, uma mistura de champô e de algo mais quente, como o cheiro da luz do Sol num chão de madeira velha.

Ficaram assim aninhados em silêncio durante vários minutos. Na verdade, Mikey ficou imóvel durante tanto tempo que James julgou que ele adormecera. Ele mudou de posição, preparando-se para voltar para a sua própria cama.

— Não vás, pai — pediu Mikey.

— Ainda estás acordado?

— Sim. Não consigo dormir.

— Porquê?

— Estou com medo.

— Comigo aqui? — perguntou James e puxou o filho com mais força contra ele. — Não há nada a temer.

— Pai? — perguntou Mikey, depois de vários momentos de silêncio.

— Sim, Mikey.

— Gostava que vivêssemos aqui.

James abraçou-o.

— Sim, eu também gostava. De todo o meu coração. Vocês são os meus melhores meninos em todo o mundo.

— Porque não podemos?

— Bem, porque têm tudo em Nova Iorque. A mãe está lá, a vossa escola e todos os vossos amigos.

— Podíamos andar na escola aqui — disse Mikey.

— Mas ias ter saudades dos avós. E dos primos. E de ir à praia.

— Não gosto do tio Joey — disse Mikey.

— Porquê?

Mikey suspirou.

— Não sei.

— Ele fez alguma coisa que tu não gostasses?

— Não. Só não gosto. Gosto dele durante o dia, porque nos compra coisas. Mas não à noite. É nessa altura que te quero ao pé de mim.

— Sim, também é quando eu te quero — disse James. — E durante o dia também. É difícil, não é, pois a mãe e eu não vivemos juntos. Porque eu vivo aqui e não conseguimos ver-nos muito. Tenho pena que seja assim.

— Sim — disse Mikey. — Eu também.

Muito tempo depois de Mikey ter finalmente adormecido, James continuava na pequena cama com ele. Era ele, agora, que estava completamente acordado.

Reconhecera imediatamente o terror nocturno de Becky por aquilo que era, não apenas por ser um fenómeno bastante comum entre as crianças com que ele trabalhava; mas porque, de facto, como ele dissera a Mikey, ele próprio sofrera do mesmo durante algum tempo, quando era criança. Não se lembrava de nada para além de uma vaga sensação de medo. A angústia dos pais quando falavam dos seus terrores nocturnos tinha sido sempre muito mais perturbadora para ele que a própria experiência.

Mas quando começara Becky a tê-los? Porque é que Sandy nunca achara que aquilo era suficientemente importante para falar nisso? James sentiu-se isolado e impotente.

E a conversa com Mikey depois também não ajudara. O que estava ele a fazer aqui, tão longe dos seus filhos? Como podia passar o dia a ajudar os filhos dos outros e a ignorar completamente a angústia dos seus? Como podia equilibrar as suas próprias necessidades e as necessidades dos filhos com as necessidades dos outros? Essa era a pergunta fundamental.

James saiu finalmente da cama de Mikey sem fazer barulho. Passou um momento a olhar para as duas crianças adormecidas. Alisando a roupa da cama de Becky, inclinou-se e beijou-a. Ela virou-se na escuridão. A seguir beijou Mikey, que não se mexeu.

Foi até à cozinha preparar uma bebida quente. Enquanto o leite aquecia, viu que a pasta de histórias que Laura lhe dera estava na mesa da cozinha. James pegou-lhe e folheou as páginas dactilografadas. Não conseguia dormir. Aquela parecia uma ocasião tão boa como qualquer outra para fazer uma pausa da realidade. Assim, levando a chávena de cacau para a sala, sentou-se e começou a ler.

* * *

No ano em que Torgon fez dezanove anos, ela e Meilor comemoraram o seu noivado na festa de Inverno. Depois veio o mês da neve e com ela a doença da tosse conhecida como peito de velho. Espalhou-se entre os trabalhadores a notícia de que a doença florescia na casa santa e que a própria benna também era uma das vítimas. E assim aconteceu que, no último mês do Inverno, a santa benna morreu.

Todos os acólitos foram mandados para casa para observar o período de luto oficial com as famílias e aguardar a escolha da nova benna. Quando Mogri voltou para a sua casa, na aldeia das cabanas dos trabalhadores, ficou chocada ao encontrar a mãe no tear, a fazer, de todas as coisas, o manto de festa para o casamento de Torgon.

— Mãe, não é próprio estares a trabalhar. É o período de luto pela benna.

— Dwr gosta de mãos ocupadas tanto quanto gosta de bennas — disse a mãe num tom despreocupado e continuou a tecer. Como não houve resposta, virou-se. Ao ver a cara preocupada de Mogri, esticou um braço. — Não ligues a tudo o que ensinam lá. O que acontece nestes próximos dias é apenas para quem nasceu numa posição mais elevada. Terá pouca importância para nós.

O que a mãe de Mogri queria dizer, naturalmente, era que a escolha santa teria muito pouco a ver com os trabalhadores. Seriam autorizados a assistir à cerimónia de paliçadas e, se a sorte estivesse com eles, à noite as portas do sector seriam abertas e os trabalhadores poderiam passar pelas mesas da festa para limpar o que as castas superiores tivessem deixado. Mas isso era tudo.

Então o impensável aconteceu.

Mogri e Torgon estavam a dormir no quarto das traseiras no meio de fardos de lã para a tecelagem da mãe empilhados à volta do divã para as protegerem das correntes de ar de Inverno. A pancada à meia-noite, quando aconteceu, apavorara-as. Certas de que seriam guerreiros bêbedos a virem procurar prazer entre as jovens trabalhadoras, as irmãs tinham-se abraçado, puxando as peles por cima das suas cabeças, na esperança de que, se o pai não conseguisse manter a porta fechada, ninguém iria encontrá-las ali.

Nenhuma esperava ver a luz de velas santas incidir sobre o chão de terra, nem vislumbrar o santo Vidente, vestido com uma túnica, a medalha de ouro na cabeça, parecendo um deus ao entrar no quarto. Mas ali estava ele. O pai puxou para trás as peles para lhe mostrar onde elas estavam e a adaga sagrada do Vidente brilhou devido à luz. Ele baixou o braço e pôs os dedos à volta dos cabelos de Torgon. Gravado na memória de Mogri dessa noite ficou a expressão de Torgon quando o Vidente a puxou para o chão para lhe cortar o cabelo: uma expressão de espanto desolado, um olhar que as lebres têm quando estão encurraladas e sabem que a morte certa as espera.

Mogri achara muito estranho ao regressar ao recinto saber que Torgon vivia agora no interior das celas santas como a divina benna. *Vinham de uma família unida e ela e Torgon tinham sido inseparáveis. Brincavam juntas e dividiam a comida, lutavam e discutiam e sofriam de todas as invejas mesquinhas próprias das irmãs. Mogri tinha pensado muitas coisas sobre Torgon durante os tempos em que tinham crescido juntas, mas santa não fora uma delas.*

Passaram-se três meses e durante esse tempo Mogri não viu a irmã uma única vez. O Vidente explicou que a nova benna *comungava com Dwr e aguardava a vinda do Poder. Isso perturbou Mogri. A expressão «nova* benna» *soava estranha e austera, como se fosse alguém que Mogri nunca tivesse conhecido.*

Então uma noite, enquanto Mogri estava no seu divã na zona de dormir das acólitas, ouviu um barulho na casa de banho, um som estranho e irregular que não passava bem através das espessas paredes de pedra. Mogri içou-se sobre um cotovelo para ouvir melhor.

No divã adjacente, Linnet mexeu-se.

— O que estás a fazer? — sussurrou na escuridão.

— A ouvir aquele som na casa de banho.

— Sim, eu sei. Também me está a perturbar a mim.

Então Minsi, do outro lado, perguntou ensonada:

— Porque estão a falar?

— Alguém está a fazer barulho na casa de banho — disse Linnet.

— Ignorem.

— Tentei. Não sou capaz. E acordou a Mogri também. Quem está lá dentro devia ser castigado.

— Não sejas estúpida — respondeu Minsi. — Deve ser a divina benna *ou o Vidente e não podes castigá-los.*

— Eu castiguei a divina benna *muitas vezes nos meus tempos — disse Mogri.*

— Sim, como irmã. Mas ela já não é tua irmã. Portanto, torna a adormecer. Vocês as duas. E parem de falar ou somos nós que seremos castigadas.

— Então Minsi voltou-se para o outro lado e puxou as mantas para cima.

O que era o barulho? Mogri não podia ignorá-lo. Vinha agora mais sincopado, mas continuava muito abafado pelas paredes para Mogri o identificar.

Talvez o Poder tivesse chegado a Torgon, pensou Mogri. Ela não sabia o que o Poder era realmente, só que as santas bennas *o tinham. Então quem sabia como podia manifestar-se? Talvez fizesse Torgon cair e contorcer-se como Mogri vira um homem fazer uma vez no mercado.*

Ou talvez não fosse o Poder. Talvez Torgon tivesse adoecido e aqueles fossem os sons que fazia a esvaziar o estômago.

Se Torgon tivesse adoecido, a mãe ficaria tão aflita. Sempre se preocupara tanto com Torgon. Ao menor espirro queimava os óleos purificadores até a casa e as roupas de toda a gente tresandarem e depois ainda trazia a mulher sábia para ver o peito de Torgon. Custava ao pai mais ovos do que ele conseguia encontrar numa lua inteira. Mogri ainda se lembrava de ir com ele aos penhascos roubar dos ninhos dos falcões.

Se havia algum problema, Mogri sabia que devia tentar ajudar. A mãe esperaria isso dela.

Iria atrever-se? Estavam proibidas de sair dos aposentos sem autorização.

Com cuidado, levantou-se e avançou nas pontas dos pés sem fazer barulho através das filas de acólitas adormecidas e da porta. Silenciosa como uma sombra, passou pelos quartos onde dormiam as mulheres santas, a seguir às celas do Vidente.

A luz escapava-se por baixo da porta das celas da santa benna. Mogri deteve-se, em seguida, sem bater, simplesmente levantou o trinco e entrou.

Torgon estava na cela interior. Quando viu Mogri, saltou de surpresa e deu um grito assustado. Mogri também saltou porque à primeira vista não reconheceu a irmã.

— És tu? — perguntou, semicerrando os olhos por causa da luz.

Torgon ficara magra e pálida, e o seu cabelo, rapado na noite em que o vidente entrara na cabana da sua família, começava a crescer agora, dando a Torgon um ar arrapazado. Apenas os seus olhos, ainda pálidos como o céu de Inverno, permitiram a Mogri ter a certeza de que era a sua irmã e, ao vê-los, soube também o que causara o ruído. Torgon tinha estado a chorar.

— O que estás a fazer aqui? — murmurou Torgon. — Tens de ir. Imediatamente. Esta é a minha cela. Ninguém pode aqui entrar, só eu.

— Mas eu sou tua irmã, Torgon. — Não. Não, não era. Já não. Dwr tinha despojado Torgon de todos os laços humanos quando fizera dela um deus.

— Não devias usar o meu nome — disse Torgon, a sua voz era agora mais suave. — Tens de te habituar a isso ou o Vidente irá dar-te com o pau. — Levantou uma mão e enxugou os olhos. — E tens de ir. Ou ele vai bater- -me a mim com o pau.

— Ouvi-te na casa de banho e receei que estivesses doente. Vim apenas porque estava preocupada.

Baixando a cabeça, Torgon disse, cansada:

— Obrigada pela tua preocupação, mas estou bem. Agora vai, depressa, antes que alguém dê pela tua falta.

— Não me pareces bem. A verdade é que pareces infeliz aos meus olhos. Toma. Consola-te nos meus braços.

— Mogri, não estou a brincar. Agora sou a santa benna. Não me deves tocar.

— Ninguém está aqui para ver. O que importaria entre nós as duas?

— As coisas agora são diferentes.

— Quere-las diferentes, Torgon?

— Não — respondeu ela e começou a chorar novamente. — Mas, se o Vidente me vier buscar mais uma vez, sei que me irei abaixo.

Atravessando o aposento, Mogri sentou-se na cama e colocou delicadamente um braço nos ombros de Torgon.

— És uma das trabalhadoras e feita de material mais resistente do que ele. — Inclinou-se para beijar a face da irmã. — E ainda és a minha irmã, não importa o que digam os ensinamentos. O sangue do pai ainda corre nas nossas veias, e nem Dwr pode mudar isso. Eu não vou abdicar do direito de chamar-te pelo teu nome. Amo-te demasiado para isso.

Torgon não respondeu. Ficou sentada, de cabeça ainda baixa.

Mogri olhou de soslaio para o belo tecido bordado da camisa de benna. A seguir para o cabelo eriçado de Torgon e levantou um dedo para lhe tocar.

— Faz comichão quando está a crescer assim? — perguntou ela.

Torgon não conseguiu evitar virar a cabeça e sorrir.

— Que pergunta tola, Mogri. Só tu te lembrarias de perguntar isso numa altura destas.

— Bem e depois? Faz? Parece que faz. E, devo admitir, não me agrada muito. Esse corte não combina com o teu rosto.

— Esqueces que não tive escolha?

Fez-se silêncio. Torgon fungou ruidosamente e limpou os olhos uma última vez, examinando as lágrimas na ponta dos dedos antes de os limpar à camisa.

— Como é? — perguntou Mogri. — Ser a divina benna, quero eu dizer. Ser santa. Sentes-te agora muito diferente de quando moravas connosco?

— Não.

— Não? Então sentiste-te sempre santa? — indagou, admirada. — Porque, se sentiste, disfarçavas muito bem.

Torgon sorriu.

— Não. Dificilmente, Mogri. Nunca senti que era santa. Verdade seja dita, não me sinto santa agora.

— É surpreendente. Tens de admitir. A mãe ainda não acredita que isto aconteceu. Mas o pai já se adaptou e está tão orgulhoso de ti!

— Não fales nisso. Vais fazer-me chorar de novo. — Baixou a cabeça e levou a mão aos olhos. — Sabes o que esta noite devia ter sido? A minha noite de núpcias. Neste preciso momento eu devia ter vestido aquela bela túnica que a mãe tinha no tear e estar a dançar com Meilor na nossa festa de casamento. Olha para mim, aqui sentada, sem saber o que fazer, sem saber quem sou. Nem sequer posso ser chamada de mulher — disse ela, apontando para a cabeça rapada.

— O Poder não te diz o que fazer? — inquiriu Mogri. — Eu julgava que sim.

— O Poder? Que Poder? O que é o Poder, hein? — perguntou Torgon.

— Não sei. Não me ensinaram isso nos campos, nem quando trabalhava no tear.

Mogri manteve um silêncio perplexo.

— Sabes como é a minha vida? — perguntou Torgon. — Se é dia não tenho autorização para sair desta sala. Se é noite não tenho autorização para dormir. Nem me posso aproximar da janela, se não for esse o desejo do Vidente. A única alma que vejo é ele. A única carne humana que sinto é a sua quando sob o disfarce dos ritos sagrados ele alivia o seu desejo comigo. Caso contrário, fico sentada. Sozinha. Cada dia, todo o dia, e todos os dias. «Em comunhão com Dwr», chama-lhe o Vidente. Mas o que é isso? Gostava de saber. Quanto a mim, estou apenas sentada. E, quando eu não estou sentada, estou com ele. E, se eu não fizer as coisas exactamente como ele diz, ele bate-me com o cajado como se eu fosse apenas uma vaca estúpida que precisasse de me habituar ao jugo.

— E Dwr permite isso? Porque a divina benna é mais santa que o Vidente.

— Não sei o que Dwr permite. Não sei nada, a não ser que estou a sofrer. Porque me aconteceu isto, Mogri? Nunca aspirei a algo mais que ser filha da minha mãe, que conhecia a felicidade no trabalho. Como é que agora estou neste outro caminho?

CAPÍTULO QUINZE

— Olhe para os berlindes! — exclamou Morgana, levantando um frasco.

James sorriu e assentiu com a cabeça.

— O senhor tem coisas tão boas nesta sala. — Levou o recipiente para a mesa. — Há milhões de cores. Não são bonitas? — Tirando a tampa, enfiou a mão lá dentro para agitar os berlindes com os dedos. — Eu tenho uns parecidos, mas não são tão bonitos. Pus os meus no aquário.

Morgana levantou o recipiente ao nível dos olhos e olhou através deles.

— Sabe uma coisa? Se olharmos através deles assim, eles fazem tudo parecer ondulado, verde, rosa e azul. Quer experimentar? — Estendeu o frasco a James. — Tome. Veja como eles transformam tudo.

James fez-lhe a vontade.

Inclinando a cabeça, Morgana observou-o.

— Pode dizer-me uma coisa? — perguntou ela.

— O quê?

— O que é que se deve fazer com os berlindes? — perguntou ela.

— Dantes havia um jogo de berlindes. Não sei se as crianças ainda jogam, mas eu jogava bastante quando tinha a tua idade — respondeu James.

— Oh, eu gosto de jogos! — Morgana disse com entusiasmo. — Ensina-me a jogar?

Deixando a cadeira, James chamou-a para o tapete. Pegou num punhado de berlindes e sentiu um prazer inesperado ao sentir as pequenas esferas a rolar na sua mão. Os berlindes tinham sido divisas no recreio da sua juventude e ele fora bom no jogo. Ainda se lembrava da gratificação de ganhar berlindes de metal aos outros rapazes, do seu peso no bolso.

Morgana não ficou muito impressionada. Aos seis anos, não tinha a coordenação necessária para um bom controlo e os seus esforços nos lançamentos faziam-nos rolar do seu dedo de forma imprevisível. Ao fim de alguns segundos de jogo, ela disse com uma delicadeza tensa:

— É um jogo agradável.

James levantou-se e limpou os joelhos das calças.

— Mas posso dizer-lhe quem *iria* achá-lo muito giro — disse ela, agitando de novo o frasco de berlindes com a mão. — O Rei Leão. Ele adora jogos destes. Há um jogo que ele joga em casa com o primo e ensinou-me. Não é preciso comprar nada. Estávamos no riacho, então ele mostrou-me como podíamos jogá-lo usando pedras e dese-nhando o tabuleiro no chão. Por isso, aposto que ele iria adorar estes berlindes.

Colocando a tampa de volta no frasco, Morgana voltou-se para a pra-teleira.

— Adivinhe? — disse ela quando voltou à mesa.

— O quê?

— Eu e o Rei Leão tivemos uma discussão. Fiquei furiosa com ele.

— Porquê? — inquiriu James.

— Porque ele às vezes pode ser muito teimoso. — Empurrando uma cadeira para a mesa, Morgana sentou-se. — Se não concordarmos com ele, ele não ouve.

— Isso é chato.

— É. Eu ia fazer uma coisa mesmo agradável por ele. Comprámos um livro sobre tigres e sobre eles estarem em perigo de extinção e essas coisas, e tem muitas fotografias boas, por isso eu sabia que ele iria gostar de o ver. Eu devia arrumar o livro, porque a minha mãe disse que eu não podia levá-lo para a rua, mas não arrumei. Enfiei-o debaixo da camisola, assim — disse ela, exemplificando com as mãos. Riu-se com ar conspirador. — Depois saí muito depressa pela porta e fui até ao riacho encontrar-me com o Rei Leão.

«Assim, quando ele lá chegou, eu disse: "Trazi-te este livro", e disse-lhe que não devia, mas que o fiz na mesma, porque sabia que ele ia querer ver. E sabe o que ele disse? Ele disse: "Não devias ter roubado." Eu respondi: "*Não* roubei. É da minha família e eu faço parte da minha família, por isso não é roubar." Ele disse: "Não o devias ter trazido." Disse ainda: "Nunca devias adquirir conhecimento roubando-o." Então, fiquei mesmo zangada com ele.

— Correste um risco para lhe levar uma coisa bonita e parece que ele não apreciou — disse James.

— Sim.

— O que sentes sobre isso agora?

— Ainda estou zangada com ele porque ele não percebe. Gosta de ver fotografias de leões e de tigres e aquelas eram mesmo boas. Mas ele estragou-o. Não quis nem olhar para as imagens. Lutámos um com o outro.

— Deves ter-te sentido muito decepcionada, bem como zangada — disse James.

Ela assentiu com a cabeça.

— Ele está sempre a *ralhar comigo*. Diz que quando nascemos temos um plano que nos torna parte das coisas e devemos segui-lo. Podemos não o seguir e a isso chama-se livre-arbítrio. Mas devemos usar o livre-arbítrio para decidir segui-lo porque essa é a coisa certa a fazer.

— Quantos anos disseste que tinha o Rei Leão?

— Oito.

— Parece um menino muito fora do vulgar.

— Esse é o tipo de coisas que ele e a prima aprendem. Um homem vai a casa deles ensiná-los, mas só parece ensinar-lhes o que é bom e o que é mau. O Rei Leão diz que tem de aprender aquilo para ser um bom rei quando for grande.

— E no entanto esse homem não o ensina a ler? — perguntou James.

— Não. O homem não sabe ler. — De repente, o rosto de Morgana iluminou-se. — Mas, adivinhe? O Rei Leão já conhece todas as letras. Ensinei-lhe a canção do alfabeto.

— A prima dele também brinca contigo?

— Não, ela fica em casa. Nós também não a queremos. É segredo ele e eu brincarmos juntos.

— Porquê?

— Não queremos que ninguém saiba que nos vemos. Portanto, não conte, está bem? Só lhe contei porque disse que eu podia contar-lhe segredos.

— Os teus pais não sabem desse menino?

— Não.

Preocupado, James disse:

— Não sei se é boa ideia guardar um segredo destes dos teus pais.

— O meu pai não ia gostar dele.

— Porquê?

— Ele tem cabelo comprido — respondeu Morgana. — O meu pai diz que os rapazes com cabelo comprido são *hippies* e ele não gosta de *hippies* porque eles acampam na nossa terra sem pedir. Depois dizia-me para não brincar com ele. Dizia: «Porque é que andas a brincar com um menino?» Ia querer saber porque é que ele não tem amigos da idade dele para brincar. É preciso muitas explicações para dizer coisas ao meu pai.

— E para dizer à tua mãe?

— A minha mãe tem muito mais em que pensar. Além disso, gosto de ter segredos.

— Alguns segredos não são bons — disse James. — Acho que os teus pais podem ficar muito preocupados se descobrirem que tens amigos que eles não conhecem. Acho que eles deviam saber.

— Não, não acho. Nunca vou para onde não devo. Estou só no riacho. Posso ir para lá porque não é muito fundo e digo-lhes sempre quando vou brincar. E o Rei Leão nunca, nunca me faria mal.

— Aqui está tinta — disse Conor. — Material Escolar Coleman — leu de lado no frasco. — Azul. Tinta azul para os dedos. Material Escolar Coleman.

— Lês bem — disse James.

— Lês bem — ecoou Conor.

— Talvez hoje queiras pintar com os dedos. Já fizeste isso? — perguntou James.

Conor olhou para cima.

— Azul, vermelho e verde faz castanho.

— Sim, suponho que sim.

Conor pegou num frasco de tinta vermelha e destapou-o. Cheirou-o. Com cuidado, tocou na superfície da tinta com um dedo.

— Geleia.

— Como é tinta para os dedos, é muito grossa — explicou James.

— O menino vai pintar — declarou Conor.

— Queres que te vá buscar papel? — perguntou James. — Ou queres ir buscá-lo tu? O papel para pintura está ali. A seguir, precisamos de pôr um pouco de água nela primeiro para que a tinta funcione.

— Um pincel! — respondeu Conor abruptamente. — O menino não vai usar tintas que fazem chiqueiro.

— Hoje não queres pintar com os dedos. Preferes pintar com um pincel.

— Sim. — Pousou o frasco de tinta vermelha na prateleira.

— Os pincéis estão ali no cavalete — disse James, apontando.

Zumbindo baixinho, Conor aproximou-se do cavalete. Tirando o pincel da tinta amarela, fez uma mancha no papel.

— Aqui está o que não é — disse ele e acrescentou outro risco largo de cor.

James não entendeu, portanto não fez comentários.

Conor voltou-se ligeiramente para ele. Parecia estar consciente da confusão de James, porque acrescentou:

— Aqui está o que *não é*. Agora é. Agora é cor. Agora não é «não é».

— Estás a dizer-me que não havia aí nada antes? — perguntou James. — Mas agora fizeste alguma coisa. Criaste algo que não existia antes.

— Sim. Não é «não é».

Havia uma nota vagamente detectável de prazer na voz de Conor com a repetição de palavras. Um vislumbre de um sentido de humor? Um jogo de palavras consciente? Aquilo era raciocínio sofisticado.

Conor voltou-se para a pintura e perguntou:

— Para onde foi o «não é»?

Quando James não respondeu, Conor virou-se. Os seus olhos pousaram brevemente no rosto de James.

— Não está ali — disse. — O «não é não é» não está ali. — E sorriu.

Quando veio buscar Conor depois da sessão, Alan perguntou:

— Posso falar consigo? Tem tempo?

James assentiu.

— Sim, vamos até ao meu gabinete. Dulcie? Pode tomar conta do Conor uns momentos?

— Tenho uma coisa bestial para lhe dizer — começou Alan.
— Durante o fim-de-semana eu estava nos currais junto à casa, a arranjar um dos bebedouros. O Conor estava comigo e de repente uma folha morta foi soprada para a água do bebedouro. Não reparei logo, mas depois o Conor diz: «Ali está uma folha de ácer.» Claro como o dia. Claro como qualquer coisa. Foi assim que ele o disse. Depois pegou numa vara e pescou-a.

«Não o ouvia falar assim, sabe, em forma de *conversa*, há anos. Na verdade desde que era pequeno. E disse aquilo de forma tão normal: "Ali está uma folha de ácer."

— Isso é uma excelente notícia — disse James calorosamente. — Um enorme progresso.

Alan sorriu.

— Quero dizer, suponho que não seja muito. O meu filho de nove anos consegue dizer uma frase completa. Não é que esteja pronto para Harvard. Mas... não imagina como é maravilhoso ouvi-lo dizer algo normal.

— Não quero parecer demasiado optimista — disse James —, mas comecei a questionar seriamente o diagnóstico de autismo. É compreensível como se chegou a ele, dado o seu comportamento rígido e as repetições. Mas a verdade é que, quanto mais trabalho com o Conor, mais convencido estou de que precisamos de começar a pensar fora da caixa.

Os olhos de Alan arregalaram-se.

— Embora ele mostre algum comportamento distintamente autista, em geral é um pensador mais flexível e imaginativo que os jovens do espectro autista conseguem ser. Já vi momentos de pensamento abstracto que seriam extraordinários, mesmo para uma criança normal de nove anos. Nunca os vi numa criança autista.

— Está a dizer aquilo que eu acho que está a dizer? — perguntou Alan, a sua voz suavizando-se com a esperança. — Que ele podia melhorar?

— Talvez seja mais sensato dizer que me sinto mais positivo de cada vez que vejo o Conor.

— *Uau*. Isso *é* uma notícia fantástica! A sério — respondeu Alan.

— Já agora aproveito a oportunidade para lhe fazer umas perguntas — acrescentou James. — Esta manhã estava a reler o dossiê do Conor e li alguns daqueles relatórios do colégio interno que lhe diagnosticou o autismo. Mas sinto que não estou a ver uma imagem muito clara do que aconteceu ao Conor naquela altura. Não tanto o seu comportamento, mas o que estava a acontecer no mundo à sua volta. O senhor deu-me uma ideia durante o nosso primeiro encontro, mas ajudaria se pudéssemos falar sobre o assunto de forma mais pormenorizada.

— Claro — disse Alan e foi sentar-se no centro de conversa. Depois de um momento a pensar, disse: — Era um inferno. Para mim era o rancho. Tudo começou com uma Primavera excepcionalmente fria, portanto eu já perdera bezerros e tinha contas enormes de forragem. Em Junho tive um surto de tuberculose entre o meu gado e o rancho acabou por ser colocado de quarentena. Tive de abater cerca de um quarto da minha manada e não tive autorização para vender o resto até se confirmar que não havia perigo. Como pode imaginar, cheguei ao vermelho muito depressa. Mesmo ao vermelho.

«Até essa altura, a Laura e eu sempre mantivemos as nossas finanças separadas. Isso acontecera naturalmente e funcionava bem para mim, porque nunca quis que as pessoas pensassem que casei com ela pela sua fama ou pelo seu dinheiro. Não que a Laura alguma vez fosse muito rica, mas sabe o que as pessoas pensam. Enfim, nesse ano tive de contar à Laura que as coisas estavam muito mal, senão era obrigado a declarar falência. Tive de lhe pedir dinheiro emprestado para manter as coisas à tona até a quarentena ser levantada, o que me fez sentir como lixo.

«O Conor não tinha realmente sido um problema antes disto. Era uma criança sensível. E um pouco menino da mãe, talvez. A Laura adorava-o, portanto andava sempre de volta dele. Decidi começar a levá-lo para fora do rancho comigo, só para ele passar algum tempo no mundo dos homens. Sentava-o à minha frente na sela e passeávamos juntos.

— Quantos anos tinha o Conor nessa altura? — perguntou James.

— Não sei. Mal andava ainda. Dezoito meses, talvez? Mas ele adorava aquilo. Era a criança mais entusiasta nessa altura. E inteligente. Não estou a dizer isso só porque sou pai dele. Ele era realmente rápido a aprender coisas e lembrava-se de tudo o que lhe ensinávamos. Adorava pássaros, por exemplo, então eu dizia-lhe os seus nomes. Ele sentava-se na sela e dizia: «Tordo, pai! Cotovia!», e acertava sempre. Era uma esponja.

A expressão de Alan ensombrou-se.

— Então, tudo começou a mudar...

«Foi estranho como a mudança aconteceu — disse ele. — A primeira coisa que notei foi que o Conor começou a ficar carente. Não de repente, mas de forma gradual até se tornar sério. Até chegar a um ponto em que já não era a Laura a andar o tempo todo de volta dele, mas ele a andar de volta da Laura.

Alan passou a mão sobre o rosto e soltou um longo suspiro.

— A Laura e eu estávamos casados há três anos nessa altura e a lua-de-mel já tinha definitivamente terminado. Não estou a dizer que o nosso casamento corria perigo ou qualquer coisa. Estávamos bem. Mas já percebera que a mulher que estivera a falar comigo toda a noite nas Badlands não era realmente a mulher com quem casei.

— O que quer dizer isso? — perguntou James.

— O que adorei nela naquela noite foi ser uma pessoa fácil e aberta. Mas, assim que o primeiro amor passou, percebi que, tal como um icebergue, nove décimos da Laura estão abaixo da superfície, que a maior parte dela nunca vai ser visível para mim.

— Então, ao dizer que nove décimos não estão visíveis, está a dizer que acha que a Laura o deixa de fora de grande parte da sua vida?

— Bem, não sei se é intencional. Esse é o problema. Não acho que ela o faça para magoar. É só que tudo é uma história para ela. O real e o irreal misturam-se tão facilmente na sua mente que nunca sabemos qual é qual. Nunca sabemos se o que ela está a dizer é autêntico ou simplesmente a sua versão das coisas e não tem substância. É como um espelho. Como um reflexo do que é real.

«Quando nos casámos, nem sequer notei que já acontecia, mas ao fim de algum tempo comecei a apanhá-la. E são muitas vezes os assuntos mais ridículos, pouco importantes, mas ela parece querer manter esse labirinto em torno de si apenas por prazer. Perguntamos-lhe algo e, se ela está de bom humor, diz-nos a verdade, se não, diz-nos a história que tiver na cabeça. Ao fim de algum tempo começou a parecer-me evasiva. Dá-me a sensação de que ela não *quer* que eu saiba o que está realmente a acontecer com ela.

— Pode dar-me um exemplo desse comportamento mentiroso? — perguntou James.

— Posso dar-lhe um muito bom. Foi quando tudo aquilo estava a acontecer no rancho e eu estava com problemas financeiros que o Conor começou a piorar. Descobri algo muito estranho. Atendi o telefone um dia e um polícia estava do outro lado da linha. Queria falar com Laura sobre uma injunção que ela pedira. Eu disse: *o quê?* — Alan olhou para James. — Parece que a Laura estava a ser ameaçada por um fã demente. Ele estava mesmo a persegui-la. Mas ela nunca me disse *nada* sobre ele. Nunca mencionou nada. Consegue imaginar isso? Não lhe parece estranho?

— Acha que com o Conor e os seus problemas financeiros e tudo o mais, ela estava simplesmente a tentar protegê-lo? — perguntou James.

— Aquele tipo andava a ameaçar a *vida* dela. E eu sou o *marido* dela, pelo amor de Deus! Ela estava a apoiar-me tanto durante aquela crise financeira no rancho. Nunca me criticou ou me fez sentir como se eu estivesse a fracassar, portanto pensei que estávamos muito perto. Quero dizer, não acha estranho que alguém que vive consigo, que ostensivamente o ama, não partilhe este tipo de coisa consigo? Isso é levar a autoconfiança para novos patamares. E fez-me sentir pessimamente quando descobri. Já me sentia meio homem e agora ela nem sequer me deixava ajudar a protegê-la.

Seguiu-se um breve silêncio.

— Acho que isto contribuiu para os problemas do Conor — disse Alan. — Ele é um miúdo sensível. Tenho a certeza de que deve ter captado a ansiedade da Laura a respeito daquele tipo. Talvez tenha sido por isso que começou a ficar tão carente naquele momento, porque pressentiu que ela estava ameaçada e o seu medo fê-lo ter medo.

«De qualquer forma, assim que soube da existência do homem, não brinquei. Contactei eu próprio a polícia e disse-lhes que era melhor certificarem-se de que a injunção funcionava, porque a minha espingarda de caça estava na vitrina ao lado do telefone e eu não tinha o menor problema em defender a minha família. Isso funcionou, porque o tipo desapareceu depois disso e nunca mais ouvimos falar dele.

Alan recostou-se nas almofadas macias do sofá.

— Então, já está a perceber aquilo com que estou a lidar.

James assentiu.

— Sim, parece que o comportamento de Laura é um desafio. E que esse foi um período muito stressante nas vossas vidas.

Alan suspirou.

— E depois, no meio de tudo, a Laura engravidou da Morgana. Era a última coisa de que precisávamos naquela altura. Estávamos tão dependentes do rendimento da Laura. Além disso, já tínhamos tomado a decisão de não ter mais filhos. Eu realmente queria que o Conor tivesse um irmão ou uma irmã, mas um filho era o suficiente para Laura. Ela queria voltar a escrever. Esse é o seu mundo real. E, como eu já tinha três filhas do primeiro casamento e agora um rapaz, cedi. Concordei em fazer uma vasectomia e fi-la.

«De qualquer forma, acho que temos de continuar a usar protecção durante cerca de três meses após o corte. Parece que leva algum tempo até o esperma morrer. De início não descobrimos o que tinha acontecido. Ela já estava de quatro meses antes de a possibilidade de gravidez nos passar pela cabeça.

«Mas, *uau*. A Laura ficou *tão* transtornada quando o teste deu positivo. Disse categoricamente que ia fazer um aborto. Eu respondi que havíamos de nos desenrascar. Não, não era uma boa altura para trazer outra criança ao mundo, mas, para ser sincero, quando descobri que ela estava grávida, fiquei encantado. Então, tudo nos foi tirado das mãos, ou assim pensámos, porque, antes de ela poder marcar o aborto, teve um aborto espontâneo.

Alan abanou a cabeça, espantado.

— Isto só prova que algumas coisas estão destinadas. O facto é que a Laura abortou *mesmo*. Teve uma experiência horrível. Muitas dores, muita perda de sangue. Ficou realmente mal durante as seis semanas seguintes, portanto foi um choque descobrir que depois de tudo aquilo ela continuava grávida. O médico disse-nos que tinham sido falsos gémeos e que ela só abortara um, que é algo que nunca tínhamos percebido que podia acontecer. Mas a Morgana manteve-se lá. Laura levou a gravidez até ao fim e ela foi um bebé forte e saudável. E, apesar de todas as nossas lutas anteriores, apaixonámo-nos imediatamente pela Morgana. Ambos. E é claro que agora estamos gratos por a termos. A Morgana é uma dádiva.

James sorriu.

— Sim, ela é uma personagem, não é? Estou a gostar muito do tempo que passo com a Morgana.

— Ainda bem que decidimos trazê-la — respondeu Alan. — Sei que as coisas também não foram fáceis para ela. Ela anda tão preocupada com o divórcio. E sei que às vezes o Conor exige demasiado da nossa atenção e a Morgana fica prejudicada.

— Sim, tenho a impressão de que ela brinca bastante sozinha — disse James.

Alan assentiu.

— Sim. Mas isso não quer dizer que ache que ela se sente sozinha. A Morgana tem uma grande parte do temperamento da Laura. Gosta da sua própria companhia. Estamos sempre a perguntar-lhe se ela quer convidar amigos lá para casa, mas a Morgana geralmente prefere brincar sozinha.

— Quem é o menino com quem ela brinca muitas vezes? — perguntou James.

Alan fitou-o admirado.

— Menino? Que menino é esse?

— Um de oito anos. Presumo que seja filho de um vizinho — respondeu James.

— Não temos muitos vizinhos onde vivemos. Certamente ninguém a curta distância. Ela disse de onde ele vinha?

— Não perguntei. Mas tenho a impressão de que não moram longe. Parecem bastante «alternativos» no seu estilo de vida.

— Oh, *porra*! — exclamou Alan. — Alternativos? Outra vez esses malditos ocupas New Age! Estou sempre a ter problemas com eles. Tivemos uns quantos num *teepee* no Verão passado e levei cerca de oito semanas a expulsá-los. — Fez uma pausa. — Ou talvez seja a família do Bob Mason. A terra dele encontra a minha a norte. Ele vendeu oito hectares no ano passado a umas pessoas da costa leste que querem armar-se em homens da montanha. Antitudo, sabe? Nada de canalização, de electricidade. Disse que ele estava a ser estúpido ao fazê-lo, que eles só causariam problemas. Mas eles tinham dinheiro e ninguém daqui teria pago aquele preço por oito hectares.

Alan fez uma pausa. Franziu a testa.

— Sabe, não me agrada nada a ideia de que alguém se aproxime o suficiente da nossa casa para se encontrar com a Morgana quando ela está sozinha. Ela disse-lhe onde isso tinha lugar?

— Comentou que ia para um riacho, onde está autorizada a brincar.

— Riacho? O único riacho onde a Morgana pode brincar é o Willow. Que passa logo a seguir à casa. Conseguimos vê-la quando está lá em baixo, portanto ninguém podia aproximar-se dela sem o nosso conhecimento.

— Estranho — disse James, com preocupação.

De repente, uma expressão de compreensão surgiu no rosto de Alan. Ele sorriu.

— Sabe o que é? Aposto. Ela está a fingir. — Riu com gosto.

— Acredite, a Morgana tem uma versão completa da imaginação da mãe. Nunca viu uma criança brincar ao faz-de-conta como ela. Então aposto que é isso. Aposto o que quiser em como este rapaz não é uma pessoa real. É apenas um companheiro imaginário.

CAPÍTULO DEZASSEIS

— Eu não era uma obra de arte aos treze anos — disse Laura.
— O meu cabelo era liso e gorduroso. Tinha a cara cheia de borbulhas. Não tinha maminhas. Era meia cabeça mais alta do que qualquer rapaz da minha turma e as roupas pendiam de mim como de um cabide. Mas para a Marilyn eu era apenas uma grande e irresistível possibilidade.

«Um mês depois de ir viver com o meu pai, eu fora levada ao cabeleireiro, inscrita num curso de maquilhagem e matriculada em aulas de *ballet* para ficar graciosa. Se eu me atrevia a queixar-me, a Marilyn respondia sempre que, embora eu pudesse não gostar daquilo nessa altura, ficaria muito agradecida no futuro por ela me obrigar a fazer aquelas coisas. — Laura olhou de soslaio para James e riu-se.

«A minha vida social foi a sua preocupação seguinte. "Porque não convidas os teus amigos a virem cá, Laurie? Há um jogo de futebol na sexta à noite. Que tal convidares todos para uma pequena festa pré-jogo?"

«Eu acabara de me mudar para lá. Não tinha amigos, mas sabia que não o devia admitir. Tentei desviar a atenção dela, explicando que era um jogo de futebol do liceu e que, como andávamos apenas no sétimo ano, ninguém meu conhecido iria. Portanto, não fazia muito sentido dar uma festa.

«"Laurie!", exclamou ela naquele tom que sugeria um défice particularmente grave de massa cinzenta na minha cabeça. "*Festa!* Um encontro para te *divertires*! Os adolescentes divertem-se! Estes são os melhores anos da tua vida. Tens de aproveitá-los."

«Pior foi o baile. Numa tentativa de pôr os miúdos a conviver, a escola secundária organizava um baile no ginásio todas as sextas depois das aulas. Eu teria preferido mostrar escovas de dentes a leões que ir a um daqueles bailes, mas quando a Marilyn descobriu a existência deles não me deixou em paz.

«*"Tens* de ir, Laurie! É apenas por duas horas. Não, não te preocupes se ninguém dançar contigo. Não se dança na escola secundária. O objectivo é ir. Ser vista. Mostrares a tua cara. É a única maneira de seres popular."

«Mas o pior ainda estava para vir. Uma tarde, a Marilyn pegou num exemplar do jornal da minha escola, que tinha encontrado no meio dos meus livros. Nele viu um anúncio para aspirantes a *chefe de claque*. Ela fora uma chefe de claque e não conseguia imaginar nada melhor. "Oh, chefe de claque! Oh, Laurie, é tão *emocionante*!" Disse aquilo como se tivesse acabado de ler sobre a Segunda Vinda. "Aposto que, se procurarmos nas minhas coisas, conseguimos encontrar os meus velhos pompons. Depois posso ensinar-te alguns passos e tu vais arrasar!"

Laura olhou para ele com um sorriso sarcástico.

— O problema é que a Marilyn nunca entendeu que eu não tinha vontade de arrasar ninguém. A ideia de ser chefe de claque mortificava-me. Pensar em fazer uma coisa tão fútil em público era o suficiente para me eriçar o cabelo da nuca. Não, eu não era glamorosa. Não era emocionante. E certamente não era popular. Mas estava-me nas tintas.

«Só queria que me deixassem em paz e isso não ia acontecer. A Marilyn chateava-me constantemente. Eu não conseguia detê-la — disse Laura, e encolheu os ombros de uma maneira que indicava futilidade, mas não remorso. — Tornou-se insuportável. A forma como acabei por lidar com a situação foi errada. Eu soube isso mesmo na altura, mas era nova e desesperadamente infeliz. Então fiz a única coisa de que me lembrei. Menti-lhe.

«Para que a Marilyn deixasse de me chatear inventei um grupo inteiro de amigos que me davam toda a diversão adolescente que ela julgava que eu queria. Criei-os a partir de miúdos reais da escola, miúdos que moravam demasiado longe de nós para que os encontrássemos, mas miúdos que eu conhecia suficientemente bem para poder falar com eles se nos cruzássemos no centro da cidade ou algo assim e eles não pensassem que eu era maluca. Certifiquei-me de que eram bem-parecidos, estimados, mas não as vedetas da escola, porque sabia que isso seria tentar a sorte. Então comecei a dizer que ia sair com eles depois das aulas, que ia à discoteca ou a casa deles ao sábado de manhã. Vestia-me para isso e depois voltava a vestir as calças de ganga na casa de banho do posto de gasolina antes de ir passar o tempo sozinha.

— Então ia para longe de casa? — perguntou James.

— Sim.

— E o que fazia? Ainda era muito jovem, não era? Tinha treze? Laura concordou.

— Sim. E realmente não fazia nada. Ia até ao centro a maior parte das vezes e dava umas voltas. Ou ia ao parque. Mas daí surgiu uma coisa horrível... descobri que *gostava* de mentir. Conseguia abrir a boca e dela saíam as coisas mais disparatadas, mas a Marilyn sempre acreditou em mim. Isso, de certa maneira, incitou-me. Desenvolvi um olho especial pelo tipo de pormenores que tornam as mentiras substanciais. Bilhetes da minha falsa amiga Cathy eram deixados em cima da mesa com os livros da escola para que a Marilyn e eu pudéssemos rir-nos ao lê-los quando ela me trouxesse os meus livros e «acidentalmente» olhasse para o bilhete. Eu mostrava-lhe o colar que pedira emprestado à minha falsa amiga Sally e a seguir deixava a Marilyn pôr-mo enquanto eu me preparava para o baile da escola a que não iria.

«A credulidade da Marilyn tornou-se realmente uma fonte de auto-estima para mim. Ela não era estúpida, portanto eu sabia que tinha de ser muito boa. Além disso, resultava. A Marilyn estava contente por eu ser agora "popular" e deixava-me sozinha.

«Cerca de um ano depois, a Marilyn ficou grávida — disse Laura. — A notícia galvanizou o meu pai. Após anos de promessas nebulosas e inércia, ele decidiu finalmente que precisávamos de uma boa casa em vez de um apartamento. Acabámos numa casinha quadrada nos subúrbios com uma cerca de arame à volta de um jardim perfeitamente quadrado e um único pinheiro a crescer a um canto. A casa tinha apenas dois quartos, mas havia uma cave inacabada e o meu pai disse que eu podia lá fazer o meu quarto, se quisesse, porque eles queriam o bebé perto deles no outro quarto. A cave quase não tinha luz natural, era apenas paredes de cimento e canos, e eu teria de partilhá-la com a máquina de lavar e secar roupa, mas fiquei radiante. Tal como o meu sótão em Kenally Street, era suficientemente desviado para me dar a minha muito ansiada privacidade. Portanto, não me importava o estado em que a cave se encontrava.

Houve uma pausa.

— Porque, claro, o que a privacidade queria dizer era que finalmente eu podia estar com a Torgon. Podia passar o meu tempo livre na Floresta. — Laura ficou pensativa um momento. — A Torgon tornara-se quase uma obsessão por essa altura. É difícil de descrever. Acho que parte se devia a eu ter apenas catorze anos. Sabe como algumas miúdas nessa idade se apaixonam por cantores de *boys bands* ou estrelas de cinema? Para mim era a Torgon. Pensava nela a toda a hora. Sonhava com ela. Idolatrava-a. Não conseguia tirá-la da cabeça... Era uma sensação estranha aquilo que eu sentia por ela nesses anos. Como a consciência de não estar no seu mundo, mas não estar também completamente no meu próprio mundo, de não estar nem num lado nem no outro. Essa aura permeou a minha adolescência, essa sensação de estar presa entre aqui e um lugar que mais ninguém podia ver.

«Suponho que me virei para a Torgon à procura de consolo. Fui extremamente infeliz nos dois primeiros anos com o meu pai e a Marilyn. Acho que eles nunca souberam quão infeliz era. Como consequência, comecei desesperadamente a querer que a Torgon e a Floresta fossem reais. Tangivelmente reais. A razão era simples. Queria ir para a Floresta sozinha e não podia fazê-lo se não fosse um lugar real. Queria deixar Rapid City e a minha família para trás e viver lá.

«Não conseguia descobrir como fazer isso, claro, mas tive a ideia de fazer um catálogo de todo o meu conhecimento sobre a Floresta, como se isso pudesse de algum modo catalogá-lo como um lugar real. Comecei por fazer um mapa do campo. Desenhei um diagrama do recinto onde Torgon e o Vidente viviam. Fiz árvores genealógicas das várias famílias da aldeia. Até tentei fazer um dicionário da língua da Torgon, embora isso fosse muito mais difícil do que eu julgara, portanto não fui muito longe. Passei horas e horas e horas a fazer isso e guardava tudo com muito cuidado numa pasta no meu quarto. Tornou-se rapidamente a coisa mais preciosa que eu tinha.

«Aquilo por que eu ansiava mais, no entanto, era uma imagem de Torgon. Queria vê-la com os meus olhos, não apenas com a minha mente. Infelizmente, sou uma péssima artista, e, por muito que tentasse, não conseguia desenhá-la. Além disso, queria qualidade fotográfica. Então comecei a vasculhar revistas, à procura de fotografias de pessoas que se parecessem com ela.

«Deparei com uma foto da Brigitte Bardot no filme *E Deus Criou a Mulher*. O estranho é que a Torgon realmente não era nada parecida com a Brigitte Bardot... não era loira ou deslumbrante nem tinha aquela sensualidade por que a Bardot era tão famosa. Mas naquela fotografia a Bardot estava num campo de cultivo, o vento a empurrar o seu cabelo, que estava despenteado e solto, e a sua expressão era pura Torgon: intensa, conhecedora, muito reservada. Quando a vi, as diferenças físicas da Bardot simplesmente desapareceram para mim. Eu estava a olhar para a *cara* da Torgon.

«Recortei a imagem e colei-a na parede do meu quarto, para poder olhar para ela o tempo todo.

— Em Outubro nasceu a minha meia-irmã. Chamaram-lhe Tiffany Amber, que é exactamente o tipo de nome moderno e feminino que se esperaria que a Marilyn escolhesse. Mas a Tiffie era uma querida. Adorei-a a partir do momento em que ela nasceu, apesar do seu nome estúpido.

«Então veio o Verão outra vez. E os meus quinze anos em Junho. Duas noites antes, a Marilyn foi ao meu quarto na cave e sentou-se na minha cama. Eu estava à secretária.

«"Laurie, aconteceu-me uma coisa muito estranha hoje", disse ela. Percebi pelo seu tom de voz que, o que quer que fosse, eu não ia querer ouvir.

«"O teu pai e eu pensámos em fazer uma coisa especial para o teu aniversário. Lembrámo-nos de uma festa-surpresa no Bear Butte Inn", disse ela e olhou incisivamente para mim. "Uma festa-*surpresa*."

«Ela estava a atribuir-me uma inteligência que eu não tinha, porque eu ainda não conseguira descobrir do que se tratava. A atmosfera, no entanto, mudou. Algo terrível estava para acontecer.

«"Liguei aos teus *amigos*, Laurie, para saber se eles gostariam de vir à festa. E sabes", continuou Marilyn, "que nenhum dos teus amigos te *conhece*?"

«*Arrrggghhhh!* Só me apetecia cair da cadeira de tão mortificada me sentir. Ter de enfrentar a Marilyn e o meu pai sobre isso nada era quando comparado com o que iria ser na escola depois de a Marilyn ter telefonado a todos aqueles miúdos que eu estava a usar nos meus cenários de amigos falsos. A maioria deles não me conhecia o suficiente para sequer falar comigo, muito menos querer vir à minha festa de aniversário.

«Ela não ia deixar aquilo ficar assim, é claro. Então, como não lhe respondi, ela gritou pelo meu pai. Não servia de nada tentar desculpar-me com mais mentiras, portanto admiti o que tinha feito e fiz um esforço desesperado para conseguir que os meus pais percebessem como me sentia impotente pelas exigências da Marilyn. Ninguém prestou a menor atenção às minhas explicações. A Marilyn só queria saber o que eu fizera sozinha todas aquelas horas em que, alegadamente, estava com os amigos. Quando lhe disse que nada, que apenas estivera sozinha, ela virou-se para o meu pai e disse: "A forma como esta rapariga age *não* é normal, Ron." Essa foi a primeira vez que alguém disse isso, embora eu suspeite que a Marilyn, pelo menos, já o pensava há algum tempo.

«Fiquei de castigo dois meses inteiros. Como era Verão, isso significava que eu estava irremediavelmente presa em casa o dia todo com a Marilyn e o bebé. Não havia nada que eu pudesse fazer para escapar dela. Tudo o que fiz foi brincar com a Tiffie horas a fio, mas não se podem fazer muitas coisas com um bebé de oito meses.

«No final, eu estava tão agitada que a situação começou a incomodar a Marilyn tanto como me incomodava a mim. Uma tarde perguntei se podia ir à biblioteca buscar qualquer coisa para ler. Ela disse que sim. Levou-me ao centro de carro, disse-me para ficar na biblioteca enquanto ela fazia as compras, que depois me vinha buscar. Ainda envergonhada, fiz exactamente o que me foi dito. A Marilyn ficou contente. Estava satisfeita por me ver tão obediente e tenho a certeza de que apreciou o tempo que esteve sem mim tanto como eu apreciei a sua ausência. Então, uns dias mais tarde, quando pedi para ir novamente, ela voltou a dizer que sim. Embora ainda estivesse de castigo, a biblioteca tornou-se um compromisso aceitável. Ela gostava porque era saudável e supervisionada; eu gostava porque era longe dela.

«Durante a primeira semana mergulhei alegremente nos livros e revistas. Então, a novidade começou a passar e fiquei terrivelmente inquieta.

«Na sala da biblioteca havia uma enorme mesa de carvalho com cerca de cinco metros de comprimento, talvez metro e meio de largura, e de uma cor de mel quente que se tornara brilhante nas bordas devido a anos de leitores. Fui para lá e sentei-me. A sala estava praticamente vazia. Era um dia quente de Julho, perfeito para piqueniques ou nadar, por isso a maioria das pessoas estava no exterior. Isso foi antes de a maioria dos lugares ter ar condicionado e, dentro da biblioteca, o calor era sufocante. O sol entrava por aquelas janelas altas e antigas e lembro-me de estar ali sentada a ver a poeira pairar nos raios de sol. O aposento cheirava a pó. Pó e cera e aquele estranho cheiro ácido dos livros velhos.

«Quando me sentei, percebi que o meu corpo se acalmou. Era uma sensação suave e tranquila, como se toda a tensão estivesse a escorrer para os meus pés e a passar para o chão. Fiquei sentada vários minutos a senti-la.

«Havia uns pequenos recipientes de tocos de lápis no centro da mesa e, ao lado, pilhas de papel de rascunho para as pessoas poderem tomar notas. Estendi a mão e peguei num dos lápis e em meia dúzia de pequenas folhas de papel e comecei a escrever...

Laura fez uma pausa. O aposento ficou muito silencioso.

— Comecei a escrever o nome da Torgon uma e outra vez sobre os pedacinhos de papel. E depois... comecei a escrever. Foi a primeira vez...

«Enquanto escrevia, as paredes da biblioteca desapareceram, a mesa dissolveu-se, a barreira entre nós desapareceu. Eu já não era eu. Conseguia estar no seu mundo, vê-lo, ouvi-lo e senti-lo de uma forma que era tão imediata e impressionante como aquela primeira experiência que tive dela na infância. E tal como aquele primeiro momento no caminho através do terreno baldio, quando eu tinha sete anos, tinha mudado tudo, também agora o facto de eu pegar no lápis na biblioteca mudou tudo de novo.

CAPÍTULO DEZASSETE

— Trouxe-lhe a história que comecei nesse dia na biblioteca — disse Laura. — Achei que talvez gostasse de a ler. «No contexto», suponho que se poderia dizer.

— Sim, eu estou a apreciar as histórias — respondeu James. — Acrescentam uma dimensão extra ao que me tem contado.

— Começar a escrever foi um ponto de viragem — disse Laura. — Não apenas em relação ao que se tornaria a minha carreira futura, mas... toda a experiência passou para um outro nível de uma forma que não percebi na altura. Não sei se a entendo muito bem, mas esse foi o momento em que as coisas começaram a mudar.

Quando Torgon se aproximou da cabana, viu o Vidente junto à porta. Vestia uma túnica comprida, formal, de modo que ela soube que ele viera executar os ritos normais para uma criança recém-nascida. O pai, Donar, também lá estava. Teria sido o seu primeiro vislumbre da filha recém-nascida depois de a sua mulher Anil estar recolhida há três dias. Quando Torgon se aproximou, Donar deitou-se para se prostrar no chão aos pés de Torgon, como um trabalhador devia fazer.

— Levanta-te.

Havia lágrimas nos seus olhos quando se pôs de joelhos.

— Perdoe Anil — implorou. — Ela queria um filho há tanto tempo.

Entraram na cabana, já escura com as sombras da tarde. Não havia nenhuma lâmpada acesa, apenas a escuridão dos quartos abafados. Torgon sentia o cheiro a sangue do parto.

Com o bebé agarrado a ela, Anil encontrava-se sentada sobre a palha do parto. O bebé estava vivo. Esse fora o medo inicial de Torgon, que Anil tivesse nos braços um nado-morto.

As *lágrimas* corriam pelas faces de Anil. Da sua posição, não conseguia prostrar-se em reverência, mas baixou a cabeça.

Torgon ajoelhou-se ao lado dela.

— Vá, deixa-me ver — disse ela com cuidado, estendendo as mãos para a criança.

Devagar, tristemente, Anil abriu a peça de roupa que a ligava à criança e colocou-a nas mãos expectantes de Torgon.

O lábio do bebé estava aberto até ao nariz, deixando uma abertura.

— Ah — disse Torgon, levantando-se com a criança nos braços. — Ele teve um beijo da Lua. — Inserindo suavemente o dedo na boca da criança, Torgon examinou-a. A divisão ia até ao palato mole da boca.

— Por favor, não a leve — choramingou Anil. — Ela sobreviveu à alimentação de três dias. É forte.

— Não — disse Torgon baixinho. — Não pode ser.

— Por favor? Eu alimento-a. Com uma colher pequena e o leite do meu peito — implorou Anil, as lágrimas a escorrerem pelo seu rosto. — Vou cuidar dela. Ela não será um fardo.

— Não — disse Torgon. — Um bebé beijado pela Lua nunca medra. — E com isso pegou no bebé e saiu.

Segurando delicadamente a criança junto ao seu corpo, Torgon começou a subir o caminho íngreme até ao alto sítio sagrado. O caminho seguia por entre as árvores e Torgon podia ver o cume do penhasco, deslumbrantemente branco à luz do pôr do Sol. Apertando o bebé contra si, Torgon baixou-se sobre um joelho para mostrar deferência a Dwr e ao Único naquele lugar sagrado. Então, levantando-se, continuou até ao precipício.

Quando chegou ao cimo, Torgon sentou-se com as pernas cruzadas na relva. O bebé chorava de fome, um som fraco. Soltou água quando ela a despiu, a urina quente na coxa de Torgon. Ela sorriu, sentindo a suavidade da sua pele com a ponta dos dedos. Então soltou a pequena adaga cerimonial que tinha no pulso.

Levantando a criança acima da cabeça, segurando-a voltada para o céu, disse as palavras sagradas antes de baixá-la novamente para o seu colo. Inclinando-se para a frente, Torgon beijou a criança na boca para reconhecer que sabia que só o seu corpo era defeituoso e, portanto, ao honrar a alma com um beijo santo, a sua alma poderia voltar livremente para o Único. Desembainhando finalmente a adaga adornada, cortou a garganta da criança e deixou o sangue fluir pelas suas mãos e para o tecido branco da sua roupa.

* * *

O lago brilhava sombriamente à luz das estrelas. Parado à beira da água, o Vidente nas suas longas vestes brancas parecia quase luminescente. Junto dele, a água escura batia incessantemente na margem. Ele ajoelhou-se diante de Torgon, descendo em obediência completa, o seu corpo murcho de velho prostrado no chão. Então, silenciosamente, levantou-se e começou a abrir a frente da roupa ensanguentada dela. Despiu-a completamente, colocando cada peça numa pequena jangada de madeira que repousava na margem, até ela ficar finalmente nua na escuridão do Outono. Sem hesitar, Torgon entrou então na água gelada até estar submersa até ao pescoço e lá permaneceu. O Vidente pegou fogo à pequena jangada com a roupa manchada de sangue e empurrou-a para o lago. A seguir, verteu óleos sagrados para a água e eles espalharam-se sob as chamas em ondulações iridescentes. Como uma estrela cadente, a jangada ardeu, brilhante, na escuridão da floresta.

Torgon saiu molhada e a tremer de frio para a margem branca, onde o Vidente a cobriu com roupa nova. Aquela não era a roupa de benna, *mas as vestes longas, largas e grosseiramente tecidas dos mortos. Vestiu-lhas com brusquidão, como se estivesse a vestir um objecto inanimado.*

Então virou-se e começou a atravessar a floresta. Torgon seguiu-o. Não lhe eram permitidos sapatos até ela renascer, nem qualquer luz, mesmo àquela hora escura. Ela não podia voltar a entrar no recinto enquanto ainda estivesse suja, por isso ele levou-a para a cabana de isolamento. Quando ela entrou, ele trancou a porta pequena, ungiu o puxador com os santos óleos e espalhou junto à porta as ervas aromáticas usadas na preparação do corpo morto. Então começou a chorar alto para lamentar a sua morte. Depois fez-se silêncio. Com passos inaudíveis, o Vidente tinha regressado à floresta.

À medida que os olhos de Torgon se adaptavam à escuridão, ela foi capaz de distinguir a pequena janela rectangular na parede oriental por onde entraria a única luz na pequena cabana durante o dia. Era demasiado alta para ver lá para fora, mas quando se estava em isolamento não se devia ver lá para fora; e àquela hora tardia, tão dentro da floresta, isso fazia pouca diferença, de qualquer maneira. A janela era apenas um pequeno pedaço de menor escuridão.

Gelada, Torgon apertou a roupa junto ao corpo num esforço desesperado para se aquecer novamente. Porque eram as coisas assim? *Esse pensamento ocorreu-lhe com uma clareza inesperada, como a luz do Sol através das folhas douradas de Outono. Ela perguntara-se isso noutras ocasiões, é claro, mas nunca inter-*

141

rogara ninguém. Muitos dos ritos e rituais significavam tanto sofrimento que era difícil não os questionar, especialmente no início, quando ela estava ainda a aprender a disciplinar a mente e o corpo como uma benna.

Agora, porém, era o rosto da criança beijada pela Lua que ela via e quando a pergunta lhe ocorreu foi com o brilho cintilante da percepção.

O Poder?

Porque havia ela de sentir o Poder agora? Era vontade de Dwr que os bebés malformados morressem. Porque haveria o santo Poder de Dwr de fazê-la questionar aquilo?

Era o Poder, luminoso e brilhante na escuridão densa da cabana. Uma luminosidade resplandecente inundou a sua mente. Porque são as coisas como são?*, sussurrou o Poder.* Porque as aceitava ela?

Torgon recostou-se. Porque havia o Poder de lhe perguntar aquilo?

Quando Torgon acordou, viu o rosto de Mogri perto. Pegando num pano macio, Mogri limpou o suor das têmporas de Torgon.

Torgon virou a cabeça para ver as familiares paredes brancas da sua cela no recinto.

— *O que estás a fazer aqui?* — *sussurrou.*

— *Chiu* — *fez Mogri. Baixando-se, mergulhou o pano em água morna e levantou-o de novo. Com ele veio o cheiro verde e fresco das ervas aquáticas.*

— *Não devias estar aqui* — *disse Torgon.*

— *Estou aqui porque os acólitos não te lavam como eu e tu precisas de ser lavada. Suaste muito. Agora chiu. Não precisas de falar.*

A confiança das mãos de Mogri sabia bem, o cheiro familiar de ervas aquáticas. O Vidente nunca usava ervas aquáticas, mas também não teria tomado a liberdade de a lavar. A cabeça dela ainda estava pesada com os efeitos dos óleos da morte que o Vidente lhe dera para ela poder acompanhar a alma da criança para local seguro. Torgon permitiu-se passar pelas brasas.

— *Este tempo foi tão estranho, Mogri* — *murmurou ela.*

— *Do que estás a falar?*

— *No isolamento. O Poder surgiu-me.*

— *Foi provavelmente menos o Poder, Torgon, e mais os óleos da morte. Não tinhas a tua alma quando te trouxeram da cabana de isolamento e temi muito que não fosses voltar desta vez. Deves ter caminhado grandes distâncias entre os mortos para encontrar o espírito desta criança... receámos demasiado... e havia muitos que acreditavam que os mortos te tinham barrado o caminho e não te deixavam voltar.*

Mogri fez uma pausa.

— *Talvez não seja próprio eu dizer isto, mas temi que os mortos não fossem tão culpados como o velho que te tinha envenenado com os óleos da morte. Ele é* muito *velho, Torgon. Não acredito que pense sempre correctamente.*

— *Não foram os óleos da morte que causaram as visões. Foi o Poder. Elas surgiram antes de eu receber os óleos da morte.*

A expressão de Mogri ficou séria. Fez rapidamente o gesto de deferência com os dedos.

— *Deves falar disso com o Vidente, Torgon, não comigo. Não tenho nenhuma vocação santa. Sabes isso.*

— *Não posso falar com ele. Vai dizer que o que vi foram coisas profanas. Vai dizer que me perdi entre os mortos e fui seduzida pelas trevas, mas não é assim. Aquilo... o Poder... brilhou com grande luz. E na luz vi outras formas de fazer as coisas. Formas que não pareciam nada de Dwr... A certa altura, vi o bebé de Anil, mas ele estava bem crescido. Tinha cinco ou seis Verões, talvez, com cabelo louro como o do irmão, mas encaracolado como o do pai, e o beijo da Lua tinha desaparecido... Não, não exactamente, mas onde estivera havia apenas uma cicatriz. Uma linha tortuosa, como é com a boca de Bertil, sabes? Quando ele a prendeu na lança e depois se curou.*

Mogri sacudiu a cabeça.

— *Só que um beijo da Lua nunca cicatriza, Torgon. A criança iria definhar e morrer.*

— *Eu sei. Mas, nas visões que o Poder me trouxe, foi diferente. A criança medrava. A sua alma estava feliz por se encontrar naquele corpo e não teria encontrado nenhuma bênção na sua morte.*

Torgon suspirou.

— *Porque me iria enviar Dwr essas visões quando questionam leis sagradas? O que devo fazer com elas? Surgiram com tanta força e tiraram-me das trevas para outro lugar.*

— *Vá, dá-me a tua mão* — *disse Mogri baixinho. Agarrando a mão de Torgon nas suas, apertou-a contra o peito.* — *Do que precisas é de sentir carne viva. Passaste demasiado tempo entre os espíritos. Agarra-te a mim um momento. É disso que mais precisas.*

— *Talvez ela estivesse certa, porque o brilho prateado do Poder desvaneceu-se da mente de Torgon com o calor da mão de Mogri. Cansada e sem palavras, Torgon deixou ir a sensação e reclinou-se na sua cama.*

CAPÍTULO DEZOITO

— Não sei de onde é que aquilo veio — disse Laura, olhando para as folhas amareladas cobertas de caligrafia adolescente que James tinha na mão. — Nunca tinha pensado naquilo, mas foi o que saiu quando me sentei na biblioteca. Fiquei *horrorizada*. Ela matara aquele bebé! A Torgon *matara-o*. Sem mais nem menos.

— Acha que poderia ter sido uma expressão da crise que estava a sentir naquele momento? — perguntou James.

Laura recostou-se.

— Isso é o que eu quero que você evite fazer — disse ela calmamente. — Pré-julgar tudo isto. Confiná-lo a uma caixa.

— Não, também não é o que quero fazer — respondeu James. — Estou apenas a observar que você tinha muitos sentimentos negativos poderosos naquele momento da sua vida. As nossas mentes são capazes de algumas transformações notáveis.

— Quando muito, acho que talvez fosse o contrário — respondeu ela. — Como eu estava a experimentar sentimentos negativos na minha vida, encontrava-me mais aberta para o que estava a acontecer à Torgon. Isso foi nos anos sessenta. Naquele tempo havia pouquíssima violência gráfica. Não havia a violência gratuita, os cadáveres que se vêem em toda a parte hoje em dia na televisão e no cinema. De modo que senti uma verdadeira repulsa pelo facto de a Torgon fazer uma coisa daquelas. Era tão estranha à minha forma de vida.

«Reconhecera imediatamente o que estava errado com o bebé: tinha lábio leporino. Uma das minhas primas teve um bebé assim, portanto, mesmo com quinze anos, eu sabia muito sobre o assunto. Certamente sabia que isso poderia ser arranjado e que a criança podia crescer perfeitamente normal. Mas a Torgon nem sequer deu uma oportunidade ao bebé. Matou-o sem contemplações.

«Aquilo ficou comigo de uma forma sombria, secreta. Fartei-me de ler o que tinha escrito, reexperimentando-o de cada vez. Perguntando-me *porquê?* Era a acção, não a violência, que me incomodava. Nunca pensei: "De onde veio esta história terrível?", ou: "Como fui capaz de escrever algo tão gráfico sobre assassínios de crianças?" Para ser sincera, nem sequer me ocorreu considerar o meu papel nisso. Tudo o que pensei foi: "Como pode uma pessoa sensível e inteligente como a Torgon aceitar que a morte do bebé era a decisão certa? A mãe oferecera-se para cuidar da menina sozinha. Porque não lutara Torgon por isso? Lá porque lhe tinham dito que era o que o seu deus queria, porque não parara e pensara por si mesma?"

«Mas fascinou-me também. Eu tinha uma ligeira dor... que não chegava a ser ansiedade... uma espécie de pressão a formar-se, que me fez ansiar por escrever o resto. A minha imaginação havia finalmente ganhado forma. Pegar naquele lápis na biblioteca mudou literalmente a minha vida. Daquele momento em diante, a escrita dominou-me como uma força física. Tornou-se tudo o que eu queria fazer.

— O que achou a sua família disso? — perguntou James.

— A Marilyn mostrou um vago interesse de início. Disse que eu podia ser famosa se continuasse e talvez até um dos meus livros fosse adaptado para cinema em Hollywood, porque isso acontecia a alguns escritores. Mas depois continuou a querer ler o que eu escrevia e eu não podia partilhá-lo, pois não? A Marilyn estava à espera de coisas românticas ou pelo menos algo reconhecível como a vida de uma adolescente. Não assassínios de crianças.

«O meu pai não disse nada. Não sei quando acontecera, mas algures durante a minha adolescência tornámo-nos dois estranhos. Ou talvez sempre o tivéssemos sido. O meu pai amava-me. Sempre tivera a certeza disso, mas percebera há muito tempo que vivíamos em universos paralelos.

«Infelizmente, a tolerância da Marilyn não durou muito. A minha relutância em mostrar-lhe o que escrevia deixou-a desconfiada. Começou a questionar o que eu estava a fazer lá em baixo na cave num tom de voz que implicava que podia ser tráfico de sexo ou algo assim. Quando me queixei, ela disse que ninguém que passava a adolescência trancada no quarto iria tornar-se num adulto normal.

«Sentia-me realmente zangada com a Marilyn naquela altura. Eu era uma aluna exemplar; ajudava muito com a Tiffany; fazia todas as minhas tarefas em casa sem precisar de ser lembrada; não bebia; não fumava; não consumia drogas ou ia a festas. Já não andava a percorrer as ruas sem destino e há mais de um ano que era completamente sincera sobre que amigos tinha e não tinha. Porque é que ela nunca estava satisfeita comigo?

«No fim, o que me salvou foi a Marilyn ficar grávida novamente. Desta vez foi um menino e chamaram-lhe Cody. A Tiffie tinha dois anos e com ela e o bebé a Marilyn finalmente parecia ter bastante com que se entreter para não precisar de se preocupar comigo. Ou talvez os dois oferecessem muito mais possibilidades de melhoria do que eu. Seja como for, finalmente fiquei mais ou menos entregue a mim mesma.

Uma pausa. A expressão de Laura tornou-se um pouco constrangida. Sorriu atrapalhada.

— Na verdade eu *tinha* sido sincera a respeito dos meus amigos, mas ainda sentia dificuldade em ficar completamente dentro dos limites deste mundo que toda a gente parecia achar tão real. Um tipo de fabricação mais criativa começara a acontecer na escola. Eu não tinha más intenções em fazê-lo. Nem sequer o fiz para chamar a atenção. Tinha apenas aquela enorme bolha criativa a fervilhar na minha cabeça e de vez em quando ela transbordava para o que estava a acontecer à minha volta.

«Inocente como eu era na altura, nunca me ocorreu pensar que o que estava a fazer poderia ser interpretado como tirar proveito das pessoas. Nem sequer me parecia mentir. Estava simplesmente a partilhar aquele manancial na minha cabeça que os outros não tinham. Inventei personagens e enredos, acrescentei, tirei, alimentei cada um até serem personalidades ricas e multifacetadas. Nunca me importei se eram pessoas reais ou não.

«No fim, fui muito bem-sucedida a torná-los credíveis. Um sábado, enquanto estava fora, a minha professora de Francês passou lá por casa com uma caixa de postais. Quando cheguei a casa, encontrei a Marilyn e o meu pai sentados à mesa da cozinha e carrancudos. Senti um enorme pânico. Mesmo sem saber o que tinha acontecido, sabia que era culpada de alguma coisa.

«"Não nos queres dizer o que vem a ser isto?", começou o meu pai, empurrando a caixa de postais sobre a mesa.

«Olhei para ela e encolhi os ombros. "Nunca vi isso antes", respondi.

«"Não, calculo que não. Porque Mistress Patton acabou de os trazer para a Sarah. Apetece-te dizer-nos quem é a Sarah?", perguntou ele.

«Engoli em seco.

«Enquanto isso, os olhos de Marilyn tinham-se tornado frios e sem brilho como os de um lagarto. "Consegues imaginar o que o teu pai e eu sentimos quando a tua professora apareceu toda entusiasmada com esta caixa de postais para dar à tua pequena Sarah? O que lhe podíamos dizer? Que não havia nenhuma Sarah e nunca houvera, que a tinhas simplesmente inventado?"

«Seguiu-se uma discussão terrível. Os meus pais estavam furiosos. A Marilyn observou que eu quase não tinha amigos, que nunca assistia às actividades da escola e nunca convidava ninguém para casa. Disse que tudo o que fazia era trancar-me na cave e viver num mundo de fantasia. "Há algo errado, muito errado, nesta rapariga, Ron", dizia ela ao meu pai. "Está a transformar-se numa mentirosa patológica. Há algo doente nela."

«Fiquei arrasada. Queria tanto que o meu pai e a Marilyn percebessem o que me estava a acontecer e que não queria magoar ninguém. Torgon e a Floresta sempre me tinham feito sentir tão bem, mas começava a perceber que talvez *houvesse* algo de errado nisso. Fartei-me de chorar.

«Nessa noite consegui reunir coragem suficiente para tentar explicar o meu lado das coisas ao meu pai. "Já não estamos zangados contigo, Laurie", disse ele numa voz muito meiga quando finalmente ficámos sozinhos no seu escritório. "Sei que esta tarde se disseram algumas coisas que não deviam ter sido ditas, mas as pessoas são assim no calor do momento e isso realmente não significa nada. Sabes que te amamos muito, muito, não sabes, e só queremos o melhor para ti."

«"Lamento ter inventado a Sarah. Não queria que isto se descontrolasse... Mas, pai, tenho de te explicar uma coisa. Vejo pessoas dentro da minha cabeça, pai. Vejo os seus rostos tão claramente como vejo o teu agora. Ouço-as quando falam. Sei como se sentem e o que pensam."

«"Sei que parece uma loucura", continuei. "Provavelmente pensas que a Marilyn está certa e que eu enlouqueci ou algo assim, mas não é o que está a acontecer. *Sei* que elas estão na minha cabeça e nunca tenho dificuldade em dizer o que está aqui neste mundo e o que está dentro de mim."

«Ele franziu a testa. "Oh, Laurie...", murmurou.

«"Mas a questão, pai, é que eles *estão* lá. São muitos. Famílias inteiras. Tios, primos e avós. Há um mundo. Um sistema político. Leis. Religião. Animais. *Tudo*... e estão todos aqui." Toquei na minha têmpora.

«Houve uma longa pausa. A seguir eu disse: "Tem de haver uma razão para tudo isto estar na minha cabeça, pai. Sinto-o. Porque haveria tantos pormenores, tanta coisa a acontecer, se não fosse algo mais que as ligações estragadas na minha cabeça, ou lá o que é ser-se maluco?"

«Ele observou o meu rosto, os seus olhos movendo-se muito devagar, como se avaliassem terreno estranho. Fiquei preocupada, porque ele não falou. Por fim, perguntei: "Achas que há algo de errado comigo, que me faz ver todas estas coisas?"

«Então ele sorriu, abanou a cabeça e disse: "Não, acho que és apenas um pouco infantil para a tua idade, só isso. A maioria das crianças superou essas coisas na adolescência, mas com o tipo de vida que tiveste... as coisas que aconteceram. Tiveste um mau começo de vida, Laurie. Lamento muito. É compreensível que ainda sejas um pouco imatura."

«Franzi o sobrolho. "Não acho que o que está a acontecer comigo tenha a ver com imaturidade, pai. Acho que é porque sou diferente. Realmente não quero perder o que está a acontecer na minha cabeça. Só não quero ser tão difícil para os outros."

«"Todos gostaríamos de viver em mundos de fantasia, Laurie, mas essa não é a forma adulta de fazer as coisas. Não há nada de errado contigo que mais alguns anos não curem. Tens sido muito tola, mas todos o fomos num ou noutro momento. Só precisas de parar com as tolices e seguir em frente."

«Ao sair do escritório do meu pai naquela noite senti-me isolada como nunca me sentira antes. Ele tinha sido meigo e, à sua maneira, apoiara-me, mas não tinha a menor ideia do meu dilema. Acho que nem sequer era capaz de perceber que havia um dilema.

CAPÍTULO DEZANOVE

— O senhor contou! — exclamou Morgana zangada. A porta da ludoteca mal havia sido fechada antes de ela atacar James. — Disse que aqui eu podia contar-lhe coisas secretas! Disse que aqui eu posso fazer o que quero. *Disse!* E a seguir foi *contar*!

— Pronto. Pronto, porque não vens para aqui e te sentas e falamos sobre isso? — sugeriu James.

— Esse era o *meu* segredo, sobre mim e o Rei Leão. Eu disse-lhe isso. Disse que era segredo. Mas o senhor *contou*.

— Achas que eu não o devia ter feito.

— Nunca mais lhe vou dizer nada, isso é certo. *Nunca* mais. — Cruzou os braços sobre o peito, empurrou o lábio inferior para fora e olhou furiosa para o espaço entre eles.

— Desculpa — disse James. — Vejo que estás muito zangada comigo.

— O senhor mentiu *muito* — murmurou ela.

— Acho que ouviste uma coisa ligeiramente diferente do que eu disse — respondeu James baixinho. — Eu disse que aqui podíamos contar segredos. Mas nunca prometi que nunca diria a ninguém. Guardo segredos quando posso, mas, sabes, às vezes, quando as crianças falam comigo, tenho de tomar decisões difíceis sobre o que ouço. Como sou mais velho e aprendi mais coisas, às vezes percebo que elas estão a fazer algo que pode ser perigoso. Quando isso acontece, tenho de decidir se é ou não melhor contar a outras pessoas. Lamento muito se te dei a impressão de que aqui eu guardava sempre os teus segredos. Penso que o que realmente disse foi que aqui podes decidir o que me contas. Mas lamento ter havido um mal-entendido.

Lamento também muito não ter percebido até agora como era importante para ti manter isto em segredo. Se tivesse percebido isso, podíamos ter falado primeiro sobre eu ter de contar a alguém.

— Nunca mais lhe vou dizer nada.

— Eu estava preocupado, Morgana — disse James —, porque as coisas que me contaste sobre o Rei Leão o fizeram parecer um menino muito estranho. Ainda és pequena e portanto cabe aos teus pais cuidarem de ti e manterem-te em segurança. É importante para eles saberem o que estás a fazer quando sais para brincar. Eu não te «denunciei». Perguntei-lhes apenas se conheciam a família do Rei Leão, porque estava preocupado contigo. Queria ter a certeza de que estavas em segurança.

— Mas eles não compreendem.

— Sim, percebo que estejas zangada.

— Agora eles não querem que eu o veja. O meu pai diz que tenho de brincar no quintal. Já não me deixa ir brincar para o riacho. Não pude lá ir desde quinta-feira passada e não vejo o Rei Leão desde essa altura e ele não vai saber por que não fui — disse Morgana. Estava à beira das lágrimas. — Ele é o único amigo que tenho.

— E os amigos da escola? — perguntou James.

— Ninguém como o Rei Leão. E eu estava a ensiná-lo a ler. Levei para casa dois livros para ele na semana passada e agora o meu pai não me deixa ir até ao riacho com eles.

— Porque não convidas antes o Rei Leão para ir a tua casa em vez de estarem no riacho?

— Ele não vem. — As lágrimas começaram a correr sobre as suas faces redondas. Levantando uma mão, ela limpou-as. — Então porque teve de contar? O Rei Leão nunca me faria mal. Nunca me teria feito nada num milhão de anos porque é o meu melhor amigo.

— Lamento muito, muito, Morgana. Vejo que ficaste muito chateada.

Um ou dois minutos passaram em silêncio enquanto Morgana secava lágrimas. Finalmente, ela olhou para cima.

— A única maneira de eu poder sair para brincar com ele outra vez é contar aos meus pais que ele é apenas a fingir. E é isso que vou fazer. — Um tom de desafio surgiu na sua voz. — E daqui em diante também lhe vou dizer isso. O Rei Leão não é real. Inventei-o.

* * *

«Pintar» não era bem o termo certo para o que Conor tinha começado a fazer durante as suas sessões. No cavalete, enchia o pincel de tinta e depois empurrava-o contra o papel para ver o excesso pingar para baixo. Isso parecia dar-lhe um enorme prazer. O seu corpo ficava tenso de entusiasmo e a seguir ele batia com o pincel no papel cada vez com mais fervor.

Nessa manhã, Conor tinha começado com grande entusiasmo e a primeira folha em breve ficou encharcada. James levantou-se e ajudou-o a mudar para a seguinte. E depois para a seguinte. E para outra ainda. Conor encheu meia dúzia de folhas com riscos de tinta amarela.

Toda a sua concentração estava focada no acto de pintar. Como sempre, mantinha o gato de brincar debaixo do sovaco para libertar as duas mãos, a seguir segurava um pincel em cada uma e fazia os primeiros riscos de amarelo, depois um risco largo azul na parte superior do papel. «Verde», murmurou ele, mais para si que para James. Utilizando ambos os pincéis, juntou as duas cores para as transformar em verde, embora um pouco escuro.

— Isto é verde — disse ele e virou-se, olhando para James. — Amarelo e azul dá verde.

— Sim, tens razão. Fizeste aí verde. — Conor encheu novamente o pincel com tinta azul e fez um risco largo no papel. Viu a tinta a deslizar pelo papel. A seguir pegou no pincel da tinta vermelha com a outra mão e pintou um risco grosso por cima. O vermelho escorreu através das outras cores. Virou-se, a sua expressão, um misto de excitação e de medo.

— Olhe. Sangue.

— Sim, parece sangue, não é?

Rapidamente, Conor juntou risco após risco de vermelho no papel até ele estar tão saturado que a tinta pingou do cavalete para o chão. James viu-o ficar agitado, a ansiedade a tomar o lugar da excitação. Slap, slap, slap fazia o pincel.

— Estás a começar a ficar preocupado — interpretou James. — De início, pintar foi emocionante, mas agora está a começar a ser assustador.

— Ehhh-ehhh-ehh-ehh-ehh! Ehhh-ehhh-ehh-ehh-ehh! — fez Conor. Deixou cair o pincel de tinta vermelha no recipiente da tinta,

151

como se este de repente tivesse ficado demasiado quente para segurar. Tirando o seu gato de brincar do sovaco, Conor pressionou-o sobre os olhos. — Miau! Miau!

James levantou-se e aproximou-se rapidamente dele. Ajoelhando--se, pôs um braço sobre os ombros do menino.

— Estás a sentir muito medo — murmurou. — Mas aqui estamos em segurança. A ludoteca é segura.

— Ligue-o! — exclamou Conor. — Ligue-o! Ligue-o!

«Ligo o quê?», interrogou-se James.

— Ehhh-ehhh-ehh-ehh-ehh. Ehhh-ehhh-ehh-ehh-ehh. — Conor deu voltas ao gato, apertando-o mais contra o rosto, como se tentasse bloquear tudo.

James puxou uma das cadeiras pequenas da mesa.

— Olha. Vou sentar-me. Vou ficar sentado perto de ti até te sentires melhor. A ludoteca é segura. Vou mostrar-te sentando-me mais perto.

Com muita cautela, Conor baixou o gato. Olhou para James, estabeleceu contacto visual e respirou profundamente. A seguir inclinou--se e levantou um dos seus fios cobertos de papel de alumínio. Aproximando-se da parede, ajoelhou-se e pressionou a ponta no rodapé. Não ficou colado, claro, porque era apenas cordel normal, mas ele pô-lo muito direito e encostou-o ao rodapé uma segunda vez, como se pudesse ficar.

— Agora compreendo — disse James. — Estás a ligar os teus fios.

Conor endireitou os outros fios e encostou-os também ao rodapé. Emitiu mais sons mecânicos enquanto o fazia, soando a engrenagens enferrujadas a girarem.

— Agora estás todo ligado — observou James. — Todos os quatro fios estão encostados à parede.

— Uarrr. Uarrr.

— Ah. Transformaste-te numa máquina? Agora estou a ouvir. Ouço o teu motor a funcionar na perfeição — observou James.

— Zap-zap — disse Conor. — Electricidade, zap-zap. Forte. Mata-o morto.

— Sentes que te tornaste um menino mecânico, não é? O Menino Mecânico tem a electricidade a passar por ele — interpretou James.

— O Menino Mecânico é mais forte do que o Conor. O Conor é apenas um menino de carne e osso, mas o Menino Mecânico é feito de fios.

— É metal. Metal forte. Metal galvanizado. Liga metálica.

— O Menino Mecânico é feito de fios e de metal forte — reflectiu James. — E consigo ver que ele já não tem medo.

— Sim. Tinta vermelha como sangue. Sangue a escorrer pela parede. O Menino Mecânico pode rir. Ah-ah. Ah-ah, podes morrer, tinta vermelha como sangue. O Menino Mecânico é uma máquina forte, feita de liga metálica. As máquinas não morrem.

A sessão seguinte foi ocupada a pintar com os dedos. Levantando um grande bocado de vermelho do frasco, Conor alisou-o sobre o papel, empurrando-o à volta com a palma da sua mão. Acrescentou mais, apertando-a entre os dedos. Não disse nada durante a actividade. Emitiu uns sons mecânicos, um menino robô com as engrenagens a girar e os circuitos em efervescência, mas não usou palavras.

O que estava a acontecer?, interrogou-se James. Porque sentia ele que precisava da protecção de se transformar numa máquina antes de se poder permitir a liberdade de usar a tinta?

E o gato? Como sempre, o gato nunca deixava a pessoa de Conor. Agora estava enfiado na axila esquerda, o que limitava um pouco o movimento da sua mão esquerda, mas ele estava tão habituado a mover-se com o gato ali enfiado que era extremamente habilidoso. Qual era o propósito do gato?

Gatos, sangue, fantasmas, morte. Simbolismo para quê? James tentou imaginar a vida de Conor no momento em que ele começou a criar aquela visão assustadora do mundo. Ele tinha dois anos. Ia à creche dois dias por semana. O pai estava stressado por problemas financeiros. A mãe estava cercada pela fama e por uma gravidez indesejada. O que estava a acontecer a Conor? Algo abusivo acontecera na creche e ele era demasiado jovem para o revelar? Uma resposta ao sofrimento do pai? Uma reacção à ansiedade da mãe por causa de um fanático? Um resultado do desenvolvimento de tensões? A ansiedade da separação em virtude de a mãe estar constantemente preocupada com pessoas imaginárias? Uma consequência de ser uma criança inteligente e perspicaz numa família perturbada por um bebé indesejado? Ou seria o nascimento de Morgana que afastara os pais ainda mais de Conor? Será que a sua preocupação com a morte simbolizava essa separação?

Mas então quem era o homem debaixo do tapete? Será que Conor tinha talvez visto Alan e Laura a fazerem amor e ele fosse o «homem debaixo do tapete»? «Morto» talvez na sequência esgotada do orgasmo? Ou «morto» talvez como simbolismo de «fraco», por Alan ter deixado Laura abandonar emocionalmente Conor? Estaria o gato ali para proteger Conor dos fantasmas de memórias de uma infância, quando ela fora toda dele? Ou do homem «morto» que era o seu pai?

James olhou para o menino. Tinha sido muito mais simples considerá-lo autista.

Conor, concentrado na sua pintura, não queria interacção. Independentemente dos problemas psicológicos que estava a resolver com as tintas, era só ele naquele momento, um processo interno a ser tornado externo, e ele não estava pronto para comunicá-lo a James. O único papel de James era estar sentado em silêncio e observar.

Como tantas vezes acontecia quando havia momentos de calma na ludoteca, a mente de James regressou a Adam. Adam a brincar. Adam a pintar. Adam a conversar com a sua voz ceceante. Adam morto.

O meu próprio fantasma, pensou James, enquanto observava Conor. *Sou tão assombrado como ele.*

Fora culpa de James que Adam tivesse morrido. O tribunal estava certo acerca disso. Estavam todos e o pior de tudo é que James sabia isso. Se tivesse passado menos tempo a teorizar e mais tempo a observar Adam, se tivesse agido com base no que Adam dizia em vez de simplesmente observar e «interpretar», Adam poderia muito bem estar vivo hoje. Se *ele* não tivesse sido negligente. O psiquiatra. O que devia ter notado os sinais de abuso brutal e reconhecê-los pelos sintomas reais que eram e não um deslocamento terapêutico da treta.

Mas ele tinha notado. Fora isso que James achara tão difícil dizer em tribunal. Ele vira as marcas e reparara na perda de peso. Mas o abuso — *tortura*, realmente, para lhe dar o seu verdadeiro nome — não tinha passado pela cabeça de James quando trabalhara com Adam. Ele era um menino de cinco anos. Claro que estaria a lutar com a fase edipiana. Fantasias de lutas com o padrasto pelo amor da mãe eram parte integrante do simbolismo esperado da psiquiatria freudiana. E era uma família tão respeitável, abastada e culta. Inteligente, bem-falante e simpática. Haviam sido os próprios pais a levar Adam para o ajudar. Quem era James para questionar que as coisas não eram exactamente como eles tinham dito, que Adam tinha infligido as lesões a si próprio durante os seus ataques de fúria incompreensíveis?

James nunca encontrara as palavras para se defender, não então, não ainda agora. Apesar de retrospectivamente toda a gente ter uma perfeita clareza, na altura as coisas realmente pareciam incertas e inconclusivas. Não fora *flagrantemente* óbvia qual seria a horrível conclusão. Mas, é claro, a dura verdade é que, mesmo quando James começara a suspeitar de que as coisas não eram como pareciam, questionara apenas a sua própria avaliação. Nunca fora suficientemente corajoso para acusar os pais. Pois, e se estivesse errado? E se tudo fizesse apenas parte da psicopatologia de Adam? A formação psiquiátrica de James tinha coberto os ferimentos auto-infligidos muito mais profundamente do que o abuso infantil. Ele estava mais preocupado em perder a sua credibilidade por fazer muito barulho por nada. Não quisera ser cego ou estúpido. Era apenas um homem comum que fora apanhado numa situação realmente horrível. O seu único erro real fora tentar jogar pelo seguro.

James estava tão embrenhado nos seus pensamentos que perdeu o acidente quando ele aconteceu. Conor tinha-se inclinado muito sobre a mesa para pegar numa nova folha de papel quando o gato escapou do seu nicho debaixo do braço e caiu no quadro em que Conor tinha estado a trabalhar. Havia tanta tinta no papel que ela «espirrou» para cima quando o gato aterrou.

Um olhar de puro horror surgiu no rosto de Conor. Ele gritou apavorado.

James pôs-se rapidamente em pé e levantou o brinquedo da tinta, mas mesmo assim não foi suficientemente rápido. Conor ficou logo histérico. Começou a gritar e a agitar as mãos descontroladamente, lançando tinta vermelha em todas as direcções.

— Pronto. Anda cá. Vamos lavar o gatinho — disse James, tentando acalmá-lo. Colocou uma mão nas costas de Conor para o encorajar a voltar-se na direcção da pia.

— Sangue nas paredes! Sangue nas paredes! Não! Não! Não! — Começou a agitar-se com violência.

Atirando o gato encharcado em tinta para a pia, James tentou conter o menino.

— Não! Não! Não! — gritou Conor. — Sangue! Sangue no gato! O gato está morto!

— Não, não é sangue, Conor. É apenas tinta. — Agarrou no menino e puxou-o para si com firmeza, tinta molhada e tudo. Conor debateu-se, cheio de força no seu terror absoluto. Empurrando James, deu-lhe uma bofetada e um pontapé na canela. Os dois caíram no chão antes de James conseguir continuar a agarrá-lo. Estava deitado meio debaixo da mesa, o menino agarrado a ele.

Conor continuou a gritar e a lutar. James conseguiu sentar-se com ele e manteve-se assim.

Um minuto passou.

Dois minutos.

Três.

Conor inspirava o ar em grandes suspiros trémulos, a sua voz rouca de gritar. Finalmente caiu contra James, o seu rosto colado ao tecido do fato de James.

James olhou para o menino, para a sua pele leitosa, avermelhada e manchada pelas lágrimas. Esperou que se fizesse silêncio.

— Vamos lavar o gatinho? — perguntou James quando Conor finalmente se acalmou.

Conor olhou para cima e os seus olhos toldaram-se de novo com o terror. Tentou soltar-se, mas, como James ainda estava a segurá-lo, não conseguiu ir muito longe. Um longo momento passou entre eles enquanto Conor estudava o rosto de James. Então, timidamente, levantou a mão e tocou na tinta vermelha seca no rosto de James.

— Não está morto? — perguntou ele.

— Não. Não estou morto. Não é sangue, Conor. É só tinta.

— O gato está morto.

— Não. O gato também não está morto. O gato caiu apenas na tinta.

— O gato está morto.

James levantou-se lentamente, ajudando o menino a fazer o mesmo.

— Anda cá. Vamos lavar o teu gatinho, está bem? Vês? Não é sangue. Apenas tinta vermelha. Olha, vou abrir a torneira e pôr o gatinho na água. Vês? Lá vai ela.

Com as lágrimas ainda molhando o seu rosto, Conor tinha começado a ver James ensaboar o animal de peluche para tirar a tinta.

— Onde estão os gatos dele? — perguntou Conor em voz baixa.

— O gatinho está aqui.

— Os gatos *dele* — disse Conor e levantou um dedo hesitante para tocar no punho da camisa de James. — Onde estão os gatos do homem?

— Os meus gatos?

Conor assentiu com a cabeça ligeiramente.

— Aqui estamos em segurança — disse James. — Então achas que eu devia ter gatos aqui para me proteger?

Conor olhou para cima.

— Sim.

Antes que James pudesse responder, Conor afastou-se, circundando a periferia da sala. Com o emaranhado de cordéis a arrastar atrás dele, com tinta na pele, na roupa e no cabelo, começou a empurrar os brinquedos para o lado, a espreitar para a casa das bonecas, a vasculhar os animais da quinta numa busca cada vez mais obsessiva por gatos. E não pareciam existir nenhuns na ludoteca, uma falha em que James não reparara até agora. Cães, patos e auroques, sim, mas a ludoteca parece ser uma zona livre de gatos.

Numa caixa na prateleira havia um conjunto de animais da quinta em cartão que James encontrara numa liquidação. Tinha trinta anos e ele comprara-o por razões puramente sentimentais, porque tivera o mesmo conjunto quando era criança. As crianças modernas, no entanto, não tinham ficado tão fascinadas com esses brinquedos simples e a caixa ficara intocada na prateleira.

Conor tirou a tampa e remexeu as figuras. Encontrou-o ali. Entre a variedade de animais havia um gato cinzento listrado, de orelhas levantadas, a cauda no ar numa saudação amigável. À volta do pescoço uma criança há muito amarrara um pedaço de corda a fazer de trela.

— Olhe! — exclamou Conor de espanto. O seu rosto pequeno animou-se e ele estabeleceu contacto visual directo com James. — Olhe! Olhe! Um gato mecânico!

CAPÍTULO VINTE

— O facto de Torgon ter morto o bebé com lábio leporino continuou a atormentar-me — disse Laura. — Embora eu tivesse escrito outras histórias sobre a vida dela na Floresta, aquela primeira mantinha-se comigo de uma forma sombria, secreta, borbulhando de volta à consciência em momentos estranhos, deixando-me a meditar nela.

«No decurso de toda esta meditação comecei a entender o papel da ignorância nas nossas acções. A Torgon não era *má* por ter matado a criança. Estava a fazer o melhor que podia porque simplesmente não sabia o que mais fazer.

«Essa percepção animou-me, porque percebi que isso era verdade não só para o mundo da Torgon mas também aqui, no nosso mundo. Havia muitos lugares como a aldeia da Torgon, onde a falta de competências ou equipamentos significava que se perdiam vidas desnecessariamente, onde as pessoas eram forçadas a aceitar soluções horríveis porque não tinham alternativas. Isso pareceu-me ser aquilo que procurara para ligar o mundo da Torgon ao meu.

«De repente ganhei vida. A minha vida tinha finalmente um propósito. Em resposta directa ao comportamento da Torgon com o bebé do lábio leporino, decidi que iria ser médica.

Laura sorriu a James de uma forma quase irónica.

— A minha família ficou em estado de choque — disse ela. — Eu tinha aquela fama de ser tão sonhadora que quase parecia ausente e de repente escolhi aquele objectivo extremamente ambicioso. Igualmente incrível para eles era o facto de a medicina ser o tipo de trabalho fora do alcance para pessoas da nossa condição social. «Não somos *ricos*», disse o meu pai, com ênfase horrorizada, quando lhe contei. «Isso poderia *levar anos*, Laura. Ainda estaríamos a pagar a tua educação quando a Tiffany estivesse pronta para a faculdade.» A Marilyn viu uma série completamente diferente de problemas. Por exemplo, como ia eu arranjar um marido decente se passava o tempo a competir com eles? Se eu gostava assim tanto de medicina, porque não tornar-me enfermeira? Era mais fácil e mais barato, e eu teria uma melhor oportunidade de casar com um médico.

«Não me deixei demover. A decisão deu validade a tudo na minha cabeça. Senti-me de repente como se tivesse sido ordenada, como se fosse a própria Torgon, inesperadamente escolhida para seguir um caminho sagrado, e pela primeira vez em anos senti-me realmente feliz. Portanto, recusei-me a ser intimidada. Elaborei orçamentos, andei a investigar bolsas e preenchi resmas de candidaturas. Fui aceite na minha segunda escolha, uma universidade em Boston, a quase dois mil quilómetros de casa.

— Lembro-me da minha última noite em casa antes de ir para a faculdade. A Marilyn desceu até ao meu quarto.

«"Vai ser uma grande mudança para ti", disse ela baixinho, sentando-se na minha cama.

«Eu estava a limpar o meu quarto e a colocar tudo em caixas, porque eles queriam transformá-lo num espaço de lazer. Encontrava-me empoleirada numa cadeira, a arrancar todas as fotografias de revistas que tinham estado coladas na minha parede.

«"Espero que sejas feliz", disse a Marilyn.

«"Sim", respondi.

«"Espero que consigas o que queres da vida."

«"Sim, tenho a certeza de que vou conseguir", respondi, com a certeza que só se tem na adolescência.

«Desci da cadeira e comecei a empilhar cuidadosamente as fotografias em cima da minha secretária. Eram essencialmente as da Brigitte Bardot que eu coleccionara ao longo dos anos. Lembro-me de hesitar quando cheguei àquela do filme *E Deus Criou a Mulher*. De todas elas, aquela ainda era a mais evocativa de Torgon, e de cada vez que olhava para ela sentia-me bem.

«"Sinto muito", disse a Marilyn.

«Olhei para ela. "Porquê?"

«"Lamento não termos podido fazer-te mais feliz."

«Admirada, respondi: "Eu sou bastante feliz, Marilyn."

«Os ombros dela curvaram-se.

«"*Sou* feliz", repeti. "Talvez seja um tipo diferente de felicidade que aquela que tinhas em mente para mim, mas sou feliz. Não é isso que importa no final?"

«Pela expressão dela, percebi que não concordava. Então senti-me mal. Lamentei não ter podido ser a líder de claque, a rainha do baile, a debutante que ela quisera. Não quisera nenhuma dessas coisas para mim, mas senti-me mal por querer algo diferente. Além disso, senti-me culpada por o ter conseguido.

«"Talvez gostes mais do sítio para onde vais", disse ela, ainda em voz baixa. "Talvez tenhas feito uma boa escolha."

«"Acho que fiz."

«"Talvez possas voltar para cá quando quiseres casar e assentar."

«Encolhi os ombros. "Sim, talvez."

«"Queres casar, não queres, Laura?"

«Olhei para ela. Ela olhava de soslaio para a pilha de fotos sobre a minha mesa, mas eu era demasiado ingénua para perceber o significado da pergunta. Ponderei um pouco e então respondi: "Não sei."

«"*Gostas* de rapazes, não gostas, Laura?"

«"Sim, de alguns."

«"Gostas de mulheres?"

«"Sim, de algumas."

«Ela baixou a cabeça um instante, depois olhou para mim. "*Preferes* mulheres? É por isso que não tentaste arranjar um namorado?"

«Fez-se luz e fiquei boquiaberta. "Credo, Marilyn. Essa é a única explicação que te ocorre por eu não querer fazer as coisas à tua maneira?"

«"Bem, se as coisas são assim, o teu pai e eu merecemos saber."

«"As coisas não são assim. Mas qual era o problema se fossem?"

«Ela encolheu os ombros. "Bem, não foi tanto o não saíres com rapazes. Foi o não parecer quereres sair com rapazes. Essas coisas não acontecem por acaso. É preciso fazer um esforço. E nunca fizeste."

«"Tinha outras coisas para fazer", respondi.

«Uma pausa.

«"Só preciso de tempo"», disse.

«Então a tristeza permeou o ar novamente. A Marilyn baixou a cabeça. "Bem, talvez ires para leste seja a escolha certa para ti. Talvez encontres mais pessoas como tu por lá."

— Talvez tenha encontrado mais pessoas como eu, porque a universidade foi um período mágico para mim — disse Laura. — E a magia pode ser resumida numa palavra: liberdade. Pela primeira vez na vida senti-me capaz de ser quem realmente era, sem ninguém a chatear-me. Se quisesse estudar, podia estudar. Se quisesse escrever, podia escrever. Se quisesse colar imagens da Brigitte Bardot no meu quadro, também podia. Ninguém se importava.

«Também ninguém se importava que eu fosse um pouco diferente. Ouvia música *folk* e canções de protesto em vez de *rock*, e vestia camisas largas e calças de ganga em vez da roupa da moda. Não era a *hippie* do dormitório, mas era a nervosa, a criativa, e toda a gente lidava bem com isso.

«Na verdade, o ambiente social da faculdade realmente resultou para mim. Eu não era pessoa para ter amigos. Não era que não os quisesse ou não gostasse deles, mas socializar ocupava tempo que eu preferia gastar de outra forma: a escrever ou até mesmo a estudar, porque também estava a gostar do lado académico da faculdade. No entanto, era bom ter pessoas à volta, era agradável poder ir para a sala de estar do dormitório e beber um café e conversar com alguém. Depois, quando o café acabava, podia levantar-me e sair sem que ninguém pensasse que eu era mal-educada. Gostava que as pessoas tivessem as suas próprias vidas, para não estarem tão envolvidas na minha.

— Então escreveu muito durante esse período? — perguntou James. — A escrita era diferente? Ainda escrevia sobre a Torgon?

— Só sobre a Torgon. É o que eu estou a tentar dizer — respondeu Laura. — Havia uma enorme liberdade. Pela primeira vez podia estar com a Torgon sempre que quisesse. Quanto quisesse. Ninguém censurava o meu tempo. Ninguém me fazia sentir culpada por isso. É difícil explicar como era a sensação. Escrever fazia a Torgon muito presente. Eu podia ouvir tudo na minha cabeça, quase como um ditado. Estava sempre a experimentar o seu mundo, ao mesmo tempo que o meu, sobreposto à minha vida quotidiana. Não havia qualquer conflito para mim naquela sobreposição dos dois reinos. Era bom. Lembro-me de ser realmente feliz.

Desfazendo o laço, Torgon deixou as calças caírem da cintura, em seguida tirou a camisa de benna *pela cabeça, ficando apenas em roupa interior. Havia tantas coisas rastejantes que mordiam que ela sentia relutância em retirar todas as suas roupas, mas o branco via-se muito claramente ali no meio de todo aquele verde. Tirou também a roupa interior.*

Ajoelhou-se para espalhar a pasta de ervas aquáticas sobre o corpo para disfarçar o seu cheiro. Pousando cuidadosamente a armadilha, deitou-se na erva alta e esperou.

O tempo passou. O sol ficou quente nas suas costas, provocando suor que atraiu moscas. O cheiro forte das ervas aquáticas deteria as moscas que picavam, mas as moscas mais pequenas não se incomodavam e enxamearam ruidosamente acima dela.

Apareceu uma lebre, mas não se aproximou da armadilha. Parou ao sol, a descansar na relva a menos de seis metros de onde Torgon jazia. Levantou--se e lambeu calmamente os seus flancos. Torgon esperou.

Uoosh! A armadilha disparou por fim e ela saltou como um grande felino para arrancar a lebre da corda antes que esta ficasse muito apertada. A criatura contorcia-se e esperneava, as suas mandíbulas a abrirem e a fecharem para produzir um rosnar estranho, quase canino, de terror.

— Já te tenho, pequenina. Não lutes — sussurrou ela e sorriu à criatura. Depois meteu-a num saco, vestiu-se rapidamente e atravessou a floresta rumo ao recinto.

Levando o saco de caça para a sua cela interior antes de o abrir, Torgon soube que tinha de trabalhar depressa agora ou a criatura morreria de susto.

Tudo estava pronto, excepto o óleo da morte. Ela não ousara remover o óleo da morte da sua caixa de madeira com medo de que o Vidente pudesse aparecer e o visse de fora. Tirando os castiçais de cima da caixa de madeira ornamentada, Torgon levantou a tampa. Todos os óleos sagrados eram guardados ali e o cheiro misturado era tão avassalador que Torgon tinha sempre de recuar um momento ou dois para deixar o ar fresco entrar. O Vidente saberia que ela abrira a arca só pelo cheiro do quarto.

Qual seria o melhor? Ela ponderou muito a questão. Finalmente, escolheu o do frasco azul. Era mais atreito a transtornar o estômago do que os outros óleos da morte, mas não era tão tóxico. E era mais fácil de diluir.

Ela colocou uma ou duas gotas num frasco com água de nascente. Seria suficientemente forte? Demasiado forte? As suas mãos tremiam. Fazendo uma pausa, respirou fundo várias vezes para abrandar o seu coração acelerado. O Poder iria dizer-lhe. Se ela pudesse descontrair-se o suficiente para deixar o Poder vir, teria outra vez aquelas visões de órgãos ainda a funcionar com a força da vida que tinham assombrado os seus pensamentos durante todos aqueles meses.

Torgon sabia muito bem o que existia dentro do corpo. Tendo caçado em criança com o pai, assistira ao ritual de remoção dos órgãos internos dos animais mortos, ingerira o fígado e o cérebro ainda quentes, tinha visto o coração ser entregue ao caçador para lhe conceder a bravura do animal. Mas todos tinham sido levantados sem vida dos mortos, coisas vencidas. O Poder mostrara-lhe imagens muito diferentes — visões de um coração ainda a bombear, pulmões cheios de ar e sangue a mover-se numa corrente, como se fosse um rio — visões de vida e de crescimento.

A lebre foi ideia sua e Torgon estava satisfeita com o seu engenho naquele esforço para tornar as visões reais. Segurando um pano embebido em óleo da morte diluído, sentiu a luta escoar-se lentamente do animal. Foi um processo prolongado e uma vez, quando retirou o pano demasiado cedo, a lebre voltou à vida e saltou da sua mão, embora estivesse demasiado drogada para fazer mais do que saltitar atordoada junto aos seus pés. Da segunda vez manteve o pano mais tempo e, finalmente, a lebre ficou inerte.

Espantada, Torgon observou-a. Na sua experiência, as lebres eram coisas medrosas, lutadoras, mas aquela estava pesada e quente no seu colo. Durante vários minutos não fez mais que estudá-la, observando o flanco do animal subir e descer ritmicamente. Acariciou a pele para sentir a sua suavidade, mas com cautela, pois tinha pulgas. Isso por si só valeu o esforço, pensou Torgon, pois estava a ganhar muito por poder olhar para uma lebre viva tão de perto. Como o animal já a tornara mais sábia, ofereceu-o num gesto de veneração.

Deitando a lebre no chão de pedra, Torgon tirou o punhal cerimonial da bainha no seu pulso e, em seguida, deslizou cautelosamente a faca sobre a pele da barriga da lebre. Cortou-a numa linha direita. Afastando a pele com cuidado, viu o músculo liso por baixo.

De repente, o sangue estava em todo o lado. Consternada, Torgon tacteou apressadamente ao longo da borda da carne até encontrar uma pequena veia e a apertar. Levando a lebre inerte para a lareira, mergulhou a ponta da faca nas brasas que tinham ficado do lume da manhã. Vira muitas vezes o pai tirar a virilidade dos jovens bezerros para os tornar mais mansos para a carroça, e fora a sua faca quente que selara o sangue. Sim, também o fazia ali, descobriu ela. Houve um crepitar e um leve cheiro a carne queimada, mas, quando Torgon limpou o sangue, não surgiu outro a substituí-lo.

Enquanto esperava que a faca arrefecesse, Torgon pegou na agulha e no fio de prata que Mogri lhe levara. Depois instalou-se de novo no chão de pedra. Deslizando a ponta da faca através da cobertura translúcida sobre a cavidade do corpo, puxou-a para o lado e ali sob as pontas dos seus dedos estava o pequeno coração a bater da lebre.

Aquilo era um grande milagre! O temor dominou-a momentaneamente. Tencionara venerar Dwr naquele momento por lhe mostrar um milagre tão grande, mas limitou-se a olhar, enfeitiçada. Ali estava o coração. Ali estava o fígado. Aqui estava o estômago. Cada parte que ela tinha visto antes apenas como um pedaço de carne. Agora estremeciam de vida.

Delicadamente, tacteou o estômago, sentindo o calor da criatura. Erguendo os dedos, sentiu o cheiro. Era tudo como o Poder lhe mostrara nos sonhos, com cada parte do corpo vivo a coexistir pacificamente em pequenos reinos separados. Pousando a faca, Torgon baixou-se, encostando o rosto ao chão frio para prestar homenagem à lebre sagrada.

Depois, Torgon uniu cuidadosamente as abas do peritoneu, a seguir o músculo e, por fim, a pele. Pegando na agulha com o seu fio, curvou-se sobre o corpo do animal e uniu de novo a sua pele.

A lebre não sobreviveu. Na verdade, nunca acordou do sono do óleo da morte e Torgon foi obrigada a voltar para a floresta e apanhar outra. E nem essa sobreviveu, portanto teve de ir de novo. E outra vez. E outra ainda. Enquanto esperava na erva para mais uma se aproximar da armadilha, receou que o Verão passasse depressa e ficasse demasiado frio para caçar.

— Que coisa ímpia é esta?

Assustada, Torgon endireitou-se. Estava na sua cela interior. O Vidente não tinha o direito de entrar sem pedir a sua autorização, mas ali estava ele na mesma.

Em pânico, Torgon pôs-se rapidamente em pé. Tentou esconder as mãos. Havia sangue em ambas e sangue no chão. O sangue, percebera ela há muito tempo, estava muito pouco inclinado a permanecer dentro do seu reino. O aposento tresandava a ele.

— Isto é obra do Poder — disse ela o mais calmamente que pôde. — Ele mandou-me fazer isto.

— O quê? Dwr mandou-te derramar sangue pela tua própria mão? Sobre chão sagrado? Não adiciones a blasfémia a tantos pecados.

— Não estou a derramar sangue. O sangue fluiu mas o animal ainda está vivo. Vê? Posso mostrar-lhe um grande milagre: o seu coração a bater.
— Os olhos dele arregalaram-se de horror.
— Este não é o domínio de Dwr!
— O domínio de Dwr é maior do que alguma vez sonhámos.
— Deixaste-te ser levada para as trevas! Dwr não comanda as tuas mãos nisso. Porque haveria Dwr de permitir a infracção de tantas regras sagradas? Responde-me a isso.
— Santo senhor, não quero ser indelicada consigo porque o senhor é velho e deve ser venerado, e ensinou-me muito do que sei. Mas a verdade é que não tenho necessidade de lhe responder. Sou a divina benna. Respondo não a si mas apenas a Dwr, como Dwr apenas responde ao Único.
— Atreves-te a falar assim comigo? — gritou ele. — Divina benna? Tu? O que sabes tu das coisas sagradas, a não ser o que eu te ensinei? Se não fosse eu, ainda estarias a viver no meio do estrume e da lama de onde vieste.
— Ele levantou o seu cajado e brandiu-o.

O cajado tinha-a atingido inúmeras vezes antes. Apesar da sua idade, ele conseguia manobrá-lo com força, e Torgon sempre se encolhera rapidamente, porque tinha vergonha de ser vista com tantas contusões. Mas não desta vez. Quando o viu levantar o cajado, estendeu a mão para o deter. Não com raiva. Na verdade, Torgon descobriu que não tinha nenhum sentimento naquele momento. O seu sangue estava nas suas veias como gelo.

Quando o velho percebeu que ela pretendia tirar-lhe o cajado, a fúria inundou-o, fazendo o seu rosto passar do rosa ao vermelho e ao quase roxo. Seguiu-se uma luta terrível. Ele não ia deixá-la ficar com o cajado, enquanto Torgon percebia agora que tinha de terminar o que começara. Não queria magoá-lo. Embora fosse feroz, a juventude e a força estavam do lado dela. Seria injusto feri-lo. Além disso, quando percebeu que devia apoderar-se do cajado, soube que não era próprio lutarem assim, corpo a corpo, como se fossem apenas dois mendigos atrás de restos.

Não sendo capaz de agarrar o bastão sempre em movimento, Torgon finalmente mergulhou por baixo dele e agarrou no velho pelo seu manto. Ele recuou. Ela pegou-lhe na carne do pescoço para o impedir de se libertar. Um momento depois tinha lá as duas mãos, os seus polegares pressionados sobre a garganta do velho. Diante disso, a raiva dele transformou-se abruptamente em medo.

— Há muito que tentas dominar-me — disse ela. Estava apenas a centímetros do seu rosto e a sua voz, arquejante da luta, era apenas um sussurro.
— Larga o cajado. — Este caiu com estrondo no chão.

Sob os seus polegares, Torgon conseguia sentir a vibração rápida do pulso dele. Seria tão fácil, como esmagar os galhos secos à beira do rio, apertar com mais força, e, nesse instante, ela soube que ele esperava que ela o fizesse.

Fitou-o nos olhos.

— Ficas a saber que é indigno de mim matar um velho. Seria pouco correcto tirar a vida de alguém bem mais fraco que eu.

Quando ela o largou, ele cambaleou, caiu de joelhos e, finalmente, tombou para a frente até parecer um animal de quatro.

— Estás aos pés da divina benna — disse ela calmamente. — Mostra a tua reverência.

O velho caiu prostrado no chão.

— Beija os sapatos sagrados para não te esqueceres de novo quem serve quem. Ele assim fez.

— Agora levanta-te.

Com uma lentidão angustiante, o velho pôs-se primeiro de joelhos e, em seguida, cambaleante, levantou-se. Manteve a cabeça baixa quando se virou e começou a mancar em direcção à porta.

— Toma. — Baixando-se, Torgon pegou no cajado. — Esqueceste-te de pegar no cajado que te ajuda a andar. — Estendeu-lho.

O Vidente esticou a mão para ele, mas, quando lhe tocou, Torgon não o largou.

— Primeiro diz-me uma coisa, velho. É realmente só isto o que há de poder entre a divina benna e o santo Vidente? O cajado e quem o possui?

Ele não disse nada.

Ela largou o cajado.

— Enoja-me profundamente pensar que tal coisa é verdade.

A oitava lebre viveu e Torgon viu nisso um sinal auspicioso, pois o oito fora-lhe dado como o seu número da sorte no dia em que lhe tinham atribuído o nome. O Verão já tinha terminado e era o mês da Lua grande, pelo que Torgon alimentou o animal generosamente com feno fresco e raízes para o tornar novamente forte. Todas as noites examinava o seu abdómen para sentir a pequena cicatriz em forma de fita em que a pele se unira novamente.

Aquele êxito tornou-a corajosa e ela capturou um dos cães da aldeia. O cão era mais fácil de apanhar, mas sentiu-se mais ímpia desta vez. Os cães eram criaturas sujas, proibidas no recinto, e ela teve de recorrer à astúcia para o levar para os seus aposentos. Isso deu à actividade uma aura vergonhosa e manteve Torgon ciente de quantas regras sagradas era forçada a infringir para ir onde as visões a levavam.

No entanto, depois de Torgon colocar o cão sedado no chão de pedra da sua cela privada e iniciar o processo agora familiar de abrir a cavidade do corpo, um sentimento de admiração renovada dominou-a. Os órgãos do cão eram do tamanho de uma mão, não minúsculos como os da lebre, e o seu estranho cheiro vivo encheu o aposento. Ela sentou-se maravilhada e fitou-o. Aquilo não era mau, Torgon tinha a certeza. Por muito profano que aquilo que estava a fazer pudesse parecer aos outros, Torgon sabia que lhe fora dada a possibilidade de ver uma coisa verdadeiramente sagrada.

CAPÍTULO VINTE E UM

— Quando fala dos seus anos de universidade — disse James —, ouço uma alegria verdadeira. Estava a saborear a liberdade de ser você mesma, de estudar aquilo que lhe interessava, de experienciar Torgon sempre que queria. Diz que gostou do ambiente porque ele lhe proporcionava interacção sem... por aquilo que ouvi... demasiado empenho. Podia entrar e sair conforme lhe apetecesse. E em relação a rapazes? — perguntou James. — Será que eles figuram também durante esses anos?

— Sim — respondeu Laura. — Tive o meu primeiro namorado no segundo ano. Chamava-se Matt e era estudante de Medicina. Éramos ambos socialmente ineptos. — Ela riu com gosto. — No caso do Matt, era apenas inteligência. Ele era uma daquelas pessoas que conseguiam pensar melhor do que conseguiam fazer qualquer outra coisa. E era absolutamente apaixonado por medicina. Tencionava especializar-se em doenças tropicais. A vida com Matt significava ficar animada com parasitas e febre de Lassa. As hormonas dominavam-nos periodicamente e dávamos uns beijos e uns abraços, mas era tudo inocente. Nunca fizemos sexo. Nunca curtimos a sério. Eu não me importava. Depois do Steven, não queria nada a ver com sexo.

«O relacionamento era sustentado pelas nossas obsessões mútuas. Embora não partilhássemos os interesses um do outro, sabíamos o que era sentir um enorme entusiasmo por alguma coisa. Por conseguinte, passávamos a maior parte do nosso tempo juntos separadamente, eu a escrever, ele a ler. Raramente trocávamos uma palavra durante horas. Ele nunca me perguntava o que eu estava a fazer; eu nunca lho perguntei também. O relacionamento durou cerca de dois anos e fomos felizes durante esse tempo, apenas a sermos quem éramos.

* * *

— Foi na Faculdade de Medicina que tudo realmente fez sentido para mim — disse Laura. — Os meus anos de preparação tinham sido livres apenas porque o lar fora uma jaula, mas eu cresci muito rapidamente. O meu interesse mudou e tornei-me uma aluna cada vez mais séria. Como o estava a fazer pela Torgon, as aulas significavam mais para mim do que apenas notas. Sentia-me realmente motivada a aprender coisas. Tornou-se bastante aborrecido quando as outras pessoas andavam pelo dormitório aos peidos, bêbedas, a fazerem barulho a meio da noite. Eu durmo oito horas por noite. Sem isso não me consigo concentrar. Portanto, se as pessoas faziam barulho e eu não dormia bem, isso significava que não me conseguia concentrar nas aulas, mas também significava que não me conseguia concentrar na escrita.

«A Faculdade de Medicina era completamente diferente. Toda a gente era muito séria. Significou também ter a minha própria casa pela primeira vez. Eu tinha vinte e dois anos e o meu primeiro apartamento era escuro e pequeno no cimo de cinco lanços de escadas, mas adorava-o por essa razão. Era parecido com o meu quarto no sótão em Kenally Street, só que desta vez sem o Steven Mecks.

«Estudar medicina era fantástico. Eu escolhera medicina por causa daquela criança com o lábio leporino no mundo de Torgon e essa inspiração acompanhava-me intensamente quando comecei a Faculdade de Medicina. Era capaz de relacionar tudo o que aprendia com Torgon, com sociedades como a dela, onde as pessoas morreram por causas facilmente evitáveis. Planos maravilhosos começavam a formar-se na minha mente. Quando terminasse o curso iria trabalhar no Terceiro Mundo e isso traria para a realidade o que ouvira nos sonhos toda a minha vida. Parecia tão certo fazer isso como descrever um círculo completo. Torgon dera-me uma profunda consciência da importância da medicina e eu, por sua vez, levaria esse conhecimento a pessoas como ela. Isso deu um enorme significado à minha vida. A Torgon já não era uma fantasia tola, ou pior, uma forma de doença mental. Era uma musa, uma inspiração que me dirigia para uma vocação. Um chamamento. Não é isso que a palavra "vocação" realmente significa? E como podemos ser "chamados" sem ouvir uma voz?

«Acho que nunca fui tão feliz como naqueles nos dois primeiros anos na Faculdade de Medicina. Durante as minhas aulas e seminários eu puxava conscientemente Torgon para a minha mente e tentava ver através dos seus olhos. Como pareceria aquela informação a alguém que não era alfabetizada? Que nunca vira uma sala de operações? Que não tinha o recurso a antibióticos? Como iria ela avaliá-lo? Como poderia usá-lo? Quando olhava para as coisas dessa maneira, tudo parecia claro e pormenorizado. Através dos olhos dela, tudo era novo e incompreensivelmente fascinante. A escola tornou-se quase uma experiência espiritual para mim.

James ganhara o hábito de abrir a pasta de histórias de Torgon assim que a sessão de Laura terminava e de começar a ler. De início, lera histórias inteiras de uma vez, absorvendo trinta ou quarenta páginas atmosféricas da vida na sociedade tribal rígida de Torgon. Nos últimos tempos, porém, começara a racioná-las. Restavam apenas cerca de uma centena de páginas dactilografadas muito manuseadas, portanto ele tentou limitar-se a apenas quatro ou cinco de cada vez.

Agora abriu-a onde tinha parado e começou a ler.

Durante o mês da neve, Torgon foi acordada a meio da noite por choro angustiado vindo dos aposentos dos acólitos. Alguém estava doente.

Ela ficou na cama à escuta. A saúde dos acólitos era domínio do Vidente, não dela. Não estava expressamente proibida de se encontrar na presença de uma pessoa doente, mas, como era divina, partia-se do princípio de que não ia querer manchar-se. Por conseguinte, ninguém esperava que ela deixasse as suas celas.

De início, ela não o fez. O Poder estava a agitar-se, como sempre fazia quando ela acordava à noite, às voltas, como se estivesse a pôr-se confortável dentro do seu corpo, tal como imaginava que um bebé devia fazer dentro da sua mãe.

O que lhe surgiu enquanto estava deitada no escuro foi a imagem da criança beijada pela Lua. Mais de três anos se tinham passado desde que o bebé fora morto, mas a sombra da criança ainda permanecia próxima, algo que Torgon nunca se atrevera a mencionar ao Vidente. E surgiu agora, entrando na sua mente como uma menina de cinco ou seis anos, sorridente, a boca sarada apenas com uma linha torta. Como a linha na barriga da lebre, pensou Torgon.

Poderiam os lábios e o palato ser cosidos? Tal como a pele abdominal? Como uma pedra atirada na escuridão, a ideia espalhou-se através da mente de Torgon. Havia uma possibilidade real de reparar um beijo da Lua com uma arma não superior a uma agulha e uma linha? Ela tentou visualizar o acto.

Um clamor súbito no corredor dissolveu a visão.

Uma das mulheres santas corria pelo corredor, com uma bacia de água quente nos braços. Um bando de acólitas seguia-a a trote.

— Santa benna, acordámos-te — disse ela. — Sinto muito. — Baixou a cabeça num breve gesto de reverência.

— O que está a acontecer entre os acólitos?

— Uma sofre da doença dos vómitos.

— Leva-me até lá.

— O Vidente já está com ela, santa benna. Não acha melhor ficar aqui? Não vai querer tomar a doença para si.

O Poder agitou-se, interferindo na visão que Torgon tinha da mulher.

— Não — respondeu ela. — É vontade de Dwr que eu vá.

Um murmúrio de espanto percorreu a multidão de crianças quando Torgon entrou. Ajoelharam-se rapidamente em reverência. A seguir a elas, na segunda linha de divãs, o Vidente estava ao lado de uma menina vestida com as roupas de noite de uma criança bem-nascida. Torgon aproximou-se para ver que era Loki, a filha do guerreiro.

O Vidente já acendera velas santas. Com os dedos fazia pingar óleos purificadores para as chamas pequenas. O aroma adstringente do óleo misturava-se com o cheiro azedo do vómito.

A menina estava pálida como um fantasma, os olhos escuros e apáticos à luz ténue das velas. No entanto, conseguiu esboçar um sorriso ao ver Torgon.

— Sinto-me honrada com a sua presença, santa benna — murmurou —, mas infelizmente não consigo fazer uma reverência.

— Tenho a certeza de que está no teu coração fazê-lo, Loki — respondeu Torgon, pegando num dos bancos baixos.

O Vidente estendeu a mão para impedi-la de se sentar.

— Seria melhor não estares tão perto. Ela está muito mal e as velas ainda não ardem há muito.

Ignorando-o, Torgon sentou-se à mesma.

— Quantos anos tens agora, Loki?

— Já vi passar treze Verões, santa benna.

Torgon afastou para trás os cabelos escuros da menina.

— Estás muito quente. Há quanto tempo te sentes mal? Quando te vi nas tuas orações desta noite, nada notei de errado.

— O meu estômago está dorido há um dia ou dois, mas não me senti doente. Só o fiquei agora e dói bastante. Faz-me trazer o estômago para cima, mas mesmo depois não sinto alívio.

Torgon ouvia a sábia no corredor. Usava todos os seus chocalhos amarrados à cintura de modo que uma cacofonia de sons precedia a sua chegada.

O Vidente aproximou-se.

— Vamos embora agora, santa benna. A sábia está aqui para expulsar os espíritos do mal.

— Desejo ficar.

A sábia aproximou-se do divã. O seu cabelo escuro estava oleado e perfumado e penteado em numerosas pequenas tranças. O seu rosto fora pintado com muitas cores para advertir os maus espíritos dos seus êxitos anteriores. Curvando-se sobre Loki, ela abriu as mãos, os dedos afastados, e começou os movimentos rituais necessários para localizar onde, no corpo da criança, habitavam os maus espíritos. Ao encontrar cada lugar, colocou sobre ele um pequeno amuleto de ferro. Quando os nove estavam colocados, desatou um enorme guizo vermelho e começou a agitá-lo ritmicamente. Fechou os olhos e cantou para que os pássaros da noite viessem buscar os espíritos.

Torgon observava atentamente. Não havia santidade naquela sábia. Ela retirava as suas forças dos mortos e era sabido que as sábias não tinham alma.

— Divina benna, vai-te embora agora — sussurrou o vidente. — Não é conveniente estares tão perto quando ela está a fazer a sua magia. Além disso, quero falar contigo.

Levantando-se com relutância, Torgon foi para a sala do altar com o Vidente.

— Sim? O que desejas?

— O teu tempo seria mais bem gasto em oração no altar. Tacteei a barriga da criança e receio que não haja nada que a sábia possa fazer por ela. Quer-me parecer que ela engoliu um caroço de ameixa.

— O quê? Certamente que não.

— Sim — disse ele. — Surge sempre assim: uma dor aqui, onde a pedra fica presa, uma febre, morte... já vi isso várias vezes. A dor dela é tão súbita e tão grave que receio ainda agora que os maus espíritos se tenham libertado do caroço de ameixa para governar o seu corpo. — A sua expressão entristeceu. — Será um desgosto para o pai, pois ele sempre foi muito afeiçoado a ela. Neste Inverno, a mulher deu-lhe o sexto filho, mas ela continua a ser a sua única filha.

— É certo que ela vai morrer? — perguntou Torgon.

— Sim, quando o caroço de ameixa fica preso, apodrece e atrai os maus espíritos. A sábia vai tentar atraí-los, mas nunca a vi conquistar estes. Estão profundamente dentro do corpo e podem resistir aos seus encantamentos.

Torgon ficou pensativa.

— Anda. Vamos rezar juntos no altar para a passagem segura da sua alma.

— Não — disse ela.

O Vidente olhou-a, perplexo.

— Não. Não penso como tu — murmurou Torgon. — Porque teria ela engolido um caroço de ameixa agora, quando estamos a meio do Inverno? Já passou o tempo das ameixas.

— Às vezes pode perder-se um caroço quando as ameixas estão a secar. Ou talvez ela a tenha engolido no Verão e demorou a apodrecer. O tempo, como sabes, tem estado muito frio este ano.

— Isto ofende a minha razão — respondeu Torgon. — Pois, quanto mais penso no assunto, mais me convenço de que a Loki não gosta do sabor das ameixas. Porque haveria então de ter um motivo para engolir o caroço?

O Vidente abanou a cabeça.

— Não sei as respostas, santa benna. Só sei o que aprendi com a longa experiência e isso serve-me bem. Portanto, temos de deixar a sábia com os seus chocalhos. Chegou o tempo de rezarmos.

— Não. Dwr pede-me que fique ao lado da menina. — E saiu da sala do altar.

Avançando através da pequena multidão reunida em torno do divã da jovem, Torgon ajoelhou-se ao lado de Loki.

— O Vidente receia que tenhas andado a comer ameixas selvagens.

Enchendo-se de lágrimas provocadas pela dor, Loki tentou manter a compostura.

— Não. Não, santa benna, não toquei em ameixas selvagens.

— Sei que a arrecadação é uma grande tentação. E as ameixas selvagens, especialmente quando estão secas, são muito doces. Eu entendo que uma criança goste de coisas doces. Não ficaria zangada contigo, Loki, se me dissesses agora que não resististe.

— Mas não comi ameixas selvagens em nenhum momento. Não gosto delas.

Torgon assentiu.

— Muito bem. Então posso pousar as minhas mãos em cima de ti?

O Poder inchou repentinamente quando os dedos de Torgon tocaram na pele da jovem. Os olhos dela ficaram cegos para as paredes de pedra cinzenta, cintilando à luz das velas. O que se elevou foi a imagem de Loki deitada numa superfície branca, o seu abdómen aberto como o do cão. Cada parte está no seu próprio reino, sussurrou o Poder.

A menina gritou de dor quando Torgon pressionou o canto inferior esquerdo do seu corpo e o ruído arrancou Torgon do transe. Momentaneamente desorientada, abanou a cabeça para ordenar as ideias.

— *Pare! Dói muito!* — *As mãos de Loki estavam no seu pulso.* — *Por favor, oh, santa* benna*, pare!*

O Vidente abriu caminho através do grupo.

— *Santa* benna*, isto é impróprio. Vamos embora. Os espíritos malignos irão macular-te. Desvia a mente disto. Não é o teu domínio.*

O Poder *voltou a surgir na mente de Torgon, tornando-lhe difícil concentrar-se no que o Vidente dizia.* O corpo do cão. Cada um com o seu próprio reino. Caminha entre os reinos. Cura um beijo da Lua apenas com uma agulha e uma linha, *sussurrou o* Poder.

Os amuletos de ferro tinham caído do corpo de Loki durante a exploração de Torgon, então a sábia inclinou-se e apanhou-os novamente. Colocando-os na barriga de Loki, levantou vários sinos presos num cordel e fê-los soar ruidosamente.

Torgon não conseguia perceber nada quando a sua atenção era disputada por tantas coisas. Levou as mãos aos lados da cabeça e voltou-se, irritada.

— *Silêncio!* — *A sábia não a ouviu e os sinos tiniram de novo.* — *Silêncio!* — *gritou Torgon.*

Tudo se calou de repente, menos o Poder*, que latejava na sua cabeça. As acólitas imobilizaram-se, de olhos arregalados. O Vidente ficou de boca aberta. A sábia encostou os sinos com força ao peito generoso.*

— *Sai* — *disse Torgon à sábia.* — *Esse barulho pode afugentar os maus espíritos, mas também ofende Dwr.*

A sábia baixou os sinos. O seu rosto pintado impossibilitava os outros de ler a sua expressão, mas os seus olhos rolaram brancos como os de um bezerro assustado. Houve um longo momento de incerteza, enquanto ela olhava para o Vidente, para Torgon, depois para ele de novo, mas a seguir assentiu com a cabeça e afastou-se da cama.

— *Isto não foi provocado pela Loki* — *disse Torgon.* — *Não é um caroço de ameixa. Dwr fala comigo agora enquanto estou entre vocês e diz-me que um reino no corpo dela está a levantar-se para fazer a guerra contra os seus vizinhos pacíficos. Eles não têm meios para o deter; os seus guerreiros já foram derrotados, mas este reino deve ser derrubado. A criança morrerá se os seus guerreiros forem autorizados a sair das suas fronteiras.*

— *Que diferença faz chamar a isso um reino bélico e não um caroço de ameixa envenenado?* — *perguntou o Vidente.* — *Se os outros reinos já perderam os seus guerreiros, nada pode ser feito.*

— *Dwr manda-*me *pegar em armas e lutar em seu nome.*

* * *

Derramando o intenso óleo da morte num pano macio, Torgon inclinou-se para a criança.

— Não te assustes — disse ela suavemente. — Vou mandar-te para a noite em que já viajei muitas vezes quando andava em busca de espíritos. Não é um mau sítio, mas apenas como um sono sem sonhos, porque Dwr não te permite recordar nada quando acordares. — A seguir encostou o pano ao rosto da menina. Passaram-se alguns momentos e os movimentos abandonaram o corpo de Loki. Quando Torgon levantou o pano, a menina estava inerte, a sua respiração superficial.

— Ela anda agora entre os mortos? — perguntou uma das crianças.

— Sim — respondeu Torgon. Levantou a cabeça e perscrutou a multidão de acólitas. — Morra? Tu és a mais velha. Serás a minha escudeira. Preciso de lume, para poder passar através do reino de sangue. Preciso de uma boa pedra de amolar, para poder manter as minhas armas muito afiadas. E preciso de uma agulha fina de metal. Encontrarás uma na minha cela interior, no parapeito da janela. E por fim preciso de fio. Um comprido, e, penso eu, para o corpo de uma criança deve ser de ouro. Procurem entre as coisas da Loki. Ela é da casta dos bem-nascidos e terá boas roupas. Uma certamente ceder-lhe-á o seu ouro.

Do seu pulso, Torgon removeu uma pequena faca e tocou na lâmina. Encostou a ponta ao abdómen da menina e, entre um murmúrio chocado do grupo em torno dela, fez o primeiro corte através da pele e, em seguida, do músculo. Afastou o peritoneu para expor os órgãos da menina. Quando fez isso, o vapor subiu deles para o ar frio de Inverno. Temendo que pudessem ser os maus espíritos a escapar do corpo da criança, o grupo saltou para trás. Uma mulher santa suspirou e desmaiou. A sábia começou um suave lamento. O Vidente ajoelhou-se, assim como os acólitos em torno dele.

— Sim, esta é uma visão sagrada — disse Torgon. — É correcto que venerem Dwr neste momento. Estas coisas sagradas poderão não ser mostradas novamente.

Ela empurrou lentamente os órgãos expostos, em busca de algo semelhante ao que as visões do Poder lhe haviam mostrado. As acólitas, curiosas, não conseguiam manter-se em oração e uma a uma levantaram-se sobre os joelhos para ver o que ela estava a fazer.

— Isto é bom, não é? — perguntou Torgon a um menino que se aproximara.

— Vês como é um pequeno mundo perfeito, mantido no seu próprio universo, oculto de nós? Aqui está o reino do fígado, que é poderoso e tem muitos reinos menores que lhe prestam homenagem. — Empurrou uma parte do fígado para expor a glândula biliar. — Vês? E aqui é o estômago e aqui, todas estas voltas e reviravoltas, são os aliados do reino do estômago. É um grande reino, mas ele e os seus aliados são pacíficos e não interessam muito aos outros reinos, excepto o do sangue. O reino do sangue está interessado em todos! Sempre a querer saber o que está a acontecer, vai para todos os outros reinos e, estupidamente, tenta até vir para nós. — Ela sorriu para o menino e para os outros mais próximos. — Vêem como tudo é exactamente como no nosso mundo? E algures aqui existe um reino como o do Povo Veado. E, tal como o do Povo Veado, este reino também vai assolar todos à sua volta, se não for destruído primeiro.

No meio do emaranhado de intestinos, Torgon deparou com uma saliência avermelhada. O Poder agitou-se com tal intensidade que ela não duvidou que tinha encontrado o que procurava, mas, mesmo sem o auxílio do Poder, Torgon teria reconhecido que estava bastante infectado. Tirando um pouco de fio destinado a fechar a ferida, Torgon amarrou a saliência, interrompendo a sua ligação ao resto do intestino. Então, com um profundo suspiro para acalmar a mão, cortou-o com um golpe rápido.

Torgon examinou o resto dos órgãos expostos, mas não encontrou nada mais, portanto uniu os lados da incisão e suturou-os até a fechar.

— Acabou — murmurou ela e pegou num pano para limpar o punhal. Mesmo no frio da noite de Inverno, a transpiração cobrira a sua testa e ela levantou um braço para a limpar. Com o movimento, uma vertigem terrível dominou-a. Balançou no banco.

Alarmada, uma das santas mulheres correu a ampará-la.

— Estás bem, santa benna?

— Sim, mas estou muito cansada. Preciso de descansar. Vocês, todos vocês, passem o resto da noite em oração. A Loki teve de se deslocar entre os mortos e vocês devem rezar para que Dwr julgue necessário guiá-la de volta para nós. Também devem rezar para que os poderes da sábia tenham mantido os outros espíritos malignos afastados, para que nenhum tenha podido entrar nos reinos do corpo de Loki na minha sombra. E devem rezar por mim, para que Dwr goste do que eu fiz.

Loki acordou dos óleos da morte, mas foi dominada por uma febre e passaram muitos dias antes que soubessem se iria viver ou morrer. Torgon passou a maior parte do tempo a jejuar, a rezar, ajoelhada ao lado do divã da menina, passando as mãos pela incisão uma e outra vez, incitando-a a curar-se.

No oitavo dia, a febre cedeu e Loki olhou para cima, fraca e pálida, mas lúcida. Ao longo das semanas seguintes, a incisão continuou a avermelhar-se

176

ocasionalmente e a cuspir pedaços de fio utilizado na costura, mas a sábia vinha todos os dias aplicar um novo cataplasma e, finalmente, a vermelhidão passou e restou apenas uma cicatriz enrugada, como um golpe de espada.

Antes de a Lua voltar, Loki foi capaz de se levantar e percorrer distâncias curtas, e tornou-se claro que iria curar-se. O pai, agradecido pelo milagre, mandou fazer uma espada de ouro puro para colocar sobre o altar do recinto.

Em seguida teve lugar uma enorme comemoração, uma festa para toda a aldeia, apesar de estarem apenas no quarto mês do Inverno e de a estação do crescimento ainda se encontrar longe. Dwr fizera um grande milagre de cura através da sua encarnação divina. Era próprio que respondessem com um grande júbilo.

Torgon foi trazida nas suas vestes sagradas, o diadema sagrado na cabeça, a espada de ouro na mão. Recebeu o título de «anaka», que significa «grande curandeira», pois tinha ido, tal como os guerreiros anaka, contra o Povo Veado e, como eles, matara os fazedores da guerra. O fogo sagrado foi aceso e um veado e uma corça sacrificados a Dwr. A aldeia festejou três dias e três noites, o fogo sagrado ardeu durante todo esse tempo.

Quando as celebrações terminaram, Torgon retirou-se para o alto sítio sagrado acima da floresta. Fora ali que o Poder lhe viera pela primeira vez, por isso era ali que ela voltava para a contemplação. Levou com ela a oitava lebre, a primeira a sobreviver aos seus esforços para entrar nos reinos do corpo. Mantivera-a viva no recinto com a ideia de a sacrificar a Dwr no alto sítio sagrado quando chegasse o momento adequado. Agora, porém, Torgon percebeu que não seria a coisa certa a fazer. Matá-la em troca do seu conhecimento sagrado parecia inconveniente. Torgon pensou em libertar a criatura para que ela voltasse à sua própria espécie, pois sentia que isso iria honrar Dwr. Mas também pôs de parte essa ideia. Dwr podia sentir--se honrado pelo gesto, mas não a lebre. Depois da vida protegida, do calor e do alimento fácil fornecido no recinto, se se visse agora em liberdade na neve gelada, provavelmente morreria antes de encontrar o seu próprio reino. Colocando a mão sobre a criatura, ela procurou o seu calor através da roupa. O que iria fazer era deixar de comer carne de lebre, mesmo no mês magro, quando a carne de caça era muitas vezes tudo o que havia. Essa seria a sua oferta. Dali em diante, as lebres tornar-se-iam um animal sagrado para ela, tal como a águia e o grande felino.

CAPÍTULO VINTE E DOIS

— O meu orientador era um médico velho muito rabugento chamado Betjeman — disse Laura. — Um excelente professor, mas todos tínhamos um medo de morte dele, porque era muito exigente. Nunca aceitava menos do que o nosso melhor. Nunca nos dava uma abébia. Mas também era muito bom a nutrir talentos.

«Reteve-me depois de um seminário e perguntou-me quais eram os meus planos para o futuro e se eu tencionava especializar-me. Disse que estava interessada em cirurgia geral, que não era uma área por que muitas mulheres se interessassem na altura. Ele assentiu com aprovação e disse: "Essa é uma boa escolha de carreira. Observei a forma como você aborda o seu trabalho e tem uma visão totalmente diferente da maioria dos seus colegas. Você é impressionante, Deighton. Não tenho dúvida de que, se a cirurgia é aquilo que lhe interessa, será capaz de chegar ao cimo da especialidade."

«Fiquei tão orgulhosa ao ouvi-lo dizer aquilo que me atrevi a confessar que tinha um sonho. Lembro-me de dizer que sabia que soava piroso, mas que realmente não queria uma "carreira". Queria ir para o estrangeiro, com o Corpo de Paz ou com uma ONG que oferecesse assistência à saúde, ir para onde não houvesse conhecimentos médicos suficientes, onde não houvesse pessoal treinado para administrar os cuidados básicos. Expliquei que não estava a aprender aquele conhecimento para mim. Queria levá-lo aos outros. Queria transmiti-lo.

— Adorava os meus estudos, mas houve um lado negativo. Passar o dia todo nas aulas e no hospital e a noite a escrever não me deixava tempo para mais nada. Certamente não para uma vida social. Apesar de a mudança para o apartamento me ter dado o tipo de liberdade e solidão que eu quis, não tinha percebido que também me iria afastar completamente das pessoas. Não me importava muito porque nunca me sentia sozinha, mas acho que sabia que me faltava qualquer coisa. Foi provavelmente isso que me tornou tão susceptível ao Alec.

Houve uma pausa. Laura olhou para as suas mãos e examinou as unhas por um momento.

— O Alec era radiologista no hospital onde eu fazia trabalho prático. Alto, muito magro e com um queixo recuado. Nada bonito — disse ela. — Não é o tipo de rapaz por que eu me sentia naturalmente atraída. Calculo que ele tivesse permanecido invisível para mim se não fosse um episódio apalhaçado um dia no refeitório do hospital. Eu tinha acabado de pôr a comida no tabuleiro e estava a levá-la para uma mesa quando consegui tropeçar nos meus atacadores e atirar o espaguete para cima dele. Ouviram-se aplausos e pessoas a gritar: «Boa, Deighton!» Fiquei mortificada, mas o Alec não podia ter sido mais simpático.

«De qualquer forma, iniciou-se aí. Ele ofereceu-se para me comprar um *donut* para me mostrar que não havia ressentimentos e, depois, como costuma acontecer, uma coisa levou à outra.

«O Alec e eu começámos a namorar e a relação começou a crescer. Foi a minha primeira verdadeira relação. Não a brincadeira que eu e o Matt tínhamos partilhado antes. O Alec e eu começámos a abrir--nos um com o outro porque queríamos mesmo saber mais a nosso respeito.

«Foi com o Alec que finalmente me atrevi a fazer sexo de novo — disse Laura. — Achei que tinha chegado o momento de tentar mudar a minha atitude em relação ao sexo, porque sabia que não podia evitá-lo para sempre. Não lhe contei todos os pormenores sobre Steven, mas ele adivinhou, porque também fora um pouco abusado sexualmente no passado. Então, esperei que ele entendesse e fosse sensível. E assim foi.

«Ainda não tinha qualquer prazer associado ao sexo. Apenas dor e ódio. Gostaria de poder dizer que a sensibilidade do Alec resolveu tudo. Pobre Alec. Tentou. Foi muito meigo comigo, mas não era muito bom naquilo. Acho que não tinha muito mais experiência de sexo que eu. A coisa mais importante na sua mente era fazer-me atingir o orgasmo. Assim, não desistia até eu passar também um "bom bocado", como ele dizia. Esfregava, mexia e fuçava interminavelmente, mesmo depois de ele próprio ter atingido o clímax. Eu nem percebi o que ele estava a tentar fazer da primeira vez, pelo que o sexo durou cerca de três horas. Só me apetecia gritar com ele. — Riu com tristeza. — Depois disso, fingia imediatamente para acabar depressa com aquilo.

«De cada vez que tentávamos, a minha mente pairava como um abutre sobre o leito, a olhar-me, como se estivesse fora do meu corpo. Tudo o que eu conseguia pensar era que o sexo é um jogo de poder, que, quando eu o fazia atingir o orgasmo, ele se entregava àquilo e a mim no processo. Depois via o Alec rebolar para o outro lado e adormecer tranquilamente e eu ficava ali horas acordada, a pensar na questão do poder e em quem o tinha, percebendo que provavelmente nunca teria um orgasmo durante o sexo porque não tencionava deixar que alguém me controlasse assim. Percebi que isso era o legado de Steven, mas uma coisa era entender por que estava lá e outra coisa completamente diferente conseguir livrar-me disso.

«Durante um desses períodos de reflexão pós-coito, quando estava a pensar na possibilidade de o sexo não vir a ser uma forma de eu me partilhar verdadeiramente com o Alec, comecei a perguntar-me se haveria algum outro meio de alcançar esse nível de intimidade. Queria realmente experimentar a proximidade com alguém. Foi quando percebi que *havia* uma coisa que era assim tão íntima: Torgon.

— Isso foi uma decisão difícil. Como podia partilhar a Torgon? Ali estava eu, uma estudante de Medicina de vinte e três anos, que ainda tinha uma companheira imaginária. Iria o Alec pensar que eu era louca? Sentir-se-ia repelido e nunca mais me iria querer ver? Ou teria medo de mim, porque eu ouvia vozes? Então pensei: «Nunca haverá outra forma de me partilhar profundamente com outra pessoa sem partilhar a Torgon também.»

«Levei cerca de seis semanas a ganhar coragem. Era fim do Outono. A chuva batia com força nas vidraças. Tínhamos uma boa fogueira a arder na lareira. Elgar tocava na aparelhagem e estávamos a beber umas canecas fumegantes de vinho quente. Eu não estava propriamente bêbeda, mas o vinho suavizara todas as minhas arestas mais ásperas. Não fora capaz de me obrigar realmente a falar da Torgon, mas ofereci ao Alec um par de histórias e deixei-o lê-las enquanto me aconchegava nele e olhava para o lume.

«"Uau!", exclamou Alec quando terminou. Parecia admirado. "És *mesmo* boa escritora! Isto é excelente, Laura. Fazes aquele lugar e aquelas pessoas saltarem da página. Esta mulher *vive*. Li e ela estava ali, à minha frente."

«"A sério? Achas mesmo?", perguntei, profundamente lisonjeada.

«"É incrível. Como inventaste isto tudo?", perguntou ele.

«O vinho já se fazia sentir na altura. Contei-lhe toda a história, desde o início, sobre como a Torgon me tinha aparecido, tudo sobre a Floresta e a sua sociedade complexa, com a sua hierarquia social rígida, religião e leis.

«Alec estava fascinado. Quanto mais eu falava, mais ávido ele se tornava. Fez-me muitas perguntas sobre a forma como eu interpretara a experiência. Tinha eu pensado em termos da minha própria vida? O que aprendera com isso? Tinha-me tornado uma pessoa melhor? Esse tipo de coisas.

«Eu já tinha bebido muito na altura e estava a fazer-se muito tarde, por isso a minha língua começou a funcionar sem o meu cérebro a acompanhar. Contei-lhe que me tinha tornado médica pela Torgon, para adquirir o conhecimento que eu sabia que ela precisava, porque, por alguma forma estranha, isso fazia-me sentir que estava a dar-lho.

«A expressão de Alec era de deslumbramento e reverência. "Tens tanta sorte", disse ele.

«Concordei, porque sabia que tinha.

«Então ele disse: "Achas que se eu lhe perguntasse uma coisa ela falaria comigo?"

«"*Hum?*", fiz eu.

«"Será que ela falava *comigo*?", repetiu, com dicção lenta e precisa, como se eu tivesse uma deficiência auditiva. "Numa dessas ocasiões em que a deixas vir ao presente."

«"Falar contigo? Como poderia ela falar contigo? Alec, ela está na minha imaginação."

«"Não vês que isto é mediunidade?"

«Não percebi o que ele quis dizer.

«"Tenho uns amigos que vais ter de conhecer, Laura. Quando ouvirem falar da Torgon, vão ficar boquiabertos."

«"Amigos?", repeti alarmada. "Alec, ouve, não fales disto a ninguém. Isto *é privado*, pelo amor de Deus! Não compreendes. Levei uma eternidade só para arranjar coragem para te contar!"

«"Não, és tu que não compreendes, Laura. A Torgon é real. Vem através de ti a partir de um plano superior de iluminação e está a dar-te toda esta percepção e autoconhecimento. Foi assim que chegaste a um lugar tão bom com tanta facilidade. E nem percebes o que te está a acontecer. Isso é que é o mais alucinante. Deves ter o dom mais incrível para comunicar! Uma vez que te abras, vais ser outra... bem, não sei... provavelmente como um outro Siddhartha. Por isso, acredita, conheço pessoas que vão *muito* querer conhecer-te."

«Eu sabia que o Alec gostava de coisas New Age. O que primeiro julguei ser uma franqueza maravilhosa em relação aos seus sentimentos era, descobri mais tarde, uma das maneiras de Alec lidar com uma personalidade bastante frágil. Mas nunca teria imaginado que ele iria assumir que Torgon era uma pessoa real. O que eu quisera naquela noite fora simplesmente partilhar a minha fértil e complexa imaginação. O que o Alec queria era uma médium.

Laura fez uma pausa. Olhou para as mãos cruzadas no colo.

— Sabe como a vida tem estes pontos de viragem? — murmurou.

— Estes momentos em que uma «porta desliza» e percebemos que, se tivéssemos feito uma única escolha de outra forma, teria significado toda uma vida diferente...?

Novamente uma pausa. Que se prolongou.

— Esse foi um deles. Naquele momento, vi o Alec por aquilo que ele era. Um falhado, a dizer disparates. Mesmo assim... ignorei isso. Deixei-o convencer-me a conhecer esses «amigos». Na verdade, tenho de admitir, não foi precisa muita persuasão.

Intrigado, James olhou para ela. Laura aconchegara-se na proximidade envolvente da cadeira. Tinha os braços protectoramente sobre o corpo, o que levou James a pensar que ela se sentia em perigo.

— Porque acha que foi isso? — perguntou ele. — Você acredita que a Torgon é apenas parte da sua imaginação. Quase está a zombar do que o Alec acreditou. No entanto, foi fácil ser convencida a conhecer os amigos dele?

— Essa é a pergunta a que sempre volto — disse ela baixinho. — Porque não disse que não?

Fez-se silêncio e James deixou-o arrastar-se porque era mais um silêncio meditabundo do que um silêncio de reticências.

— A verdade, acho, é que eu queria tanto sentir-me especial — respondeu ela por fim. — Queria ser aquela pessoa maravilhosa e mágica que o Alec acreditava que eu era. Uma parte de mim achava que era errado... enganador... mas, ainda assim, parecia inofensivo. E aceitável, porque a iniciativa viera dele, não de mim. Tal como acontece com o Pai Natal quando somos crianças. Sabemos que ele não é real, mas não faz mal fingir. E outras pessoas... pessoas importantes para nós, como os pais... também querem que seja assim. Então, cria-se uma espécie de conspiração, esta sensação de que, se todos acreditarmos em algo que deixa todos felizes, de alguma forma isso anula o facto de ser mentira.

— À primeira vista, o grupo de amigos do Alec era muito parecido comigo. Eram todos jovens, de classe média, cultos. Mas, enquanto eu me voltara para o interior para lidar com os problemas da minha vida, todos eles se tinham voltado para fora à procura de respostas. As suas discussões semanais abrangiam temas variados: coisas New Age, filosofia oriental, religiões imaginadas como o druidismo, intervenção extraterrestre, visitação de anjos.

«O Alec falara-lhes de mim antes de eu lá chegar, portanto não foi como deparar com um grupo de desconhecidos. Eles saudaram-se de forma calorosa e... bem, com alguma reverência. Apertaram-me a mão, segurando-a um instante e olhando-me nos olhos como se estivessem a conhecer uma celebridade.

«Todos pareciam alinhar com a teoria do Alec de que Torgon era um espírito externo de um reino superior que me escolhera para vir e guiar-me pessoalmente até à minha própria iluminação. Acharam engraçado quando Alec lhes contou como Torgon tivera de ser persistente para me levar até eles e como eu ainda agora estava relutante, "sendo arrastada aos pontapés e aos gritos para a Luz", como ele disse. Torgon assumiu uma personalidade tão sábia e encantadora na forma como o Alec a apresentou. Lembro-me de me sentir quente e feliz por saber que ela me "pertencia". Era também agradável, à sua maneira, imaginar que a Torgon realmente pensava em mim de vez em quando e não apenas o inverso.

«Quando fizemos uma pausa para comer e beber, uma jovem aproximou-se e perguntou-me como tudo começara, como fora experienciar a Torgon pela primeira vez. Um homem apareceu ao seu lado e perguntou-me se eu tinha realmente visto a Torgon com os meus olhos. A seguir vieram outras pessoas. Sentei-me no braço de uma poltrona e, quando dei por mim, todos do grupo se haviam sentado aos meus pés.

«Não sou pessoa para falar em público facilmente. Mesmo agora. Mas naquela noite foi diferente. Foi inesperadamente fácil falar com eles. Não eram os maluquinhos que eu esperava que fossem. Eram sinceros e abertos e só queriam saber como tinham sido as minhas experiências. Não analisaram. Não julgaram. Não me denegriram por ter esta coisa impossível na minha cabeça. Só queriam perceber o que fora aquilo para mim, as minhas emoções, as minhas percepções. Qualquer ideia que eu tivesse de fugir um pouco à verdade morreu no decorrer da conversa, porque o que eu lhes disse foi a verdade. Aqueles *eram* os meus sentimentos e as minhas observações. Passara a minha vida inteira a tentar esconder Torgon. Pela primeira vez, as pessoas reagiam como se eu tivesse algo de valor. Senti-me bem. Senti-me aliviada.

— Voltei ao grupo de terça-feira à noite na semana seguinte. Na verdade, comecei a ir regularmente com o Alec. Nunca me ocorrera antes que estava sozinha. Nunca achara tal coisa. Julgava ser realmente feliz com a minha vida de escrita e estudo. A verdade é que, no entanto, eu queria mesmo ter amigos. Só que nunca me permitira pensar muito sobre o quanto, pelo que o grupo das terças à noite abriu um mundo inteiramente novo para mim. — Laura riu-se com expressão desdenhosa. — Só que, é claro, a verdade é que nenhuma daquelas pessoas realmente *me* queria. Queriam a Torgon.

«De início achei estranho toda a gente falar sobre a Torgon como se ela fosse uma pessoa ali na sala connosco... era como reinventar o meu jogo de infância e o de Dena... mas ao fim de algum tempo consegui dominar a vaga sensação de que estava de alguma forma a humilhar a verdadeira Torgon. Isso era uma ideia idiota. A Torgon era apenas uma criação da minha própria imaginação, portanto como podia eu estar a humilhá-la? Certo?

«Então... — Laura hesitou. Olhou para James, estabeleceu contacto visual momentâneo, desviou o olhar e esboçou um sorriso embaraçado. — Então, foi assim que comecei a ser médium.

— Ou seja? — perguntou James.

— Ou seja, que em breve eu estava a dizer coisas como: a Torgon diz-me isto assim e assim.

— Então a Torgon passou de uma experiência imaginária para uma figura pública?

Laura anuiu, embaraçada.

184

— Gostava de poder dizer que me senti mal com isso ou que me fez ter pensamentos muito profundos e filosóficos sobre as consequências do logro, mas não foi o que aconteceu. Não me via a aproveitar-me deles. Eram todos pessoas vulneráveis de uma forma ou de outra e eu realmente queria ajudá-los. Lidar com a vida parecia ser muito mais natural para mim do que para qualquer outra pessoa ali presente. Limitei-me a fazer sugestões do senso comum. Mas, se tivesse sido apenas eu a dizer aquelas coisas, ninguém teria prestado atenção. No entanto, se eu dissesse que a Torgon achava que elas deviam tentar algo, as pessoas levavam sempre as sugestões a sério. E as sugestões *ajudaram*. Eu estava de facto a fazer algo positivo.

— Então, sentiu que utilizar a Torgon dessa forma era benéfico para os outros? Acha que houve outros factores a influenciar a sua decisão de fazer isso? — quis saber James.

Laura fez uma careta.

— Sim. Gostava de ser amada. De ser especial. — Ficou com lágrimas nos olhos.

— Isso traz à tona sentimentos fortes? — perguntou James delicadamente.

— É difícil explicar como me senti importante — disse ela baixinho. — Parece uma razão egoísta para fazer algo tão enganador... Mas era como estar com a Pamela na quarta classe. Só que desta vez eu *era* a Pamela. Isso sabia muito bem.

— É compreensível.

— No entanto, depois de começar não consegui parar. Não podia simplesmente decidir na semana seguinte que não queria falar sobre a Torgon. E foi só uma questão de semanas até que o grupo das terças à noite se metamorfoseasse no meu grupo... o grupo da *Laura*... as pessoas chamavam-lhe mesmo isso. Começaram a aparecer novas pessoas só para me ver. Eu *adorava*. Pensei: «Que diferença faz se eu disser que os conselhos vêm da Torgon?» *Eu* era a Torgon, portanto, não era como se estivesse a aproveitar-me de algo que não era meu. E *estava* a ajudar as pessoas. Nem sequer lhes cobrava dinheiro. Isso pareceu-me uma atitude nobre... mais ou menos...

«No entanto, a minha relação com o Alec ficou estranha. Ele estava fascinado com aquela coisa do espírito-guia. Andava obcecado com a Torgon ao ponto de falar sobre ela continuamente como se ela estivesse mesmo connosco, e adoptou toda a terminologia reverencial e as posturas que as pessoas no mundo da Torgon usavam com ela. Sinceramente, ele parecia um lunático. Acabámos tudo, finalmente, para grande alívio de ambos, desconfio, porque o que ele realmente queria era a Torgon, não eu. Dessa forma, ele podia ser apenas um do grupo e falar só com ela.

— E a «verdadeira» Torgon? — perguntou James. — Ainda estava a experienciar a Torgon original enquanto a Torgon-o-espírito-guia ganhava forma?

Laura recostou-se na poltrona e ficou pensativa.

— Percebo agora que a Torgon que me sustentou durante tanto tempo estava a começar a desaparecer nessa altura — respondeu. — De forma muito subtil. Só percebi isso depois. Mas, à medida que fiquei cada vez mais envolvida no grupo da terça à noite, a verdadeira Torgon tornou-se menos viva.

«Então, os acontecimentos tomaram um novo rumo. Cerca de dois meses depois de eu me juntar ao grupo das terças à noite, um membro chamado Robin, uma artista, pediu-me para almoçar em sua casa no sábado seguinte. Falou-me do seu espírito-guia, um personagem chamado "Dobbin". Ela queria o meu conselho para tornar mais coerentes as suas mensagens, pois, por aquilo que me estava a dizer, parecia que a maioria delas era proferida ao acaso.

«Então, de repente, ela pergunta-me: "O Alec já tratou de tudo para ires conhecer o Profeta?"

«O Alec nunca me dissera nada sobre nenhum profeta. Quando disse que não, ela respondeu enigmaticamente: "Não duvido que sejas chamada em breve."

«Até àquele momento, eu nunca tinha ouvido falar naquela pessoa, mas sabe como é quando ganhamos consciência de uma coisa. De repente, toda a gente falava nele.

«Chamava-se Fergus McIndoe, mas nunca ninguém o tratava pelo nome. Era apenas "o Profeta". Rezava a história que, aos vinte anos, abandonara a universidade e fora "encontrar-se" na Índia. Lá, com todos os místicos, iogues e outros, aprendeu a "abrir a sua consciência" e a comunicar com uma variedade de seres superiores, que, como eram pura energia e dispensavam a necessidade de corpos físicos, lhe apareciam apenas como auras. Então referia-se a eles como "as Vozes". Quando voltou para a área de Boston, estabeleceu-se como médium bem-sucedido e desde então dedicava a sua vida a transmitir a sabedoria das Vozes.

«Sentia-me desesperada por conhecê-lo. Sabendo que as minhas "capacidades" eram um pouco falsas, fiquei muito curiosa sobre as dele. Estava também interessada em descobrir se ele seria capaz de detectar o que eu estava a fazer. Iríamos desmascarar-nos? Ou haveria uma espécie de Círculo Mágico para médiuns, como há para os ilusionistas, onde nunca se contava como se faziam os truques?

«Mas o tipo não estava apenas a ganhar alguns dólares com os crédulos. Também previra um grande conflito humano, no qual apenas os seres mais evoluídos sobreviveriam. As Vozes, naturalmente, sabiam quem seriam os escolhidos e tinham decretado que o Profeta fora escolhido para ser o líder espiritual da América do Norte e que iria orientar as pessoas nesses tempos sombrios. Depois, iria levá-los a criar um mundo novo, conhecido como a Nova Atlântida.

Laura soltou uma gargalhada.

— Eu sei que parece ridículo. Mas sabe como começam esses cultos. Basta um maluco carismático a pregar que o fim está próximo e pronto.

«De qualquer forma, não me incomodava nada que o Profeta tivesse essas ideias estranhas, grandiosas. Quando muito, elas faziam-no parecer exótico e enigmático, mais como alguém do mundo da Torgon do que do nosso. Eu queria muito conhecê-lo. Também sabia que iria um dia precisar do seu apoio se quisesse continuar a usar os meus "poderes" no grupo.

«Apesar da previsão da Robin, no entanto, o Profeta nunca tentou contactar-me. Segundo pessoas do grupo das terças, ele tendia apenas a aparecer de forma inesperada de vez em quando e isso era o que, sem dúvida, iria acontecer, mas eu já lá ia há quase três meses nessa altura e ele ainda não aparecera. Nem me apareceu de outra maneira. Não havia o menor indício de que ele estava ciente da minha existência.

«No fim, decidi que, se a montanha não vinha a Maomé, Maomé teria de ir à montanha. Depois de investigar um pouco, descobri que o Profeta usava uma sala privada num *health club* exclusivo perto do centro da cidade para fazer leituras psíquicas. Então liguei a marcar uma consulta. Tive de esperar três semanas. Além disso, o que ele cobrava por uma leitura de quinze minutos chegava para pagar a minha comida durante duas semanas.

«Não queria que ninguém do grupo das terças soubesse o que eu planeava fazer, certamente não o Alec, e não queria dar ao Profeta qualquer vantagem, portanto fiz a marcação em nome da Tiffany em vez de no meu. Depois esperei, curiosa. E curiosamente animada.

«Quando cheguei ao *health club*, lembro-me de ter sido cumprimentada de forma muito cortês pela jovem recepcionista. Até me lembro do que ela vestia: uma roupa azul e branca que a fazia parecer uma hospedeira. Conduziu-me através da área onde estavam todos os pesos e, em seguida, abriu uma porta para uma escada. "Por ali", disse, apontando para baixo enquanto permanecia no patamar. Lembro-me de me sentir inesperadamente nervosa e de desejar que ela fosse comigo.

«Ao fundo das escadas havia uma grande sala com um tecto baixo e paredes de estuque. O chão estava coberto por um tapete felpudo de um verde surpreendente. O *health club* era construído numa encosta, por isso, apesar de eu ter entrado pelo nível da rua lá em cima e descido as escadas, aquela sala ficava ao nível do solo nas traseiras. A luz do final da tarde entrava oblíqua pelas janelas do chão ao tecto desse lado e dava ao tapete uma vitalidade vibrante, como se fosse erva real, mas, ao mesmo tempo, fazia o resto da sala parecer atarracado por causa do tecto baixo. A sala estava completamente vazia, excepto no canto mais distante, afastado das janelas. Ali, o Profeta encontrava-se sentado atrás de uma mesa de aparência frágil. A única outra peça de mobiliário era uma cadeira à sua frente para o cliente.

«Ele permaneceu sentado atrás da mesa e apercebi-me de que conseguia avaliar-me mais facilmente quando atravessei o vasto espaço do que eu a ele. Tentei mostrar-me confiante. Ele observava-me atentamente. Vi-o a observar-me.

«Quando cheguei à mesa, ele levantou-se e estendeu a mão para apertar a minha. Com um nome como Fergus, eu estava à espera de um celta alto, de cabelo ruivo, uma espécie de William Wallace ou Rob Roy. Na verdade, ele não era mais alto do que eu e parecia-me latino. Caracóis negros soltos caíam sobre a sua gola e uma barba de dois ou três dias conferia uma virilidade rebelde às suas feições. Vestia roupas cremes, tipo safari, daquelas cheias de bolsos, e isso, a juntar ao seu cabelo desgrenhado e elegante ar moreno, dava-lhe uma aura de Che Guevara. Um Che Guevara muito atraente, devo acrescentar. Ouvira falar tanto do Profeta e ninguém tinha mencionado que era lindo de morrer, mas era. Perdi a concentração.

«O encanto estava nos seus olhos. Eram escuros e profundos e tinham uma vitalidade magnética que lhe permitia sem esforço imobilizar-nos. De forma muito suave. Só depois percebíamos que ele tinha minado a nossa vontade.

«"Olá", disse ele numa voz suave e doce. Apertou a minha mão com firmeza. Depois sentou-se e indicou-me com um gesto que fizesse o mesmo. Cruzando os braços sobre a mesa, inclinou-se para mim. "Então, em que posso ajudá-la?"

Laura sorriu.

— Perdi a fala. Não é um grande exagero dizer que foi amor à primeira vista. Só conseguia concentrar-me naqueles olhos castanhos, tão escuros que pareciam negros com aquela luz fraca. Era fácil perceber por que razão tantas mulheres largavam tanto dinheiro para ter quinze minutos da sua atenção. Duas semanas de comida nada significavam comparativamente.

«Ele não se mostrou perturbado com o meu silêncio. Limitou-se a perguntar de novo com uma lentidão quase hipnótica: "Em que posso ajudá-la?"

«"Queria apenas vê-lo", respondi.

«Ele assentiu com a cabeça e sorriu. "Muito bem. E porquê? Há algo de que gostaria de falar." Isto não foi uma pergunta. Ele ainda estudava atentamente o meu rosto. Apercebi-me do demorado contacto visual e achei difícil mantê-lo. Baixei a cabeça.

«"Tem um problema e gostaria de ajuda?", perguntou docemente. Sorriu, mas manteve o olhar firme.

«Não conseguia olhar para ele. Não era capaz de organizar os meus pensamentos, o que era uma sensação estranha. Eles estavam lá, mas eu não conseguia ordená-los de forma coerente. Tudo o que conseguia pensar era que ele era *mesmo* bonito, masculino e, estranhamente, cheirava muito bem. Não era perfume. Nem loção pós-barbear ou qualquer coisa do género. Era apenas o seu odor quente masculino.

«Ele colocou as mãos, voltadas para cima, na mesa. "Vá, dê-me as suas mãos."

«Estendi-as. Tomando-as nas suas, o Profeta manteve as palmas abertas e observou-as antes de fechar lentamente os dedos sobre elas. A sua pele era surpreendentemente quente. "Você vai ser famosa", disse ele, ainda a olhar para as suas mãos que seguravam as minhas. "Você vai ser mesmo muito famosa."

«Aquilo quebrou o encanto, porque desatei a rir. "Que bela frase de engate para um médium", pensei.

«O Profeta olhou para mim com surpresa. "Estou enganado?" Parecia um pouco surpreendido. "Não posso estar. Leio-o de forma muito intensa. Então já é famosa?"

«"Nem por isso."

«"Ah, mas vai ser." Ele tinha recuperado a sua confiança. "Tenho a sensação de que muitas pessoas sabem quem é. Valores de comunicação muito fortes. Na televisão, talvez? Porque sinto que comunica com milhões de pessoas."

«Retirando as mãos, endireitei-me e sorri. "Aposto que diz isso a todas as raparigas."

«Foi a sua vez de rir, então, e ele fê-lo com gosto. "Ah, uma céptica." Riu de novo. "Adoro o seu género." Então, de repente, a meio do riso, parou. O seu olhar tornou-se mais intenso. Vasculhou o meu rosto.

«Desta vez mantive o contacto visual. Lembrei-me da Torgon. *Há pequenas necessidades que devem aprender-se, dissera o Vidente, para que os outros possam reconhecer que és santa. Nunca desvies primeiro o olhar. Baixar os olhos é para aqueles menores que tu.*

«"Você não é quem diz que é", declarou o Profeta com uma voz calma.

«Sustive o seu olhar.

«Os olhos dele semicerraram-se, como se tentasse ver-me a uma grande distância. "Quem é você?"

«O seu olhar tornou-se tão intenso que comecei a sentir-me estranhamente pouco à vontade. À luz ténue daquele canto da sala, os olhos dele pareciam completamente pretos.

«"Quem é você?", perguntou de novo, a sua voz quase inaudível. "Sinto a presença de outro. A brilhar à sua volta. A envolvê-la na sua luz. Tornando-se você... tornando-se separada... tornando-se você."

«De imediato, pensei: "Ele está a ver a Torgon", e tive uma sensação muito estranha, como fragmentos de gelo a caírem dentro do meu corpo. Estremeci fisicamente. "Sou a Laura", sussurrei.

«Quando eu disse aquilo, o Profeta inclinou-se para a frente de surpresa e a sua cadeira bateu na mesa, quebrando o momento estranho.

«"*Você é* a Laura?", perguntou com indisfarçável surpresa, a sua voz doce tornando-se rouca de espanto. "*É a Laura? Oh, meu Deus, a sério? A amiga do Alec?*"

«"Sim."

«Endireitando-se na cadeira, curvou os ombros numa expressão de descrença absoluta. "Porque não soube?", gritou. "Merda! Estou à sua espera há tanto tempo. *Merda*. Meu Deus. Não sei o que dizer!"

«Eu também não sabia o que dizer, mas por outro motivo. Como podia ele ter detectado a Torgon? O que estava a fazer? Os minutos anteriores tinham sido tão intensos e tão estranhos que eu não conseguia aceitar aquela leveza súbita.

«Ele esboçou um enorme sorriso.

«"Tenho estado à sua espera."

«"O que é que quer dizer?", perguntei.

«"Eu *sabia* que você era a tal. Disseram-me que seria. Disseram que, quando a chamasse, você viria."

«"Quem lhe disse?"

«"As Vozes."

«Confusa, limitei-me a olhar para ele.

«"Eu trouxe-a cá, Laura. Chamei-a. Pode pensar que veio de sua livre vontade, mas eu chamei-a com a minha mente. E você veio porque me ouviu."

«Fiquei em silêncio. O que podia eu dizer? Não sabia. Nem sequer sabia o que dizer a mim própria naquele momento. Levantei-me e disse: "Tenho de ir." Pegando na mala, comecei a tirar o dinheiro para pagar a sessão.

«"Oh, não, não, não", disse ele, recusando o dinheiro. "Fique lá com isso. Nunca aceitaria dinheiro seu." Sorriu conscientemente.

«Ainda sem palavras, apertei-lhe a mão, depois virei-me e dirigi-me para a porta.

«"Ah, e Laura?", disse ele.

«Fiz uma pausa e virei-me para ele.

«"Você *vai* ser famosa."

CAPÍTULO VINTE E TRÊS

Depois de a sessão terminar e de Laura ter saído, James foi até ao arquivo e abriu a gaveta inferior. Era fácil ver como a atracção da atenção e dos amigos da vida real fora demasiado para aquela rapariga solitária e isolada e Torgon-a-companheira-imaginária começou a desaparecer nas sombras de Torgon-o-espírito-guia.

James estava curioso, no entanto, a respeito da «verdadeira» Torgon. Laura ainda continuava a escrever sobre ela, mesmo enquanto comunicava com a falsa Torgon. Ele folheou o dossiê grosso de histórias, cada uma cuidadosamente datada, para ver quais correspondiam ao ano em que Laura tinha vinte e três anos.

— *Quatro voltas da Lua e não falei contigo uma única vez* — *disse Mogri.*

Inclinando-se para a frente, apoiando os cotovelos nos joelhos, Torgon cobriu o rosto com as mãos.

— *Sinto muito, mas não tenho estado bem.*

— *Sim, isso já percebi. Tem havido a doença de Inverno entre vocês no recinto?*

— *Não, é o velho. Caiu num sono mortal. O seu espírito abandonou o seu corpo para habitar entre os mortos há algumas semanas, mas o seu corpo recusou-se a segui-lo. Ele deve ser limpo e alimentado como um bebé, mas não há nenhuma recompensa por isso. Ele nunca acorda.*

— *Com certeza tu não fazes essas coisas* — *disse Mogri.* — *E as mulheres santas?*

— *Elas fazem a maior parte, mas todas as tarefas sagradas dele recaem em mim. Devo ser agora Vidente e* benna. *E sinto que Dwr quer que eu passe algum tempo na presença do velho, portanto levo-lhe a comida.*

— Lembras-te do Velho Avô? — perguntou Mogri. — Foi a mesma coisa com ele. Ele também caiu num sono mortal e o seu corpo seguiu-o algum tempo depois de sua livre vontade. Consola-te entretanto com pensamentos de Ansel, pois agora a sua vinda já está para breve.

Mogri olhou para ela e sorriu.

— E ele foi abençoado com uma aparência tão viril, Torgon. És uma sortuda! Preenche o teu tempo com sonhos de como ele irá tocar-te. Eu sei que o faria, com certeza!

Ao ouvir aquilo, Torgon sorriu. Cruzando os braços sobre os joelhos, descansou a cabeça sobre eles.

— Olha como pareces cansada — disse Mogri, e levantou a mão para fazer uma festa no cabelo da irmã.

— Achas que é cansaço? Ou que pareço simplesmente velha? — perguntou Torgon. — Isso preocupa-me. Já completei vinte e nove Verões, Mogri. Já não sou nova. Olha. Apareceram-me rugas na testa. — Inclinou-se para mostrar a Mogri. — Desperdicei todos os anos da minha juventude neste pai idoso. Receio agora que Ansel não vá querer-me para sua companheira sagrada. Ele é bonito e talvez não queira alguém cuja aparência não iguale a sua.

— Eu não me preocuparia. És graciosa e, pelo que ouvi, Ansel deita-se alegremente com quem estiver disposta. E mesmo com algumas que não estão.

— Ouvi o mesmo, mas isso é apenas a febre do cio, Mogri. Falo da união sagrada. Uma vez feita, não pode ser desfeita. Ele não irá para a cama com outras então.

— Ele esperou mais tempo que tu para casar. Na sua idade, não vai querer juventude de ti. Vai apenas querer uma mãe para os seus filhos. — Sorriu outra vez. — Pensa só nos seus caracóis encantadores e na barba. E nas muitas crianças bonitas que ele te dará. A família dele procria bem. Sem dúvida, a sua raiz de homem é tão bonita como o seu rosto.

Baixando a cabeça, Torgon assentiu.

— Pobre querida. Ouve, queres que te anime com as minhas novidades?

— Sim. Sim, claro. Desculpa não ter perguntado. Então diz-me o que está a acontecer em casa.

— As minhas perspectivas não são tão grandiosas como as tuas — respondeu Mogri. — Nunca me deitarei com alguém sagrado, mas não me saí mal. Carrego a criança de Tadem.

Torgon levantou a cabeça abruptamente.

— Não acredito nisso. O quê? A minha irmã mais nova? Oh, agora sinto-me velha, Mogri. A seguir vou ficar com cabelos brancos. — Torgon bateu no ombro da irmã na brincadeira. — Então para quando está planeado o casamento?

— Para o mês das flores. A família do Tadem não quis aceitar-me até saber que eu incharia. Agora o bebé nasce no Verão, portanto a festa de casamento está marcada.

Sorrindo, Torgon inclinou-se para abraçar a irmã.

— Estou tão feliz por ti. Alegra-me muito saber que estás feliz.

— As coisas também podem mudar para ti — disse Mogri. — Faltam dois meses para o casamento. Talvez seja o Ansel que vá realizar os nossos ritos. Quem sabe? Talvez tenhamos ambas bebés.

No mês da primeira sementeira, Torgon foi alimentar o Vidente. A noite estava clara com uma lua cheia, portanto ela não levou uma vela. Entrou na escuridão da cela privada dele e à luz do luar viu-o deitado na sua cama, a boca aberta, na morte.

O alívio inundou-a com lágrimas. Limpou-as com a ponta dos dedos. «O quê? Achas que choro por ti? Não, velho. Ensinaste-me melhor do que isso. Choro de alegria. Choro por mim...» Estendendo o braço, acariciou delicadamente a sua mão fria e, através do luar, as lágrimas nos seus dedos deixaram rastos brilhantes na sua pele envelhecida.

Os acólitos foram mandados para casa para o período de luto e as mulheres da pira vieram lavar o corpo do Vidente. Depois disso, Torgon ficou sozinha no recinto. Ajoelhada ao lado do corpo colocado sobre as lajes de pedra na sala do altar, derramou os óleos da morte e ungiu-o, depois disse as orações de intercessão, para que ele pudesse viajar em segurança e encontrar a paz entre os mortos.

Torgon nunca vira Ansel, o filho dele. Como nascera entre os trabalhadores, não pudera falar com ele ou olhar para ele naqueles anos antes do seu chamamento. Agora, porém, as coisas eram muito diferentes. Os seus papéis tinham sido invertidos. Embora ele fosse sagrado, o chamamento divino era dela. Ele seria o noviço no recinto, embora Torgon soubesse que ele nunca seria o inocente com saudades de casa que ela fora. Destinado desde o nascimento a tomar as vestes sagradas, ele fora criado no recinto, recebendo uma educação especial à parte dos outros acólitos, e iniciado nos caminhos da santidade antes mesmo dos seus ritos de masculinidade. Além disso, Ansel já não era jovem. O pai vivera tantos anos que Ansel passara a maior parte da sua vida adulta entre os guerreiros e, diriam alguns, tivera de esperar demasiado para assumir o cargo que lhe era devido.

A investidura teve lugar no décimo sexto dia do mês da primeira sementeira, quando o Inverno se desvanecera e o mundo começava a esverdear com a

Primavera. Era um mês difícil para festas abundantes, as despensas estavam vazias e as colheitas ainda eram semente. Dois bezerros não muito crescidos foram assados para a festa e Torgon sacrificou um cervo de doze pontas em honra de Ansel.

Quando a cerimónia estava no auge, ela levou-lhe o manto sagrado e colocou-lhe a tiara dourada na cabeça. Era a primeira vez que estavam frente a frente e os olhos dele deviam ter olhado modestamente para baixo diante da divina benna. *Mas não foi assim. Quando ela parou diante dele, ele olhou-a no rosto e sorriu, a sua expressão casual e íntima, como se sempre tivessem sido amantes secretos. As faces de Torgon coraram com medo de que os anciãos vissem o seu olhar e pensassem que podia ser verdade. E no entanto... Enfrentou o olhar dele. Seria indecoroso não o fazer. No fim, não pôde deixar de sorrir também.*

CAPÍTULO VINTE E QUATRO

— Quando saí do hospital depois do meu seminário na tarde do dia seguinte — disse Laura —, lá estava o Profeta, encostado ao meu carro. Fiquei surpreendida ao vê-lo, para dizer o mínimo. Ele riu e perguntou na brincadeira: «Duvidaste da minha capacidade?»

«Quando muito, parecia mais bonito ali no lusco-fusco da tarde de Inverno. Sabia vestir-se bem. Vestia roupa informal: um casaco de pele de carneiro, camisola de malha e um cachecol muito comprido, mas eram peças caras e elegantes. Os seus caracóis soltos caíam sobre a gola e tinha o rosto vermelho do frio.

«Acho que nunca tinha estado apaixonada antes daquela noite. Gostara bastante do Alec e esperara que o amor se desenvolvesse a partir daí, mas tal não acontecera. Para ser sincera, temia secretamente que o Steven pudesse ter-me estragado de forma permanente e que não fosse capaz de me apaixonar. Então conheci o Fergus e tudo mudou.

«O que era tão incrível, porém, era ele sentir o mesmo por mim. Ali estava ele, encostado ao meu carro no estacionamento do hospital menos de vinte e quatro horas depois do nosso primeiro encontro. Abriu os braços e envolveu-me num abraço reconfortante e senti como se estivesse a voltar para casa. Pressionei o rosto contra o seu casaco e deliciei-me com o seu cheiro maravilhoso, floresta e mar ao mesmo tempo, e pareceu-me a coisa mais certa do mundo ser abraçada por ele. Beijámo-nos, então, pela primeira vez. Ou talvez não fosse a primeira. Quem sabe?

«O segundo beijo foi com uma paixão que eu nunca tinha experimentado. Quase parecia que ele ia devorar-me. Nunca tinha sido beijada assim antes, mas, longe de me sentir surpreendida, desejei que não parasse. O meu corpo respondeu com uma intensidade tão inesperada que, se ele me tivesse pedido que me despisse e fizesse amor com ele ali mesmo no parque de estacionamento do hospital, tenho a certeza de que teria considerado o pedido. A única coisa em que conseguia pensar era: *"É isto mesmo. O Tal. O Príncipe Encantado. Os contos de fadas são realmente verdade."*

«"Vem comigo", disse ele quando nos separámos. "Vamos comer."

«Claro, fui sem hesitar. Entrámos no seu carro e dirigimo-nos ao centro da cidade. Conversámos todo o caminho. O Fergus rebentava de vitalidade. Essa era a sua qualidade mais encantadora: era sempre tão tentadoramente vivo. Era quase como uma espécie de electricidade, a fervilhar e a estalar à volta dele. Não havia nenhuma da estranheza ou da profundidade da noite anterior. Ele falou comigo como se fôssemos bons amigos, como se eu tivesse apenas estado fora numa longa viagem e tivesse finalmente voltado. Quando lhe chamei "Profeta", ele repreendeu-me bem-humorado, dizendo: "Que vem a ser essa tua falsa reverência? Não *és* um dos acólitos." Mesmo com o uso inesperado da palavra "acólito", a minha mente continuou a dar-lhe toda a atenção.

«Fomos a um pequeno restaurante italiano rústico, que parecia retirado de um canto perdido da Sicília, com toalhas aos quadrados vermelhos, velas, uma ária de Verdi a tocar baixinho e a sala a cheirar a pão cozido e azeite.

«Adorava aquela sensação de aconchego e de lhe pertencer, mas ainda me sentia receosa. Só conhecera aquele homem no dia anterior. A certa altura inclinei-me para trás e pestanejei, surpreendida com o que estava a fazer.

«O Fergus era excelente a ler emoções. Arvorou uma expressão compreensiva. "Oh, pobre querida", sussurrou. "Não te lembras de nada disto, pois não?"

«"Não me lembro de quê?", perguntei.

«Ele estendeu as mãos e colocou uma de cada lado do meu rosto. Então inclinou-se sobre a mesa até termos as testas quase encostadas. "Fecha os olhos", murmurou. O seu hálito tocou a minha pele quando falou.

«Pressionando as pontas dos dedos com mais firmeza contra as minhas têmporas, sussurrou: "Fomos evoluindo juntos todas estas eras, tu e eu. Intrinsecamente ligados ao longo de inúmeras vidas. Negrume. Solta os teus pensamentos. Entrega a tua mente ao negrume."

«Com a minha capacidade eidética para visualizar, assim que ele disse as palavras, foi como se veludo preto tivesse caído sobre os meus pensamentos.

«"Aceita as visões que as Vozes te dão", sussurrou ele tão baixinho que mais parecia um sopro do que um som. A sua cabeça tocava na minha. Para as outras pessoas no restaurante, devia parecer que estávamos a rezar. "Lembra-te, lembra-te, lembra-te." A sua voz era hipnótica. "Ainda terás alguma sombra de memória, pois estamos juntos há tanto tempo, tu e eu. Desde o Egipto. Desde Atlântida. Desde o tempo antes das estrelas."

«Estrelas e planetas deslizaram pela escuridão de veludo da minha mente enquanto ele falava. Formaram-se hélices, como os modelos de ADN que eu tinha visto no laboratório da universidade. Um clarão dourado apareceu e depois as máscaras de sarcófagos egípcios.

«"Quase alcançámos a luz, tu e eu", murmurou. "Eu ter-me-ia juntado aos Seres de Luz. Estaria agora entre as Vozes. Mas perdi-te. Recuperei os sentidos e tu tinhas partido..." A sua voz embargou-se pela emoção repentina. "*Tive* de voltar por ti. Para te encontrar. Não podia deixar-te aqui sozinha." Baixou as mãos.

«Quando abri os olhos, vi o seu rosto coberto de lágrimas. Ele sorriu beatificamente. "E agora, finalmente, encontrei-te."

«O que podia eu dizer? Fiquei admirada ao encontrar-me no centro de uma história de amor tão floreada, ainda que dolorosamente romântica. Era tão linda. Enquanto parte de mim achava estranho, uma parte muito mais poderosa de mim desejava-a *e* a ele. Queria tocar-lhe, beijá-lo, fazer amor com ele. Queria isso mais do que qualquer outra coisa naquele momento. Mais do que ser médica. Mais do que Torgon ou a Floresta. Muito mais do que o senso comum. Então, por muito estranhas que fossem as suas ideias, senti alguma coisa nelas. Senti que talvez este momento *estivesse* destinado desde o tempo antes das estrelas.

«Na noite seguinte saímos para jantar novamente. Fergus só me pôde ir buscar às onze, porque tinha leituras a fazer no *health club* até às dez horas.

«Durante todo o dia pensei nele obsessivamente. Qualquer desejo que tivesse de testá-lo ou desmascará-lo tinha desaparecido por completo, assim como qualquer desejo de o enganar a meu respeito. Decidi que ia ser sincera com ele a respeito da Torgon desde o início. Ia descrever a

Torgon exactamente como ela era — a *verdadeira* Torgon — e não a piegas em que ela se transformara para o grupo das terças.

«Fergus estava muito interessado no meu relacionamento com ela. Como é que entrei primeiro em contacto com a Torgon? Como mantivera o contacto? Que informações obtivera dela? Como é que as usava no meu quotidiano? Quando me sentira impelida a partilhar as informações com os outros? Que objectivos definira ela para mim? Que metas mundiais tinha oferecido?

«"Metas mundiais?" A conversa estava já a descontrolar-se muito antes de chegarmos às metas mundiais. Eu estava a tentar ser sincera com ele, a explicar-lhe que a Torgon não era realmente um guia espiritual, mas ele continuava a fazer perguntas ao ponto de se tornar claro que não me ouviu quando eu disse que estava a dar às pessoas os meus conselhos e simplesmente a apresentá-los como sendo de Torgon. Mas metas mundiais? Mesmo nos meus acessos mais férteis de imaginação, as metas mundiais nunca tinham estado envolvidas.

«"Com um dom tão grande como o teu", disse Fergus, "deves começar a pensar assim. É errado guardares tudo para ti quando estás destinada a praticar o bem com isso."

«Protestei e tentei explicar que "usar o meu dom" para ajudar as pessoas infelizes no grupo das terças era praticar bem suficiente.

«"Não, não, não", disse ele e tocou-me carinhosamente no rosto. "Temos coisas muito mais grandiosas a fazer, tu e eu."

«Conversámos durante várias horas naquela noite. Estávamos ainda sentados à mesa do restaurante pela uma da manhã e o dono fazia barulhos óbvios com as chaves. Quando me apercebi de que horas eram, fiquei preocupada porque o meu despertador devia acordar-me dali a apenas quatro horas e meia. Disse ao Fergus que era melhor ir andando e ele disse "não" num tom angustiado e implorou-me que ficasse mais tempo. Embora me sentisse lisonjeada com a sua insistência, estava demasiado cansada e precisava de ir para casa. Quando objectei, no entanto, Fergus não se mostrou muito compreensivo. Disse com desdém que eu estava cansada apenas porque deixava o meu corpo reger a minha mente, mas cedeu e levou-me a casa.

«Escusado será dizer que o meu estágio no hospital no dia seguinte foi infernal e assisti ao seminário da tarde de Betjeman com toda a animação de uma estrela mergulhada em formol. Quando acabou e me preparava para sair, Betjeman deteve-me.

«"Fique mais um pouco, Deighton", disse.

«Pensei: "Oh, meu Deus, não agora, não hoje." Independentemente do que ele tivesse para me dizer, eu estava demasiado cansada.

«Ele fechou a porta da sala e virou-se para mim. "Está com algum problema?", perguntou ele.

«"Não, senhor", respondi, "estou apenas um pouco cansada hoje. Fiquei a pé até muito tarde a noite passada e percebo que não o devia ter feito."

«"Quero dizer de forma mais ampla, Deighton. Algum do brilho parece ter desaparecido do seu trabalho ao longo destes últimos meses. Há algum problema?"

«Senti um aperto no coração. O meu trabalho *tinha* piorado. Com toda a emoção das reuniões das terças e de me juntar a pessoas para falar sobre os conselhos da Torgon, não conseguia estudar tanto como antes. Como nunca tivera qualquer tipo de vida social antes disso, não achei que fosse demais querer divertir-me um pouco. Não pensei que estava a ser excessiva. As coisas iriam sem dúvida acalmar de novo e eu seria capaz de voltar aos meus estudos e pôr em dia o que deixara para trás.

«"Ainda está a pensar em ir para o estrangeiro quando acabar?", perguntou ele.

«"Acho que sim", respondi. Ainda pretendia pôr em prática a ideia de ser médica na selva, mas não estava com tanta pressa de lá chegar como no ano anterior.

«"Estou a perguntar", disse Betjeman, "porque um colega meu na Universidade Johns Hopkins disse-me que haverá uma abertura no programa de cirurgia com o doutor Patel quando você estiver pronta para o seu estágio e, como certamente sabe, o Patel é o melhor. Prefiro ver as pessoas subirem pelo seu mérito, por isso não é minha política fazer recomendações pessoais, mas o seu talento é tão especial, Deighton, que, se estiver interessada, vou sugerir o seu nome."

«Ele fez uma pausa para me observar. "Ainda terá de ser bastante ambiciosa para o conseguir. Mesmo que eu a recomende, haverá muita gente a querer a posição e muitos deles serão tão bons como você." Sorriu. "Mas aposto que nenhum deles é melhor."

«"Obrigada, senhor", respondi.

«"Mas tem de voltar ao ritmo de antes."

«"Sim, senhor."

«Ele olhou para mim com atenção. "Espero que perceba que lhe deram uma oportunidade muito rara na vida, Deighton: um sonho e o talento para o alcançar. Não o desperdice, está bem? Até as melhores oportunidades são inúteis se não se tiver a paixão."

«Saí da sala envergonhada. Betjeman estava certo. Eu tinha perdido de vista os meus objectivos a longo prazo. Fiz um pacto comigo mesma de que iria para casa, teria uma boa noite de sono e, em seguida, começaria a dedicar-me aos livros novamente.

«Para meu espanto, Fergus estava à minha espera de novo no parque de estacionamento do hospital. Abraçou-me calorosamente, beijámo-nos e as minhas boas intenções desvaneceram-se como névoa.

— Nada era pela metade com o Fergus e nada realmente lhe importava a não ser o mundo espiritual e as suas Vozes. Era impossível ter uma conversa com ele sobre futebol ou o enredo de um filme novo. Essas coisas não existiam no seu mundo. E ele não conhecia o significado de «pausa». Nunca deparei com alguém com tanta energia. Era tão vivo que quase parecia incandescente. Emanava dele como uma força e fazia tudo à sua volta parecer um pouco maior, um pouco mais brilhante, um pouco melhor apenas por estar na sua presença. Isso também me afectou. Quando estava com ele, sentia-me mais viva e focada. Em comparação, tudo começou a parecer aborrecido e cinzento quando estávamos separados.

«Naquela noite, ele levou-me para sua casa, uma elegante casa antiga, opulenta, com pavimentos de carvalho escuro, painéis de madeira e mobiliário antigo. Havia tapetes persas e almofadas grandes por toda a parte, dando aos aposentos a aura exuberante de uma cena das *Mil e Uma Noites*.

«"Queres chá?", perguntou, levando-me para a cozinha com ele.

«Quando eu disse que sim, ele virou-se para uma cesta enorme na bancada. Estava cheia de hortelã acabada de cortar, tanta que ele devia tê-la no jardim. Pegou nalguns ramos, pô-los em dois copos altos biselados e encheu os copos com água a ferver da chaleira. A cozinha encheu-se de um odor maravilhoso.

«Nunca tinha bebido chá de menta antes, nunca tinha visto chá feito de outra coisa a não ser de saquetas, e a primeira coisa que me ocorreu foi o chá que a Torgon bebia, feito daquilo a que se chamava "ervas aquáticas" no seu mundo. Sempre achara que "ervas aquáticas" era uma espécie de hortelã. Aquela fusão repentina do mundo da Torgon com o do Fergus fez com que a noite parecesse perfeita. Esqueci-me imediatamente de como estava cansada. Ou que devia estar a estudar. «Ele levou-me para uma pequena sala forrada de livros. Havia uma pequena e requintada lareira a um canto com uma protecção de ferro fundido. Uma secretária moderna de metal preto que parecia completamente fora de sintonia com o resto da decoração encontrava-se do outro lado da sala. No canto da mesa estava uma grande bola de cristal numa base, uma coisa tão bonita que não resisti a tocar-lhe.

«"Vá, anda sentar-te comigo", disse Fergus, instalando-se no meio das almofadas no chão diante da lareira. Os troncos já tinham sido empilhados, então ele inclinou-se para a frente e chegou-lhes um fósforo. O lume acendeu-se com uma chama amarela e devorou os gravetos.

«Quando dei por isso, as suas mãos estavam no meu cabelo e a sua boca com avidez sobre a minha. O aroma do pinho a arder na lareira misturava-se com a frescura aquosa do nosso chá ainda por beber e isso formou o tecido da minha memória naquela noite, esse cheiro a menta e fogo.

«Ele puxou-me cada vez para mais perto. Senti os dedos dele nos botões da sua camisa e a minha mão subiu, também, a abrir agitadamente os meus. Os meus seios ficaram retesados e a sensação dos meus mamilos contra a pele quente, quente, contra os pêlos do seu peito, provocaram-me uns arrepios como eu nunca tinha sentido antes.

«Ele embalou-me, esmagou-me com os lábios e procurou os lugares mais profundos em mim com a língua. Numa única vez, Fergus apagou as carícias desajeitadas de Matt, a inépcia de Alec e até a violência sombria de Steven.

«Depois, ficámos nos braços um do outro num calor agradável. Senti-me muito apaixonada por ele naquele momento. Na minha mente havia também a consciência de que eu nunca pensara que aquele momento de amor me acontecesse. Isso fez-me valorizar Fergus ainda mais. Já sabia que não poderia viver sem ele.

— O dia seguinte seguiu um padrão semelhante: muito trabalho e um enorme cansaço no hospital e no seminário, a seguir excitação ao ver Fergus à minha espera, comida, amor e falar até de madrugada. «Quando estávamos deitados langorosamente depois de fazer amor, expliquei-lhe como Torgon tinha surgido da minha imaginação infantil e que, como consequência, não era o mesmo que as suas Vozes. "Ela não pode vir 'através de mim'", disse, "porque ela *sou* eu."

«"É claro que ela irá passar através de ti, Laura", disse Fergus.

«"Não, é uma experiência diferente para mim. Não é directa, como a que tu tens. Há um aspecto da Torgon que não sou eu, mas acho que isso é a criatividade... criar algo único e vivo de seu próprio direito, algo que tanto é e não é nós próprios... mas que vem de dentro de mim."

«"Apenas não estás ainda suficientemente evoluída, Laura. Hás-de trazê-la através de ti com o tempo. Irás ouvir a voz dela. Estou aqui para te ajudar agora." Ele afastou o cabelo da minha cara. "Desta vez não vou ascender sem ti."

«"Mas a questão é essa, Fergus. *Não* a ouço. A Torgon não fala comigo. Nunca falou. Não pode. Está trancada num universo separado que existe totalmente dentro da minha cabeça."

«"Não achas que isso é tudo o *somos*? O que Deus imaginou? Que somos simplesmente o universo que está totalmente dentro da Sua cabeça? O que são as orações senão falar com Deus?"

«"Não sei. Mas não é isso que estou a tentar dizer. É realmente difícil para mim admitir isto perante ti, Fergus, mas tenho de o fazer. Já estou apaixonada por ti e quero que esta seja uma relação completamente honesta. O que estou a fazer com o grupo das terças... isso nunca foi a Torgon. Nunca. As pessoas no grupo são simpáticas, mas estão a agarrar-se a tudo o que conseguem encontrar porque estão muito confusas e desejosas de aliviar o seu sofrimento. Mas, para ser sincera, Fergus, não precisam da ajuda de seres celestiais. Basta alguém com bom senso e objectividade, alguém que se preocupe com eles. E foi isso que fiz. Como acham que é alguém realmente especial, um guia espiritual, que se preocupa com eles, estão dispostos a tentar. Todo este tempo disse a mim própria que não estou a fazer nada de mal, embora não seja totalmente sincera, porque às vezes acho que o fim não justifica os meios. Mas não quero que *tu* penses que a Torgon estava a fazer tudo isto. A questão é que a Torgon nem sequer sabe que eles existem."

«Fergus abraçou-me com mais força e beijou-me o cabelo. "Claro que és só tu. Não há mal nenhum nisso. Quando estou no *health club*, noventa e nove por cento das pessoas que vejo são inferiores. Não evoluíram de todo. Então vão ter comigo a querer saber coisas como se devem ou não ir para a cama com o motorista. Ou investir num negócio duvidoso. Ou casar com algum imbecil só porque ele tem um iate e uma casa de Verão em Martha's Vineyard. Estas pessoas não querem a iluminação. Querem dinheiro, uma boa queca e unhas de sete centímetros que não se partam. Para elas, não há mais existência do que isso. Então eu arregalo os olhos, balanço um pouco para lhes dar um bom espectáculo, digo-lhes tudo o que sei que querem ouvir e fico-me por aí. Isso fá-las felizes. O dinheiro delas fá-las felizes. E pronto. Isso é errado? Sinto-me culpado? Sou uma fraude? Não. Porque elas não evoluíram, Laura. Não conseguem ver além das dores e prazeres desta vida, portanto vivem como se não houvesse mais nada, como as crianças de dois anos, vivendo no presente porque não têm noção da próxima semana. Essas pessoas não seriam capazes de lidar com o que as Vozes estão realmente a comunicar. É por isso que as Vozes escolheram aparecer a pessoas como tu e eu."

«Ele sorriu. "Vais habituar-te a este paradoxo. Se as pessoas não são evoluídas, se esta não é a sua vida de iluminação, nada do que faças irá trazê-las para a Luz. Cada pessoa tem de fazer essa viagem sozinha. Então tu fazes o que podes para aliviar o seu sofrimento e mais nada. Isso não é errado. Isso não é enganar ninguém. É compaixão."

«Fiquei ali em silêncio a ouvir o bater do seu coração. Finalmente, disse: "Gostava de ter a tua certeza."

CAPÍTULO VINTE E CINCO

James folheou a pasta de histórias até onde tinha deixado Torgon da última vez, sorrindo sedutoramente enquanto ungia Ansel como o novo Vidente.

Quando Ansel chegou pela primeira vez ao recinto como Vidente, Torgon manteve-se distante para que o seu interesse por ele não parecesse inadequado, mas a sua curiosidade fê-la observar discretamente da janela aberta da sua cela.

Ele era bonito. Era alto e viril, os músculos tensos dos ombros sob a camisa de camurça, enquanto carregava as suas coisas. Os seus olhos eram castanhos como a madeira antiga usada para esculpir amuletos, e o seu cabelo era rico e cor de ferrugem, com um leve toque de grisalho, como folhas caídas no Outono, as suas pontas cristalinas da geada. Nos caracóis sobre as orelhas, o cabelo misturava-se com a barba de cor avermelhada, arranjada cuidadosamente ao estilo guerreiro. Era evidente em tudo que nascera santo. Cada movimento tinha elegância, revelando um homem habituado ao seu poder.

Ele começou imediatamente a esvaziar as celas do pai. As portas foram deixadas abertas enquanto ele o fazia, como se não fossem de todo aposentos santos, e ele atirou as coisas do velho sem a menor cerimónia para as lajes de pedra no corredor. Os acólitos e as mulheres santas ainda estavam ausentes, portanto talvez não importasse. Torgon observou em silêncio durante vários minutos. A seguir retirou-se para desempenhar os seus deveres.

Quando a noite se aproximou, Torgon pôs pão e pedaços de queijo curado sobre a mesa e deu a bênção.

Ao entrar na zona das refeições, Ansel olhou para a mesa.

— Não arranjas melhor que isso?

— É comida sagrada. Foi abençoada.

— Sim, talvez abençoada, mas é fria. Há alguma coisa quente? E onde está a carne?

— Não é meu papel preparar refeições — respondeu Torgon.

— Porquê? Não sabes? Não te preparaste para o casamento?

— Sou a divina benna, caso te tenhas esquecido. Não é meu papel preparar a comida.

Ansel encolheu os ombros, despreocupado.

— Não sabes?

— Sim, claro que sei.

— Então deves fazê-lo. Isso não é uma refeição própria para um guerreiro.

— Tu aqui não és um guerreiro.

— Não — respondeu ele —, mas o meu estômago não sabe isso.

— Se quiseres algo diferente, terás de o preparar tu — disse Torgon.

— Eu tenho outras funções.

Ansel olhou para ela e, inesperadamente, desatou a rir.

— Oh, sim! — exclamou. — Estou a ver que me vou divertir em companhia tão espirituosa.

Após a refeição, Torgon recolheu-se nas suas celas. Pretendia passar a noite em meditação, mas as longas semanas de declínio do velho tinham-lhe trazido um enorme cansaço. Deitou-se na cama mesmo sem tirar a roupa e pouco depois estava a dormir.

— Que forma de preguiça é essa ir para a cama tão cedo? Será que o meu pai incentivava a preguiça?

Assustada, Torgon levantou-se de um pulo. Ansel estava à porta da sua cela interior. Não vestia os paramentos sagrados de um Vidente, mas sim o cinto de couro e as calças interiores de camurça que os guerreiros usavam. O seu peito largo estava nu.

— O teu pai ensinou-te a ser mal-educado? Estas são as minhas celas privadas e não preciso de as abrir para ti. Então vai-te embora agora. Não te mandei chamar.

Ele sorriu alegremente.

— És muito rápida a responder. Estou a ver que te atribuíram justamente o título de «anaka» porque és uma pequena guerreira. O meu pai fez bem em escolher-te.

— Eu sou a escolha de Dwr, não do teu pai. Agora vai-te embora.

Ele não se moveu.

— *Vim reclamar os meus direitos sobre ti.*

Torgon afastou-se dele.

— *Não tens direitos sobre mim.*

— *Eu sou o Vidente. Tu és a* benna.

— *Sim, mas ainda não observámos as leis sagradas. Não fizemos nenhuma oferta a Dwr. Não fomos juntos para o alto sítio sagrado. E os acólitos estão ainda ausentes, portanto ainda tens de receber o cálice sagrado.*

— *Isso são apenas costumes tolos, Torgon. Estamos sozinhos aqui, tu e eu. Não é precisa tanta tolice entre nós.*

— *O teu pai foi negligente a dar-te com o cajado. Pareces achar-te acima das leis sagradas.*

Ansel levantou uma sobrancelha.

— *Quem és tu para falar comigo sobre as leis sagradas? Encontras-te em segredo com a tua irmã quando sabes bem que estás proibida de a ver.* Sei que *fazes isso. Não sou o velho que era meu pai. Mantenho-me a par da localização das minhas mulheres.*

— Não *sou a tua mulher. Sou a divina* benna *e devias não esquecer isso. Agora vai-te embora. Recuso-me a deitar-me contigo neste momento, pois quero ter a bênção de Dwr naquilo que faço.*

Em vez disso, ele começou a desatar o cinto.

— *Será que não gostas dos modos dos homens? Certamente que não. Seria uma pena em alguém tão belo como tu. Não. Acho que é apenas inexperiência. Contigo só se deitaram velhos avôs e rapazes imaturos.* — *Deixou cair o cinto para revelar o seu bojo sob as calças.* — *Mas vês quão alta se eleva a espada deste guerreiro? Anda. Está na altura de conheceres um verdadeiro homem.*

— *Isto é profano, Ansel. Não tivemos a bênção de Dwr e eu* não *vou deitar-me contigo.* Recuso. *Não seguimos a santa lei.*

— *Cala-te com a santa lei!* — *exclamou ele, a sua voz revelando raiva.* — *Santidade! É só disso que falas. Não percebes que só és a* benna *porque o meu pai te escolheu?*

— *Sou a* benna *porque* Dwr *me escolheu. O teu pai era apenas o recipiente que ele escolheu.*

— *Achas que é assim? Dwr e todas essas leis sagradas? Não acreditas nelas, pois não?* — *perguntou, num tom incrédulo.* — *A santidade é apenas uma canção de embalar para os trabalhadores e nada mais. Assim como as guardadoras de gansos cantam às suas aves para as manter calmas.*

Os olhos de Torgon arregalaram-se.

— *De todas as pessoas, devias saber a verdade disto. Que possibilidade existe de o meu pai ter tido visões da filha de um trabalhador? Se as visões fossem reais, a* benna *não seria uma mulher decente e bem-criada? Mais adequada para o papel do santo ofício? Mas não há nada lá fora no céu, excepto escuridão. E tu foste apenas a escolha do meu pai. Melhor dizendo, a escolha foi minha.*

— Blasfemo!

Ansel encolheu os ombros com indiferença.

— *Não leves a mal. Deram-te uma oportunidade inestimável para deixar a casta dos trabalhadores para trás e fundar uma nova linhagem de sangue que será elevada e santa. Que coisa mais doce poderia eu dar-te como presente de noivado?*

«Quando o meu pai veio ter comigo e disse: "Temos de decidir entre nós quem irás ter quando for a tua hora de vestir o manto sagrado", eu respondi que não era esquisito. "Tudo o que me importa", declarei, "é que ela seja bela de cara, porque terei de viver com ela e não desejo começar cada novo dia a olhar para uma mulher feia." Considerámos a questão e ele disse-me: "O que achas de Argot, cujo pai é um guerreiro benita? *Ela é de sangue excelente e também calma e bem-educada. A tua mãe era assim e isso é uma bênção numa mulher." Mas eu respondi: "Não, a Argot não é suficientemente graciosa para mim." Então ele disse: "E a Marit? O avô dela tem o sangue real do Povo Urso nas suas veias." E eu disse: "Não, já me deitei com a Marit e acho os seus seios muito pequenos. Não vão alimentar os filhos fortes que terei da minha mulher." Então, finalmente declarei: "Quem eu desejo é a Torgon, a filha do trabalhador, pois para mim ela é mais bela do que qualquer outra. Tem ancas largas para ter os filhos fortes que um guerreiro merece. E bons seios, pois já a vi a nadar com a irmã." O meu pai ficou zangado. Disse: "A filha de um* trabalhador? *Aqui? A viver no recinto sagrado? Ela será ordinária e temperamental e provavelmente terá pulgas."*

— Pulgas? — *gritou Torgon.* — *Nós somos tão limpos como vocês, ó santo. Mais limpos, até! Pois passei anos a cheirar as fedorentas calças interiores do teu pai!*

Ansel riu com gosto.

— *Sim, bem, eu disse-lhe que não me importava com as pulgas. Os meus cães têm pulgas e um guerreiro tem muitas vezes de dormir entre os seus cães.*

— *És um homem realmente mau. Vai-te embora. Agora. Ordeno-te.*

— *Sim, bem, já estou farto de tanta conversa.*

— *Conversa é tudo o que terás de mim. O teu pai era velho, o seu hálito fedia e deitava-se comigo com a inépcia de uma tartaruga, mas pelo menos era um homem santo. Agora vejo que, apesar da tua pele bonita, nunca serás igual a ele. Não penses que me deitarei contigo. Vai-te embora. Deixa este lugar esta noite e volta a viver com os teus cães.*

— Chega de conversa, já disse. — Ele deu um passo na direcção dela. Torgon recuou, mas ele foi mais rápido. Com a velocidade praticada de um caçador, esticou uma mão e agarrou-lhe o cabelo. Num movimento ágil, puxou-a para ele.

«Gosto muito de ti — disse ele, atraindo-a contra o seu corpo. Não lhe largou o cabelo, puxando-o apenas o suficiente para magoar. — Preferia que viesses ter comigo de tua livre vontade, já que é a nossa primeira vez, mas pouco me importa que assim não seja. — Ele sorriu, mostrando uma fila de dentes brancos, regulares. — Ainda és mais bela quando estás zangada e tenciono deixar-te com uma criança esta noite, para que o teu espírito irritado possa fazer dele um poderoso guerreiro. — E, assim, Ansel pressionou a sua boca com força sobre a dela.

Torgon deixou de lutar. De nada serviria. Iria apenas magoar-se e para quê? Então, quando Ansel a empurrou para a cama, ela foi.

Isso agradou-lhe. Sorriu com deleite infantil. Soltando as correias que seguravam o seu pequeno punhal de guerreiro, pousou-o na mesa ao lado da cama. Depois desfez o laço das suas calças interiores. Ocorreu a Torgon enquanto observava o seu rosto sorridente que ele realmente a desejava. Isso entristeceu-a, porque também ela tinha sonhado muito com aquele momento. Mas não assim.

Ele não foi bruto. Não reclamou vitória sobre ela. Na verdade, Torgon duvidava que ele percebesse que tinha havido uma vitória. Estava tão habituado à forma como os guerreiros tomavam o que queriam que a resistência era de pouca importância para ele. Agora, era todo sorrisos e toques suaves, como se nada tivesse acontecido antes.

Ansel era experiente naquela arte viril. Sorriu-lhe e tocou-lhe na face, passando os polegares ao longo das maçãs do seu rosto. Sentiu um prazer indisfarçável na forma redonda dos seus seios, agarrando-lhes individualmente e admirando-os em seguida, levando a boca ao mamilo como se fosse um bebé a mamar. Passando as mãos por ambos os lados do seu tronco, sentiu os músculos, sorriu e sentiu-os novamente.

— És forte e magra como um grande felino — disse ele alegremente, como se o seu corpo de trabalhadora fosse preferível à suavidade arredondada de uma mulher bem-nascida. Na verdade, chegou mesmo a dizer: — Não podia pedir alguém mais bonito que tu. — A seguir, abriu-lhe as pernas e admirou ainda mais o que tinha conquistado.

209

Torgon não resistiu. Antes de ter sido chamada para a vida santa, não teria sido capaz de aguentar aquilo. Teria lutado ou chorado ou, pelo menos, tido os músculos demasiado apertados para o acasalamento, mas dez anos como benna *tinham-lhe ensinado muito sobre controlo. Ele explorou o seu corpo sem impedimentos. Ela ficou em silêncio e esperou.*

A sua raiz masculina estava enorme com o seu desejo e Ansel deteve-se para que ela a admirasse. Havia de querer que ela lhe tocasse e provasse e experimentasse com todo o corpo dela, mas ela continuou imóvel.

— Sim, bem — disse ele —, é natural que estejas emocionada. Nunca deves ter visto uma espada tão grande. — Sorriu. — Mas, com o teu espírito alegre, não tenho dúvida de que em breve vais querer ajudar-me a empunhá--la. — E com isso enfiou-a com tanta força que Torgon receou que lhe chegasse ao coração.

Quando por fim a semente foi semeada, Ansel caiu saciado na cama ao lado dela.

— Pronto — sussurrou e beijou-lhe o cabelo. — Agora sabes o que faz um verdadeiro homem.

Torgon permaneceu em silêncio.

Ele olhou para ela.

— Esta noite vamos dormir juntos aqui. Os acólitos continuam ausentes, por isso não importa quem dorme em que cama. Em breve virá o tempo das regras sagradas, assim esta noite quero dormir ao teu lado. — Levantou o braço e tocou-lhe de novo nos seios. — Tive de esperar demasiado tempo pela mãe dos meus filhos. Trinta e oito Verões passaram por mim e eu já devia ter filhos tão altos como homens, mas nunca quis filhos bastardos. Antes desta noite arei, mas nunca semeei.

Torgon suspirou.

— E, agora que me deitei contigo, sei que valeu a espera. A minha escolha foi acertada, pois já percebo que te amo. Com o tempo talvez venhas a amar-me também.

— Tratas todas as coisas que amas como me trataste a mim? — perguntou ela.

— É a forma de um guerreiro. Vais habituar-te — respondeu ele suavemente.

— Mas não é a forma de um homem santo e esse é o teu destino legítimo.

— Não falemos agora de santidade. Vá. Põe aqui o teu braço para que eu possa encostar a cabeça ao teu peito e ouvir o teu coração. Chegou o momento de dormir. Estou cansado. — Com isso, sorriu e beijou-a uma última vez.

* * *

Ele adormeceu. A vela na mesa-de-cabeceira ardia, a sua pequena luz a bruxulear na escuridão. Torgon observou-o. Ele era muito mais bonito que Meilor, que fora baixo e com tendência para o moreno. Os membros de Ansel eram longos e musculados, a pele retesada sobre os músculos poderosos. O seu cabelo era castanho-avermelhado à luz de velas, cintilando como o pêlo do grande veado.

Torgon inspirou longamente e soltou a respiração devagar. Teria gostado do alívio das lágrimas nesse momento, para limpar a desilusão amarga que sentia, para aliviar a dor de um futuro que sabia que agora estava morto, mas as lágrimas não vieram. Ficou ali naquela melancolia de olhos secos ao lado dele.

Se Ansel tivesse ido buscá-la antes do seu chamamento e a tomasse como mulher, ela provavelmente teria vindo a amá-lo. Jovem e inexperiente e não sabendo nada de santidade, teria tolerado alguma brutalidade no casamento. Ora, se ele a queria há tanto tempo, não podia ter ido buscá-la a casa do pai? Agora era demasiado tarde. Ela já estava casada com um objectivo maior.

— É mais do que canções de embalar — murmurou. — Eu tenho realmente o Poder. O teu pai sabia isso no fim. Porque não te disse?

Ansel agitou-se, mudou de posição e ficou de novo imóvel.

— Pois não posso ter-te como és. A tua alma há muito que foi para a escuridão e não há forma de a chamar de volta. Pelo amor de Dwr, vou precisar de fazer o que deve ser feito.

— Porque estás a falar? — murmurou Ansel. — Apaga a vela. A noite já quase acabou.

— Para a tua festa santa sacrifiquei um veado em acção de graças, um cervo com hastes de muitas pontas — disse ela. — E estou a pensar agora que era da cor do teu cabelo.

Ele sorriu, ensonado.

— Torgon, não é o momento para conversas de amantes. As minhas forças deixaram-me. Apaga a vela.

— Disse que o cervo pode saber que não era eu, mas sim Dwr, que comandou a minha santa mão para tirar a sua vida.

— Gostas de falar quando o silêncio seria melhor. Chiu — disse Ansel e colocou um dedo sobre os lábios dela. Então, novamente, fechou os olhos.

Fez-se silêncio.

Torgon ficou a ouvir a sua respiração tornar-se mais profunda à medida que ele caía de novo no sono. Quando isso aconteceu, ela esticou o braço e pegou no pequeno punhal do guerreiro.

211

— Dwr volta agora a comandar a minha mão. Vai para junto dos teus, Homem Veado, pois já não tens uma alma santa. — E, com um movimento hábil, cortou-lhe a garganta.

O sangue escorreu, borbulhando como água de uma nascente. Torgon observou o rosto dele. Foi do rosa ao roxo de repente, depois ao branco e por fim ao cinzento da morte.

Era uma maneira rápida de morrer. Ela sabia, porque a usara muitas vezes com os cervos e os touros nos sacrifícios, com bebés malformados e com aqueles cujas almas tinham fugido para a escuridão. Torgon olhou para Ansel, imóvel num mar escarlate de roupa encharcada com o seu sangue.

— O que fiz eu?

Ficou em pânico. Tudo estava molhado e vermelho e cheirava a sangue. Todo o controlo abandonou Torgon naquele momento. Começou a chorar de medo. Erguendo-se da cama, tentou endireitar o corpo de Ansel, mas ele era um homem grande e pesado. Cada movimento fazia sair mais sangue da ferida para a roupa da cama. Ela lutou até que finalmente o dominou. Em seguida fugiu.

CAPÍTULO VINTE E SEIS

Entrando na ludoteca com um passo rápido e decisivo, o gato de brincar aninhado nos braços, Conor não sorriu propriamente a James, mas havia a sensação de um sorriso na sua expressão. Pressionando o gato contra a manga do casaco de James, Conor disse:

— O gato sabe — numa voz amiga, como se fosse uma saudação.

— Vejo um menino que hoje parece feliz.

— Sim. Hoje é terça-feira. O menino vem cá. O gato do homem está cá? Onde está o gato mecânico?

— Vê se consegues encontrá-lo.

Conor foi às prateleiras e procurou a caixa de animais da quinta de cartão. Levando-a para a mesa, tirou a tampa da caixa.

— Aqui está! — exclamou alegremente. Estendeu a pequena trela de cordel e sorriu.

Puxando a cadeira em frente de James, Conor sentou-se de forma confiante. Encaixou a pequena meia-lua de cartão na parte inferior do gato recortado e a seguir colocou-o sobre a mesa entre eles. De repente, Conor levantou-se da mesa. Foi até um dos cestos na prateleira e tirou uma bola de plasticina. Trazendo-a para a mesa, arrancou um bocado, prendeu-o à extremidade do cordel em volta do pescoço do gato e, em seguida, pressionou-o contra o tampo da mesa. Uma expressão de alegria surgiu no seu rosto.

— Está ligado!

— Sim, foi isso que fizeste, não foi? — respondeu James. — Arranjaste-lhe uma ligação. Ligaste-o.

213

— Sim. — Conor pareceu satisfeito.

Tirando o gato de peluche de debaixo do braço e pousando-o também sobre a mesa, Conor olhou para James.

— Ali está o gato do menino. Em cima da mesa. Ao lado do gato mecânico.

James sorriu.

— Sim, lá estão eles. Dois gatos.

— Os gatos conseguem ver fantasmas.

— Acreditas que os gatos conseguem ver fantasmas — reflectiu James.

— Muitos fantasmas. Muitos fantasmas para serem vistos. Muitos gatos para vê-los.

James viu Conor alinhar dois gatos cuidadosamente lado a lado.

— «Anda cá hoje.» Foi isso que o gato disse. «Acorda, Conor. Hora de ir para Rapid City. Hora de ver o homem. Hoje é dia do homem. Hoje vemos o gato mecânico. Hoje vamos para onde não há fantasmas.»

— Há fantasmas em tua casa? — perguntou James.

— Há fantasmas em tua casa? — ecoou Conor. Levantou uma mão e agitou-a num gesto que James percebia agora ser uma expressão de ansiedade. A seguir, Conor recuperou pegando no seu gato de brincar. Encostou o nariz do animal ao seu. — Muitos fantasmas. A sussurrar, a sussurrar. O gato consegue ver fantasmas. O gato diz: «Os fantasmas estão aqui. O homem debaixo do tapete está aqui.» O gato consegue ver. O gato sabe.

Encostando o gato de brincar ao peito, Conor baixou-se para examinar melhor o gato de cartão. Inspeccionou-o cuidadosamente, em seguida esticou um dedo e tocou no cordel pendurado ao seu pescoço.

— Aqui estão os fios do gato. Ligá-lo. Torná-lo forte.

— Como o menino mecânico?

— Sim. — Conor estendeu a trela de cordel e pressionou-a contra o tampo da mesa. — Electricidade. Zap-zap. As coisas mecânicas são feitas de metal. Não morrem. Podem durar para sempre. — Tocou nas cores desvanecidas. — Este gato tem metal muito bom. Parece pêlo.

Inesperadamente, Conor atirou o gato de cartão ao ar como se fosse um avião de brinquedo.

— Olha, o gato do homem consegue voar. As máquinas voam.

— Ele olhou para James. Uma pausa. — Os fantasmas voam — disse ele e a sua voz tremeu um pouco.

214

— Muitas coisas voam — disse James. — Os pássaros voam. Os mosquitos voam.

— Os anjos voam — disse Conor. — Na época do Natal, muitos anjos voam.

— Sim, é quase Natal, não é? Vemos muitas imagens de anjos agora, não vemos?

— As pessoas não voam — respondeu Conor. — Só as pessoas-anjos. Só as pessoas-fantasmas. — Levantando-se, olhou nervosamente em volta da sala como se estivesse a fazer uma coisa perigosa. Então fez o gato descrever uma espécie de oito no ar. — Mas o gato mecânico consegue voar.

— Sim, estás a fazê-lo voar pelo ar.

— As máquinas são fortes. Podem voar até muito longe. — Mais um movimento enérgico no ar. Para cima, para baixo, à volta. Aqueles eram os movimentos mais desinibidos que James via Conor fazer. Uooosh, o gato mecânico passou muito perto do nariz de James. Zip, fez ele sobre o caderno.

«Vou correr? — perguntou Conor. O seu tom era um misto de pergunta e de afirmação, quase como se estivesse a pedir autorização para fazer aquela coisa normal.

E correu. Os primeiros passos foram muito tímidos, na ponta dos pés, depois mais ousados. Durante todo o tempo, o gato de cartão foi mantido no ar, mergulhando e dando voltas no ar à sua frente.

— O gato consegue voar — disse ele uma e outra vez.

Conor navegou em volta da sala até estar sem fôlego e só então parou. Segurando o gato de cartão diante do rosto, acariciou as feições de papel.

— O menino pode fazer o que quiser aqui. O gato mecânico diz: «Menino, faz. Estás seguro. Aqui não há fantasmas!»

Assim que a sessão seguinte teve início, Conor soube exactamente o que queria fazer. Tirando o gato de cartão da caixa, começou a fazê-lo voar pelo ar. De início, os movimentos foram hesitantes, apenas entre James e ele próprio, mas a seguir ele levantou-se e moveu-se mais abertamente. Pouco depois, Conor estava a correr, o gato de cartão erguido bem acima da cabeça.

A certa altura, quando se aproximou da mesa, parou abruptamente. Lançou um breve olhar a James e, em seguida, Conor saltou inesperadamente para a cadeira em frente.

— O gato consegue voar — disse ele com um tom quase desafiador.

— Sim, o gato está a voar — disse James.

Conor levantou um pé, como se fosse para cima da mesa, depois hesitou.

— Vou para cima da mesa — declarou, mas não o fez.

— Hoje apetece-te ir para cima da mesa.

— O gato mecânico diz que sim. O menino pode ir para cima da mesa. — Houve um momento de hesitação e Conor pousou suavemente o pé sobre a mesa. Fez uma pausa, como se esperasse uma reprimenda de James, e a seguir colocou triunfalmente o outro pé na mesa. — O gato mecânico é forte! O menino pode fazer o que quer!

Com isso, saltou da mesa e desatou a correr.

Aquela demonstração de bravura deu mais confiança a Conor. Veio outra vez a correr, subiu para cima da mesa e saltou.

— Tu és forte — disse James quando os sapatos de Conor passaram diante da sua caneta.

— Sim! — exclamou Conor e saltou para o chão. O gato de cartão foi erguido em cima dele como um pára-quedas. — Para cima e para baixo, para cima e para baixo. O gato mecânico consegue voar!

De repente parou e olhou.

— Isso é uma canção — disse ele e sorriu. — Ouviu? Aquilo era uma canção.

O comentário surpreendeu James. Ele ergueu as sobrancelhas.

— Ouve. Vou cantá-la: «Para cima e para baixo, para cima e para baixo, o gato consegue voar. Nunca vai morrer. Pêlo de metal. Nunca vai morrer. Muitos fios. Nunca vai chorar.»

Falou num tom cantarolado agudo, cristalino.

— Isso é espantoso — disse James. — Gosto da tua canção.

Conor saltou alegremente em volta da sala, os seus movimentos livres e fluidos.

— «O gato sabe, os seus olhos brilham. O gato consegue voar e nunca morre.»

Debruçado sobre o seu caderno, James escreveu rapidamente para registar as palavras exactas.

Conor reparou. Fez uma pausa.

— Está outra vez a escrever o que eu digo.

James assentiu.

— Sim. É uma bela canção. Quero lembrar-me dela.

— Então tem de escrever o seguinte: «A Canção do Gato Mecânico.» Escreva isso no cimo, porque é o título.

— Está bem.

— Agora, em baixo, deve escrever: «De Conor McLachlan»

James assim fez.

Conor foi até ao lado de James e dobrou-se para ver o caderno.

— «A Canção do Gato Mecânico, de Conor McLachlan» — leu ele.

— Isso significa que é a minha canção. Eu sou o autor. Eu criei-a.

— Sim — respondeu James.

— Vai guardar a minha canção? No seu caderno?

— Sim — respondeu James.

— Tudo o que o menino diz, o homem escreve. No seu livro verdadeiro. Tudo o que o menino diz. Todas as coisas verdadeiras. Vai ser o nosso livro.

Conor sorriu e levantou o gato de cartão.

— Hoje vai escrever: «O menino ouviu a canção do gato mecânico. Ouviu-a do nada e tornou-a alguma coisa. O menino cantou a música durante todo o dia.»

E, assim, a sessão continuou com Conor a cantar livremente, a sua conversa animada e natural, os seus movimentos os de qualquer rapaz, normal e feliz.

James avisava sempre as crianças sobre a aproximação do final da sessão. Então, como habitualmente, quando faltavam apenas cinco minutos, James disse:

— É quase hora de partir. Quando o ponteiro grande chegar ao dez, é o fim.

— Não. Hoje não quero ir.

— Hoje divertiste-te muito e não te apetece ir — interpretou James. — Gostavas de ficar mais tempo.

— Hoje vou ficar mais tempo — respondeu Conor. — Vou pintar com os dedos.

— Gostavas de ter mais tempo — disse James. — Infelizmente, cada visita é a mesma quantidade de tempo. Quando o relógio chegar aos dez minutos antes da hora, está na altura de parar.

— Mas hoje não. Hoje fiz uma canção.

— Infelizmente, hoje também.

— Mas eu não *quero* parar. Ainda não acabei.

— Vais cá estar de novo na quinta-feira. Então podes continuar.

— Não! — gritou Conor num tom angustiado. Em seguida, desafiadoramente: — O gato mecânico diz «Não!». — Segurou o gato à frente dele como um crucifixo. — O gato mecânico diz: «Não dê ouvidos a esse homem!» — Conor correu pela sala. Escalando a estante, escondeu-se atrás dela.

O relógio marcou os últimos minutos.

Levantando-se da mesa, James foi até à porta e abriu-a.

Alarmado, Conor levantou-se e espreitou por cima da estante.

Dulcie estava no corredor junto à sala, Laura atrás dela.

— Aqui está a tua mãe — disse James. — Está na hora de ires.

Conor gritou. Passando por cima da estante, correu na direcção de James.

— Não!

— Vá, vamos guardar o gato mecânico na caixa com os amigos — disse James.

— Não! — Conor pressionou o gato de cartão contra o peito, gritou, correu à volta da mesa e então saiu pela porta aberta. Passou por Dulcie antes de ela poder agarrá-lo, mas Laura conseguiu segurá-lo pelo ombro da camisa. Conor gritou tão alto que os ouvidos de James reverberaram.

— O que tem ele? — perguntou ela. — Conor, o que tens na mão? O que é isso? Vá, dá-me. Não podes levar as coisas para fora da ludoteca, querido. Devolve isso ao doutor Innes. — Foram precisos os três para abrir os dedos de Conor o suficiente para tirarem o gato de cartão. Ele uivou.

Acima do barulho, James disse a Laura:

— Quer levá-lo para o meu gabinete? Tenho outro paciente para a ludoteca, mas, se quiser alguns momentos para acalmá-lo, a Dulcie pode ir consigo. — Laura abanou a cabeça. — Tem a certeza? — perguntou James.

— *Não* — respondeu ela com os dentes cerrados —, mas, por favor, observe como ele é. — James viu lágrimas nos seus olhos.

— Observe, de modo a deixar de tomar o partido do Alan neste assunto. Porque ele não está a ficar melhor. Vivo no inferno em casa. Ele é assim o tempo *todo* comigo. Sinceramente acho que não consigo aguentar muito mais tempo, a sério. Não consigo.

A seguir, a mãe chorosa e o filho soluçante partiram.

CAPÍTULO VINTE E SETE

James sentiu que o comportamento de Conor no final da sessão era um sinal positivo, indicando que Conor estava suficientemente confiante para expressar raiva quando os seus desejos eram frustrados.

O comportamento de Laura, por outro lado, incomodava James. Ele e ela tinham partilhado várias sessões positivas, criando o que parecera a James ser uma boa relação, e mesmo assim ela ainda era rápida a achar que ele tomava o partido de Alan.

Isso levou directamente àquela que era a preocupação de longa data de James em relação a Laura: porque é que ela nunca falava de Conor? Porque é que nunca perguntava pelos seus progressos ou falava abertamente dos seus problemas com ele em casa? Para além dos primeiros dias, em que partilharam alguma informação sobre Conor, Laura nunca tinha sequer mencionado o nome do filho na terapia. Na verdade, a forma como ela tinha, até agora, estruturado as sessões de terapia, apresentando uma cronologia cuidadosa da história da sua vida, tornava bastante difícil a James referir Conor.

Isso criou um dilema a James. Um aspecto importante da sua filosofia terapêutica envolvia dar ao paciente o controlo total. James acreditava na importância disso. Com uma sensação de controlo, com a capacidade de decidir quando e como as coisas seriam reveladas, os pacientes começavam a confiar em James e no ambiente de James o suficiente para explorar os medos e segredos que tinham paralisado as suas vidas. Mas quanto tempo se mantinha isso? Fora nessa altura que tudo começara a correr mal em Nova Iorque. Ao desempenhar o papel passivo de ouvir, reflectir e esperar pacientemente, James fora demasiado lento para salvar Adam.

* * *

Quando Laura chegou para a sessão seguinte, parecia claramente nervosa: Aparecendo à porta do seu gabinete, as mãos enfiadas nos bolsos de um casaco enorme, pôs em seguida os braços à volta do tronco como se estivesse com frio.

James sorriu.

— Entre. — Ele apontou para o centro de conversa.

Ela foi sentar-se no cadeirão estofado. A «cadeira do útero», como Lars gostava de lhe chamar. James trocou algumas banalidades com Laura, principalmente sobre a quadra festiva que se aproximava.

— Peço desculpa por aquela cena com o Conor — disse Laura então.

— Não há problema — respondeu James. — Quer falar do assunto?

— Nem por isso — disse ela, sem o olhar nos olhos.

James deixa o silêncio envolvê-los.

— Não quero mesmo — disse ela.

— Tudo bem — respondeu James. — Aqui você decide.

— É do Fergus que preciso de falar.

James assentiu.

Ela começou a medo, a sua voz lentamente a ganhar confiança à medida que se descontraía no seu papel de contadora de histórias.

— Se o Fergus tinha algum dom sobrenatural, era o seu talento para aparecer onde eu estivesse, apesar da minha agenda complexa e do tamanho da cidade. Às vezes, mesmo quando andava às compras, voltava ao meu carro no parque de estacionamento e encontrava-o lá encostado. Disse que o fazia concentrando-se na minha força de vida e porque me amava muito. Não suportava ficar longe de mim. Por muito tempo que passássemos juntos, Fergus queria sempre mais.

«De início não achava essa atenção exagerada. Estava apaixonada por ele e queria estar com ele sempre que pudesse. Além disso, ser sua namorada era uma excitação; muita gente levava realmente a sério aquela coisa do "Profeta" e admirava-o. Admirava-o e invejava-me, por estar tão perto dele. Eu gostava disso.

«Parecia um sonho ser o centro da vida de Fergus. Ele não disfarçava o quanto me queria e o quanto me queria agradar. Por exemplo, faço anos em Junho, bem depois da época dos lilases em Boston, portanto ele foi de carro até ao Maine à procura de lilases ainda em flor nas zonas altas mais frias e trouxe-me um enorme *bouquet*, porque sabia que era a minha flor preferida. Nunca ninguém tinha feito uma coisa tão atenciosa por mim. Eu adorava sentir-me tão desejada.

«No entanto, não era amor incondicional. Fergus estava sempre a aparecer com livros sobre filosofia e religião e até física quântica, dois, três, quatro de cada vez, e a dizer: "Lê isto e combinamos uma hora para falar sobre as ideias." Não havia nenhuma dúvida de que eu não só li os livros e digeri as suas ideias como também os discuti com ele em grande pormenor. Era quase como se estivesse a fazer um segundo curso ao lado do de Medicina.

«Ele estava muito interessado em melhorar-me. Ficou horrorizado por eu comer "carne morta" e insistia que a única maneira de me purificar para o meu papel como sua consorte no novo mundo era tornar-me vegetariana. Estranhava a minha inclinação para estar incoerente de cansaço quando ele queria ver-me bastante tarde. Para ele, o meu cansaço indicava uma falta de disciplina no que dizia respeito ao meu corpo. Revelava fraqueza ou talvez até uma escolha intencional do reino físico sobre o espiritual. E depois havia ainda as minhas "ligações mundanas", como lhes chamava Fergus. Isso incluía a minha colecção de CDs, o meu prazer em ir ao cinema e o tempo que eu passava a estudar. Ele era a única pessoa que conheci que não considerava a medicina uma disciplina. Não via onde estava o valor da educação tradicional, que considerava rígida e *establishment*, visando unicamente a perpetuação do *statu quo*. Mas o pior era que também considerava o tempo que eu passava a escrever sobre a Torgon como "mundano", sendo, assim, uma actividade que eu precisava de interromper.

«"*Tenho* de escrever as histórias da Torgon", protestei. Fora ela, afinal, que me pusera onde eu estava.

«Fergus foi inflexível. Escrever sobre a Torgon, insistia ele, sufocava apenas a minha evolução como canal puro. Torgon só devia surgir através de mim directamente.

«Falávamos da Torgon a toda a hora. Essa Torgon, como a que eu criara para o grupo das terças, há muito que deixara de estar relacionada com a real. Fergus traduzia-a e reformulava-a continuamente, a fim de me ajudar a compreendê-la por aquilo que ela realmente era: não um produto da minha imaginação, não uma personagem da minha escrita, mas um Ser de Luz, que viera até mim através da minha brincadeira de criança porque isso era apenas o que eu era capaz de reter na minha mente nessa idade. Agora, no entanto, era importante que eu deixasse Torgon regressar à sua forma natural e aceitar a missão dela para mim.

«Fergus explicou-me com grande pormenor como ela passava sabedoria através de mim para ajudar a criar este novo mundo de paz e amor universal. Eu precisava de aceitar isso e de me purificar com uma dieta adequada, meditação e o tipo certo de companhia para melhor poder abrir-me a esta bela expressão do amor universal.

«Eu disse a certa altura que a Torgon nunca me parecera ser um exemplo particularmente bom de amor universal. A sua vida era tão frágil e humana como a minha e a sua sociedade era absolutamente brutal. Fergus ignorou isso. Tudo o que lhe interessava era que eu me abrisse para a comunicação directa com ela.

«Eu queria desesperadamente acreditar no que o Fergus me dizia. Amava-o e queria estar à altura dos seus sonhos e queria que a vida fosse como ele dizia. Desejava ser a verdadeira médium que Fergus acreditava que eu era capaz de ser. Queria comunicar com um verdadeiro Ser de Luz que me tinha escolhido entre milhares de milhões de pessoas na Terra. Desejava tanto ser o que todos já achavam que eu era.

Quando a sessão acabou, James foi à procura daquela Torgon «real». Restavam apenas mais algumas histórias, nenhuma delas muito longa. Sentando-se na «cadeira do útero», pousou os pés em cima da mesinha e começou a ler.

Descendo a ladeira do alto sítio sagrado para procurar a oferta de alimentos, Torgon viu uma figura nas sombras na orla da floresta.
— Quem está aí?
A figura não se moveu.
Torgon escorregou entre as últimas rochas grandes. Parou por um instante, com o coração na garganta. Por fim arriscou aproximar-se.
— Mogri! És tu! Como se alegra o meu coração por ver-te.
— Gostava de poder dizer o mesmo.
Mogri saiu da sombra das árvores.
— Toma. Trouxe-te comida para que possas comer enquanto comungas com os deuses. — Irritada, atirou o cesto para a relva.
— Mogri?

— Não, fica com ele. A mãe enviou-o especialmente para ti. Pois deves ter sempre o melhor. Então aceita, Torgon. Come.

— Não posso. Não aqui. Tenho de regressar a solo sagrado para comer.

— Sim, isso é mesmo típico de ti. Muito bem. Mantém intacta a tua santidade. — Mogri virou-se.

— Mogri? O que se passa contigo? O que aconteceu?

Mogri desatou a chorar.

— O Tadem está morto.

— O quê?

— Sim, Torgon. Há três dias. Estava a trabalhar na oficina do pai e fez um corte na mão. Aqui. Apenas um corte minúsculo, um arranhão. Mas os maus espíritos entraram nele e ele morreu cheio de dores.

— Tão depressa? A sábia não lhe aplicou um emplastro? — perguntou Torgon.

— Isso não deve ter feito nada. Há tantos espíritos malignos agora. A sábia veio, mas os espíritos já se haviam tornado muito fortes e ela não conseguiu atraí-los para fora.

— Oh, isso traz muita tristeza ao meu coração. — Torgon estendeu os braços. — Vá, aceita o consolo dos meus braços e eu vou chorar contigo.

— De que me serve isso agora? — retorquiu Mogri, afastando-se. — Onde estavas há três noites? Foi nessa altura que precisei de ti. Rezámos toda a noite no templo sagrado e acendemos velas para que o teu espírito pudesse ver e te dissesse para voltares, mas tu não vieste.

— Oh, Mogri, sinto muito!

— Na noite da morte do Ansel, quando te aconselhei a dizer aos anciãos que vocês os dois tinham discutido e que a faca se pusera acidentalmente entre vocês, disseste que não. Disseste: «Vou contar como foi: que ele se mostrou inapto para o dever sagrado e que Dwr me mandou acabar com a sua vida.» Disseste: «Fazer menos do que dizer a verdade faria de mim o que ele disse que eu era. Tenciono mostrar que sou mais.» E isto é mais? Esconderes-te no alto sítio sagrado para que os irmãos de Ansel não possam tocar-te, enquanto nós, na aldeia, sofremos sem qualquer orientação sagrada?

Torgon virou-se. Encostou-se, desanimada, a uma árvore.

— Então, o que queres que eu faça? Dizer sim, fugi com medo? Está bem. Fugi, cheia de medo. E lamento muito essa fraqueza, mas sou apenas divina tanto quanto sou humana. Receava ser separada da minha vida antes de ter outras oportunidades. Então, retirei-me para aqui para deixar que Dwr me diga o que quer que eu faça.

— E o que quer ele que eu faça, Torgon? — respondeu Mogri amargamente. — Nunca fui mulher de Tadem, pois não havia um Vidente para nos casar, e agora tenho um bebé de oito meses dentro de mim. Que homem me vai querer agora, quando estou tão perto de produzir uma colheita que ele não semeou? — Levantando a mão, Mogri enxugou as lágrimas. — O que devo fazer? Deixar a criança morrer para me tornar mais casamenteira? Ou ficar para sempre como filha na casa do meu pai?

— Lamento, Mogri. Nunca quis que os meus fardos recaíssem sobre ti.

— Talvez não, mas recaíram e nunca paraste para os levantar.

— Mogri, por favor. Perdoa-me. Sinto muito.

— Sim, eu sei. — Um segundo suspiro. Mogri limpou as lágrimas. — Sei também que a culpa não é só tua. Mas a vida parece-me muito injusta. E o meu coração está extremamente magoado.

Torgon aproximou-se dela.

— Pelo menos, não voltas para junto de nós? — perguntou Mogri. — Não podes fortalecer o teu coração e lutar contra o medo? Agora está tudo calmo. Os anciãos vão dar-te uma audiência justa por aquilo que fizeste.

— Devo dizer realmente porque ainda estou aqui? — perguntou Torgon, curvando os ombros. — O Poder diminuiu. Não sei porquê, mas receio perder a minha santidade. Fiquei aqui, a aguardar o seu regresso, porque nada sou sem ele.

— Dizem na aldeia que já estás morta, que Dwr aliviou o teu corpo do teu espírito em justa troca pela morte do santo Vidente. Se ficares longe muito mais tempo, o Poder irá definitivamente passar para outras mãos e nunca mais irás recuperá-lo. Então, não queres fazer-te forte o suficiente para voltares e provar que os boatos estão errados?

CAPÍTULO VINTE E OITO

Por muito que James desejasse ter Becky e Mikey pelo Natal, era importante para ele que o Natal fosse uma época de boas recordações para as crianças, não de pais antagonistas. Com os pais já falecidos e o irmão a viver do outro lado do país, James sabia que não podia proporcionar-lhes um Natal tradicional como a família de Sandy. Assim, no fim, ele e Sandy concordaram que Becky e Mikey iriam passar o Natal com ela e, em seguida, viajariam para o Dacota do Sul para o fim de ano.

James tinha-se esforçado por criar novas tradições para este feriado. As crianças ainda eram muito jovens para ficarem acordadas até tarde, portanto combinaram comemorar a noite de fim de ano com um «piquenique» em frente à lareira da sala. James deixou-os grelhar salsichas e *marshmallows* sobre as chamas. Acabaram a atirar pinhas com um tratamento especial para o lume para fazer chamas de cores diferentes.

A sua outra tradição era ir às compras no dia 31 para comprar a cada criança roupa nova para vestir no dia de Ano Novo e um novo brinquedo. James percebeu que esta última coisa era uma indulgência, após o excesso de presentes que as crianças tinham recebido no Natal, mas o prazer que tinham em ir juntos às compras levava sempre a melhor.

Entrando pela porta de vidro duplo do Toys 'R' Us, James bateu com as botas para sacudir a neve e, em seguida, foi buscar um carrinho. Mikey saltou lá para dentro. Becky foi ao lado.

— Sabes que coisa me dá a melhor sensação do mundo? — perguntou ela, alegremente.

— O quê? — perguntou James.

— Quando entramos pela porta do Toys 'R' Us e te vejo ir buscar um carrinho de compras em vez de entrares de mãos a abanar! — Ela sorriu.

— Sim, então sabes que vamos comprar coisas, não é? — retorquiu James com um sorriso.

— Sim, *adoro* vir cá contigo — respondeu ela, prendendo os braços no pulso direito do pai enquanto empurrava o carrinho.

Uma ida ao Toys 'R' Us com Becky envolvia sempre uma passagem longa e lenta pelo corredor das *Barbies*. Muitas vezes era apenas para ver. Na verdade, James podia organizar um bom passeio para Becky não fazendo mais que ir ao Toys 'R' Us para admirar as *Barbies* protegidas nas suas embalagens especiais de vidro, demasiado caras para comprar. Igualmente divertido para Becky era passear pela variedade infinita de acessórios minúsculos para bonecas que pareciam oscilar permanentemente entre serem veterinárias ou coelhinhas da *Playboy*.

— Olha — disse James. — Aquele é um novo tipo de cavalo da *Barbie*, não é?

— Sim — respondeu Becky.

— Uau, isso é bom — disse James. — Gosto daquela cor preta. E, vê, combina com a carruagem.

— Pois — disse Becky. Avançando já pelo corredor.

— Gostavas de comprá-lo? — perguntou James.

— Do que eu gostava é de uma boneca *Bratz*. Estão num corredor diferente. A que eu quero tem cabelo louro muito comprido e umas botas pretas fixes. Vamos lá vê-las.

— Quando aconteceu isso? — perguntou James, aproximando-se dela. — Da última vez que cá estiveste não paravas de falar sobre a carruagem da *Barbie* que o tio Joey te comprou.

— Já não gosto dela — disse Becky.

— Algum motivo? — perguntou James.

Becky pegou numa boneca *Bratz* e tirou-a da prateleira para olhar para ela.

— Bem, porque o tio Joey ma comprou, por exemplo. Odeio o tio Joey.

Admirado, James observou-a.

— Porquê?

— Detesto estar o tempo todo com ele. Gostava que ele se fosse embora.

— Sim — disse Mikey da ponta do carrinho de compras —, mas ele não vai. Ele e a mãe vão talvez casar.

— *Odeio-o* — murmurou Becky. — Só te quero a ti — disse ela, pondo os braços à volta de James.

O piquenique da noite de fim de ano diante da lareira foi um grande sucesso. Empanturradas de cachorros-quentes e maçarocas, a boca lambuzada de chocolate e migalhas pegajosas de *s'mores*[2] feitos com *marshmallows* assados na lareira, as crianças aninharam-se de cada lado de James para ver *A Bela Adormecida* da Disney. Mikey adormeceu ao fim de meia hora, mas Becky viu tudo, encostada ao pai com um braço dele à sua volta.

Quando o filme acabou, James levou Mikey para o quarto, despiu-o com cuidado e enfiou-o na cama. Becky enfiou-se debaixo das mantas da sua.

— Boa noite, querida — disse James e inclinou-se para beijá-la.

— Pai? Posso perguntar-te uma coisa?

— O que é, querida?

— O Mikey e eu podemos vir morar contigo?

Ele afastou o cabelo da testa de Becky.

— Há alguma coisa que não esteja bem lá em casa?

— Não quero viver com o tio Joey. Não gosto dele.

— Porquê?

Becky encolheu os ombros.

— Não gosto. Não quero que ele venha viver connosco. Quero viver contigo.

— Adorava que vivesses comigo, querida. Mas a tua mãe e eu teríamos de falar sobre isso, porque é uma grande decisão. Além do mais, tens lá todos os teus amigos. E os avós. E os primos.

— Eu sei. Não me importava. Aqui tenho a Morgana. Temos escrito *e-mails* uma à outra e já somos grandes amigas, mesmo que ela seja mais nova que eu. E, se o Mikey e eu morássemos aqui,

_____

[2] Uma guloseima tradicional dos EUA e do Canadá feita nas fogueiras, que consiste num *marshmallow* assado e numa camada de chocolate ensanduichados entre duas bolachas de tipo digestivo. (*N. da T.*)

podíamos ter um cão. Queria mesmo, mesmo, mesmo um cão, pai. É isso que quero de prenda de anos. Então, por favor?

— É uma grande decisão. Mas vou pensar nisso, está bem?

— Pai?

Sonolento, James rolou na cama.

— O que é, Becky? O que se passa?

— Não consigo dormir. — A sua pequena forma era indistinta na escuridão do quarto de James. — Posso ir para a tua cama?

James levantou as mantas. Becky subiu e aconchegou-se na curva do seu corpo.

— Brrr, estás fria — disse James. — Foi o frio que te acordou? Talvez tenhamos de pôr outro cobertor na tua cama.

— Não, não consigo dormir.

Ele acariciou-lhe a cabeça.

— Porquê?

— Estou preocupada com o dia de amanhã.

— O quê? Porque vais para casa?

James sentiu-a assentir com a cabeça.

— Não quero deixar-te. Quero estar contigo.

Ocorreu-lhe um súbito e terrível pensamento. Talvez houvesse uma razão muito mais sombria para o comportamento de Becky.

— Becks — disse ele com urgência —, o que está a acontecer em casa?

— Nada.

— Não, há alguma coisa, Becks. Consigo perceber.

— Não podias voltar para Nova Iorque?

— Para te manter em segurança?

— Não, para seres o meu pai. Porque não quero o tio Joey.

— O que anda o tio Joey a fazer, querida? Podes dizer-me.

— Nada.

— Mas disseste que o odiavas. Se ele anda a magoar-te, se anda a fazer alguma coisa, Becky, preciso de saber. Podes dizer-me.

— Ele não está a fazer nada, pai — murmurou Becky, aconche-gando-se. — A razão por que o odeio é só porque ele não és tu.

As crianças em tratamento experienciam tipicamente regressões durante pausas e férias, mas quando Conor chegou para a sua primeira sessão em Janeiro saltou de entusiasmo e foi imediatamente às prateleiras buscar a caixa de animais de cartão e levou-a para a mesa.

— Aqui está o gato do homem. — Pousou-o na mesa entre eles e a seguir premiu a plasticina contra a mesa para o «ligar».

— Aqui está o gato do menino. — Pôs o seu brinquedo ao lado, depois olhou rapidamente para James.

— Sim, aqui estão os nossos dois gatos — disse James.

— Não posso ter o gato — murmurou Conor. — O gato mecânico fica cá.

James pegou na caneta e abriu o caderno.

— A minha canção ainda aí está? — perguntou Conor, apontando para o caderno. — A minha canção do gato?

— Sim.

— Leia-a. Deixe-me ouvi-la.

James folheou o caderno até chegar às notas da última sessão, em Dezembro. Leu as palavras da canção.

Quando James terminou, Conor não reagiu. Limitou-se a ficar ali. Por fim, afastou-se da mesa, deixando lá o seu gato.

— Não sei o que quero fazer hoje — disse ele. Foi até à janela, depois voltou às prateleiras. Tirando uma mão do bolso, enfiou um dedo na folha de plástico das estradas, dobrada em cima da primeira prateleira.

Depois foi até à casa das bonecas. Ajoelhando-se, abriu a parte de trás para revelar os quartos. Tirou de lá as bonecas, primeiro o homem, depois a mulher, o menino, a menina e o bebé.

— Aqui não existem animais — disse ele. — Eles não têm gatos. Pousou o boneco menino no quarto mais alto da casa.

— Vai para a cama. Fica na cama. Não saias. Estás sempre levantado.

Havia escadas que iam para o meio da casa, dividindo-a em duas partes iguais. Conor tentou equilibrar a boneca mulher na escada, mas não se aguentou.

— Eu podia ir buscar plasticina — disse ele. — Podia pô-la nos pés dela para a fazer ficar em pé.

— Sim, isso era capaz de funcionar. Já te lembraste de um outro bom uso para a plasticina — respondeu James.

— Olha, o menino mau saiu da cama. «Volta para a cama!», disse ela. A mãe disse isso. «Não te aguento assim! Pára de chorar. Tenho de cuidar do bebé.» — Conor moveu a boneca mãe pelas escadas e pôs o bebé nos seus braços.

Pegando na boneca menina, colocou-a no outro quarto mais alto no lado oposto da escada.

— Aqui é onde a menina dorme. Ela é boa. Não sai da cama. Mas olhe. Aqui está o «menino mau» e ele está a sair da cama novamente.

— Pôs o boneco menino no chão do quarto e, em seguida, moveu a boneca mãe pelas escadas acima.

«Oh, és um menino mau. És um menino muito, muito mau. Porque não fazes o que eu digo? Tenho outras coisas para fazer. Não me posso preocupar contigo. Porque não consegues ser bom? — Conor pegou na boneca menina. — Ela é uma menina boa. Melhor do que o menino.

— Achas que a menina é melhor que o menino? — perguntou James.

— Sim. Ela não vai para a escola. Fica na cama. E agora, veja, está aqui. Ela pergunta: «Porque não ficas na cama?» O menino mau diz: «Eu sou uma máquina. Não fales comigo. As máquinas não falam.» A menina boa sai. Vê? Ela desce as escadas até onde a mãe e o pai estão. Isso pode ser. Porque ela não vê fantasmas.

— Há espíritos nesta casa? — perguntou James.

— Sim — respondeu Conor. Então levantou-se. — Onde estão os tapetes?

James levantou uma sobrancelha.

— Aqui. — Conor aproximou-se da mesa e pegou na caixa de lenços. Tirou um e voltou para a casa das bonecas. Pô-lo no chão de um dos quartos do rés-do-chão. — Há um fantasma debaixo do tapete. Na sala de baixo. O menino mau sabe. O gato sabe. O gato diz... O menino mau...

De repente o jogo tornou-se muito intenso. Conor pôs-se de pé e afastou-se da casa das bonecas. James ouvia a sua respiração tornar-se mais arquejante. A pele ao longo do seu queixo começou a ficar com manchas enquanto ele olhava hipnotizado para os bonecos e James quase esperou que ele gritasse. Não gritou. Virando-se, correu para agarrar no seu gato. Apertando-o contra o peito, agarrando-se a ele, ficou assim alguns momentos, ofegante. Olhou rapidamente para James, encontrando os seus olhos. Depois olhou para a mesa, para o pequeno gato de cartão.

— Zap-zap — sussurrou ele. Estendendo a mão, soltou a plasticina do cordel e pegou no gato. Regressou à casa das bonecas. Ajoelhando-se, pôs com muito cuidado o gato no meio da cozinha da casa das bonecas. Pressionou a plasticina no chão de linóleo estampado da casa.

Endireitando-se, Conor estudou o seu trabalho. O gato continuava apertado ao peito.

— Zap-zap. Gato de metal. Pêlo de metal. Gato mecânico. — A sua voz era quase inaudível.

Silêncio.

— Zap-zap.

Conor tirou o boneco menino do quarto do andar de cima e colocou-o ao lado do gato de cartão na cozinha.

— Há um fantasma aqui. Debaixo do tapete. Ninguém consegue vê-lo. O homem não consegue vê-lo. A mãe não consegue vê-lo. O bebé não consegue vê-lo. A menina boa não consegue vê-lo. Mas o menino consegue. E o gato mecânico também.

CAPÍTULO VINTE E NOVE

James fez um gesto em direcção ao centro de conversa quando Laura entrou.

— Estava a falar-me de Fergus quando parámos antes das férias. Porque não voltamos a esse ponto? Então o que aconteceu depois?

— Para estar com o Fergus, fiquei em Boston durante esse Verão e trabalhei no hospital, em vez de regressar ao Dacota do Sul como tinha feito nos Verões anteriores. Em Setembro fui convidada a acompanhar o doutor Betjeman a uma conferência médica em Miami, onde ele ia dar uma palestra.

«Fergus mostrou-se pouco à vontade com essa separação. Era a primeira vez que nos separávamos desde que tínhamos começado a andar e manifestou fortes reservas. Não havia muito a fazer, porém. Ele não podia ir à Florida comigo e eu não queria perder esta oportunidade; portanto, apesar dos seus ruidosos protestos, fui.

«A experiência não foi tão divertida como pensei que seria. Senti-me à deriva no mundo das pessoas comuns, que parecia tão sem graça sem Fergus. Tinha pouco dinheiro e não podia fazer muito para além de estar na sala de conferências a ouvir os investigadores a falarem. O meu coração não estava ali. Assim que o doutor Betjeman fez a sua apresentação, decidi voltar a Boston dois dias antes do planeado e surpreender Fergus.

«Eram cerca das nove da noite quando cheguei a casa, portanto fiquei admirada ao ouvir a campainha tocar logo a seguir.

«"Quem é?"

«"Posso entrar?", perguntou uma voz familiar.

«"Fergus!", gritei, admirada, e abri a porta.

«"Bem-vinda. Toma. Trouxe-te uma prenda", disse ele. Para minha surpresa, entregou-me uma garrafa de borgonha.

«"Obrigada", disse e aceitei-a.

«Ele inclinou-se para me beijar e percebi pelo cheiro que já tinha bebido. "Espero que gostes. Não sou muito bom a escolher vinho. Mas, como cresceste com a carne do Dacota do Sul, calculei que deves beber vinho tinto." Riu-se.

«Senti-me inquieta. Embora tivesse ido para casa por causa dele, esperava ser eu a fazer a surpresa. Era irritante encontrá-lo à minha porta tão depressa. Além disso, não estava habituada a que ele bebesse ou a beber com ele. Tudo parecia estranho num homem que tantas vezes me fizera sentir que uma noite de sono completa era quase pecado.

«"Bem, não vais convidar-me a entrar?", perguntou, tirando-me o vinho das mãos. Entrou e dirigiu-se à cozinha. "Onde tens o saca-rolhas?"

«Segui-o e procurei numa gaveta. "Como sabias que eu tinha voltado?", perguntei.

«"Como podia não saber que estavas de volta, Laura?", respondeu ele com simplicidade. Estendendo o braço para o armário, tirou os copos de vinho.

«Indo à frente para a sala, sentou-se numa poltrona. "Céus, tive saudades tuas!"

«Olhei para ele. A familiaridade roubara alguma da intensidade aos seus olhos escuros e tornava-o menos surpreendentemente belo para mim. Tentei olhar para ele como um estranho olharia, para ver o que veria quem não o conhecesse.

«"Tenho estado tão deprimido desde que te foste embora", disse ele. Esvaziou o vinho do seu copo e pegou na garrafa para enchê-lo.

«Bebemos em silêncio por alguns instantes. A garrafa de vinho ficou vazia pouco depois. Soubera-me muito bem, e claramente a Fergus também, e eu estava a pensar em ir ver o que tinha em casa. Será que Fergus queria que eu sugerisse outra garrafa? Ainda parecia estranho beber tão casualmente com ele.

«"Vou buscar mais qualquer coisa para bebermos", disse eu, levantando-me. Fui para o corredor, porque, desde que Fergus começara a reformar os meus hábitos alimentares, passara o pouco vinho que tinha para o chão do armário do corredor para que ele não soubesse que ainda o tinha. A minha adega consistia agora em quatro garrafas num suporte de madeira enfiado debaixo da roupa de cama de Inverno. A maioria fora comprada antes de Fergus ter entrado na minha vida e, como os meus rendimentos nunca tinham dado para comprar bom vinho, a maioria era, provavelmente, já vinagre. Abrindo a porta, ajoelhei-me e comecei a puxá-las para fora. Não me tinha dado ao trabalho de acender a luz do corredor. O corredor em si era minúsculo e havia suficiente luz da cozinha para ler os rótulos.

«Fergus materializou-se na penumbra atrás de mim. Colocando a mão no meu ombro, inclinou-se para olhar para as garrafas. Como sempre, o calor do seu toque chamou-me a atenção.

«"Não há aqui muita coisa boa, receio. Só coisas baratas", disse eu.

«Ele ajoelhou-se atrás de mim. Inclinando-se sobre o meu ombro esquerdo para ler os rótulos, ou assim pensei, enfiou suavemente uma mão na minha blusa e agarrou-me no seio. Eu imobilizei-me, mas não me afastei. Fergus continuou a acariciar-me o peito, as pontas dos dedos a massajar o mamilo. Encostou o corpo às minhas costas e senti o seu pénis duro contra a minha coluna.

«"Fergus, agora não", disse eu. "Já me fartei de viajar hoje. Estou realmente muito cansada."

«Ele começou a abrir os botões da minha blusa.

«"Fergus, por favor. Não quero."

«"Queres, sim", disse ele.

«Assim que ele pôs os braços à minha volta, esqueci o meu protesto. Fizemos amor ali mesmo no chão, na meia-luz que jorrava pela porta da cozinha, as garrafas de *merlot* e borgonha à nossa volta a tinirem suavemente umas contra as outras. Com um ar um pouco feroz na penumbra do corredor, com o seu cabelo espesso e rebelde e os seus olhos escuros, Fergus pressionou-me contra o tapete e montou-me com um vigor que teria achado assustador se não estivesse à espera. Ele era um amante dinâmico e o meu corpo reagiu como se predestinado. Sem tempo para me preparar, atingi o clímax muito depressa. O meu corpo ficou devastado, mais consumido que satisfeito, à medida que onda após onda de sensação me dominou, sem intervalo para recuperar. Na verdade, havia uma tal ferocidade desinibida nos movimentos de Fergus que fiquei com dúvidas se havia ali algum amor. Era mais parecido com uma batalha entre nós.

«Por fim, Fergus atingiu o orgasmo e, quando isso aconteceu, beijou-me. Era um beijo faminto, devorador, tão invasivo quanto o seu pénis, ou talvez mais, porque eu não esperara. Depois do clímax, no entanto, alguma da sua energia pareceu dissipar-se. Continuou a beijar-me, ainda profundamente, mas com menos força. Por fim, deitou-se no tapete ao meu lado.

«Ficámos no chão durante vários minutos sem falar. Como tantas vezes acontece, foram as pequenas coisas que primeiro deixaram a sua impressão na minha consciência: a sensação do tapete nas minhas costas, o vago odor a detergente para alcatifas, a pele irritada dos meus cotovelos, ferida da fricção.

«"Isto é como devia ser entre nós", murmurou Fergus num tom suave, satisfeito. "Tal como sempre foi."

«"Hum?"

«"Não te lembras?"

«Olhei para o lado para distinguir as suas feições na escuridão.

«"Atlântida."

«"Atlântida?"

«"Sim, não te lembras? Quando eras a rainha e eu o teu amante. O teu amante secreto. Lembras-te de como ia ter contigo à noite? Como chegava no meu pequeno barco e o ancorava ao lado daquele muro de pedra? Com certeza deves lembrar-te disso."

«"Fergus, vá lá. Não tens de trazer tudo isso para aqui. O que temos é só por si maravilhoso. Não precisas de transformá-lo noutra coisa."

«"Não, Laura, fecha os olhos. Olha para trás. Liberta a tua alma e olha para trás para aquele muro de pedra. Não o vês? Aqueles enormes blocos quadrados que os pedreiros esculpiram, como construíram aquele muro enorme que ia do palácio até à água? E o cais de madeira? O nosso molhe secreto. É de noite. Lembras-te? Lembras-te de como esperavas sempre por mim no meio das árvores? A Lua brilhava na água escura e eu empurrava o meu barquinho para cima. Voa livre com a tua alma, minha rainha. Não vês? Não me vês vir ter contigo? A morrer por ti, ali no cais?"

«A questão era que eu *conseguia* ver toda a cena a desenrolar-se rapidamente na minha cabeça com uma clareza tão eidética que vi as sombras do luar, a ondulação na água negra, o sangue nas pedras do muro. Com a minha capacidade aguda para visualizar, ele precisava apenas de criar um mero estado de espírito e eu, deitada no escuro, caí instantaneamente num mundo diferente.

«"Estás a ver, não estás?", perguntou Fergus, confiante.

«"Criei uma imagem na minha mente, sim. Mas com o meu tipo de imaginação, Fergus, posso criar qualquer coisa. Tu sabes isso. Consigo ver o lado escuro da Lua, se quiser."

«"Mas *é* uma imagem? Ou é a realidade? Que prova tens de que não estás mesmo a ver o lado escuro da Lua? Que aquilo que estás a ver não é real?"

«"Porque estou a inventar", respondi.

«"Laura, Laura, *Laura*, o que vamos fazer contigo?", gemeu ele baixinho. "De onde tiras essa resistência que te fica tão mal?"

«"Não é resistência. Só perguntei, porque tenho de acreditar? Não chega que esteja na minha mente? Porque tem de ser real?"

«"Tira essas dúvidas contínuas da tua mente. Elas diminuem-te." Ele inclinou-se para me beijar.

«"Mas porque não podes aceitar as coisas como são, Fergus? Porque é que tudo tem de ser mais do que parece? Porque tens de agarrar até as ideias mais ténues num esforço para ligar tudo a tudo?"

«"Porque tudo *está* ligado."

«"Ai *está*? Tem de estar? E importa se não estiver? Quero dizer, eu ficaria feliz se houvesse outras vidas, se tivesse sido uma rainha na Atlântida e tivéssemos sido amantes, mas continuo feliz mesmo que não tenhamos sido. Fizemos bem amor, Fergus. Porque é que só tem valor aos teus olhos se tivermos sido amantes na Atlântida?"

«"Porque de outra forma nada faria sentido, Laura. Se nada estivesse ligado, não haveria sentido para o que fazemos. Qual seria o objectivo das coisas? Porquê existir?"

«Eu não tinha resposta para aquilo. Mas, ali deitada no escuro, tornei a recordar a cena de Atlântida. O muro, feito de pedra cinzenta, ficava à minha esquerda. Havia um barco inclinado para a água entre a parede e o pequeno cais de madeira. A água em si não era um lago, mas um rio enorme, com proporções semelhantes ao Nilo, movendo-se lentamente para o lado direito. O pequeno barco dele, atracado ao cais, balouçava na água escura. Era malfeito e afundar-se-ia facilmente.

«Não só conseguia ver aquela cena como também a história se formou rapidamente em torno dela: como o meu marido, o rei, tinha descoberto a minha infidelidade e enviado os guardas; como a morte do meu amante provocou uma revolta entre os plebeus e causou a queda do reino; como fugi, em pânico, pelo escuro, os ramos dos arbustos da margem a tocarem-me no rosto enquanto lutava para escapar ao meu inevitável destino.

«Fiquei ali deitada a ver os rostos, a ouvir as vozes e a perguntar--me: "Porque é que a minha mente me faz isto?"

CAPÍTULO TRINTA

— Depois de terminar as suas leituras no *health club*, Fergus passava muitas vezes pelo meu apartamento. Por essa altura já tinha a sua própria chave, portanto entrava sozinho. Eu estava normalmente a estudar na minha secretária no quarto.

«"Bolas, levas essa merda tão a sério", murmurou ele uma noite, deslocando uma farmacopeia para poder sentar-se na minha cama.

«"Preciso de levar."

«"*Eu* preciso de me descontrair. Vamos até ao Jay's Place."

«"Gostava muito, Fergus, mas não posso. É a minha vez de apresentar o caso do paciente amanhã e preciso de estar preparada."

«"Fazes isso depois."

«"Se sairmos, não vou ter um 'depois'. Também preciso de dormir um pouco. Estou exausta."

«"Tens meditado?"

«"Sim, tenho meditado. Mas ainda preciso de dormir."

«"Sim, mas tens estado a fazer a meditação? Como te ensinei? Porque se a fizesses como te ensinei, Laura, não precisarias de dormir tanto. O corpo precisa apenas de dormir quatro horas para se regenerar. Tudo para lá disso é um desperdício."

«"*Eu* preciso de mais que quatro horas, lamento", respondi. Suspirei. "*E* ainda preciso de acabar isto."

«Ele olhou para mim com uma expressão descontente.

«"Gostava que não fosses tão resistente."

«"Olha, desculpa", disse eu. "Não é que eu não queira sair, mas não posso. *Tenho* de terminar isto."

«Fergus fitou-me atentamente. Quando não conseguiu que eu colaborasse, esboçou um sorriso triste que mal disfarçava a sua desaprovação. "Vou fazer chá para nós", disse finalmente.

«Pegando na caneca suja da minha mesa, ele olhou para ela por acaso, depois empalideceu. "Café?", disse com um tal espanto que até parecia que descobrira que eu andava a beber canecas cheias de uísque.

«"Sim, café", respondi.

«Com uma força totalmente inesperada, atirou com a chávena, que bateu na borda da prateleira e caiu no chão, estilhaçando-se. "Porque me fazes isto?", perguntou, irritado. "Porque resistes a todos os esforços que faço contigo?"

«"Desculpa. Estou apenas cansada."

«"*Não* tens meditado", disse ele ferozmente e aproximou-se de mim.

«"Fergus, tenho meditado, mas o meu dia não tem horas suficientes. Estou a tentar fazer as tuas coisas. Estou a tentar fazer as minhas coisas. E estou destroçada." Os meus olhos encheram-se de lágrimas.

«"Não admira que Torgon se recuse a aparecer directamente através de ti", murmurou Fergus com ar ameaçador. "Nem sequer tentas encontrá-la a meio do caminho."

«Desapareceu na cozinha enquanto eu me levantava para limpar os cacos da chávena.

«Quando ele voltou trazia chávenas de chá de ervas. Independentemente do que dissesse o rótulo, cada chá que o Fergus me trazia sabia ao mesmo. Aquele cheiro a ervas e flores ficara inextricavelmente ligado na minha mente à presença de Fergus.

«Empurrou os livros para o lado e sentou-se na minha cama. "Aquilo de que vim realmente falar contigo foi de um curso de mediunidade que quero que faças. É em São Francisco. Conheço o líder pessoalmente e ele é excelente. É um curso privado, apenas para aqueles que já atingiram um certo nível de iluminação, e acho que seria ideal para ti. Haverá lá muitas outras pessoas como tu que já estabeleceram um bom contacto com os seus guias, mas não se sentem totalmente à vontade com a mediunidade. Gavin, o tipo que dirige aquilo, é médium profissional. Já prestou serviços a várias estrelas de cinema e a empresários. Pessoas bastante famosas. E é rico como o caraças.

«"Não posso ir fazer nenhum curso, Fergus. Estou no fim do período. Não posso ausentar-me."

«"Só estamos a falar de duas semanas. Duas semanas, Laura, e traria benefícios para o resto da vida. Já falei com o Gavin acerca de ti. Ele está confiante de que assim que Raif... o seu guia... que assim que Raif falar contigo, fará toda a diferença. O tipo não é o Rato Mickey, Laura. Se alguém puder ajudar-te a trazer a Torgon de forma clara, é o Gavin."

«Lembro-me de estar ali sentada a ouvi-lo e a sentir-me cada vez mais deprimida. Queria agradar-lhe. Amava-o tanto que desejava ser tudo o que ele queria que eu fosse, mas como podia eu fazer isso? Não havia tempo suficiente para fazer todas as coisas que ele queria que eu fizesse e mais os meus estudos, e ele ficava muito impaciente comigo quando eu não conseguia. Quanto à questão de Torgon... uma coisa fora eu criar um *alter ego* para mim a partir da Torgon para usar com o grupo das terças à noite, mas o que o Fergus estava a tentar "trazer" era algo muito maior e eu não tinha essa qualidade. Não havia nenhuma Torgon "real" para o Gavin e o Raif encontrarem. Nada com quem eu comunicar, a menos que fingisse tudo. Mas Fergus recusou-se a ouvir-me quando tentei explicar isso. Continuou a insistir que era culpa minha a Torgon não ser real para mim, que se fizesse o que ele dizia, se meditasse mais, levasse uma vida mais pura, mais digna, estudasse as coisas que ele me dava, o *ouvisse*, então Torgon *viria* até mim como uma verdadeira Voz.

«Tentei explicar que não era possível eu ir fazer aquele curso que ele me arranjara. Eu não queria fazê-lo zangar-se, porque já tinha descoberto um temperamento muito violento à espreita no seu amor por mim. Ele era capaz de rugir de tal maneira que não havia muita diferença entre a paixão e a violência no seu comportamento. Eu sabia que era tudo culpa minha, mas, por muito que quisesse agradar-lhe, simplesmente não podia. Disse: "O Betjeman já anda suficientemente chateado comigo. Chamou-me duas vezes para me dar um raspanete, porque o meu trabalho perdeu qualidade. Outrora, eu era uma aluna de nota máxima, portanto tive de lhe prometer que me ia concentrar no meu trabalho. E tenho de o fazer. Tenho uma cadeira de Microbiologia este período que estou com dificuldade em terminar. Preciso dela para acabar o curso, por isso *tenho* de estudar."

«"Betjeman? Porque é sempre o Betjeman?", retorquiu Fergus irritado.

«Suspirei.

«Fergus lançou-me um olhar muito penetrante, os seus olhos escuros movendo-se lentamente sobre a minha cara. Então, de repente, pôs-se em pé com ar ameaçador. "Andas a foder o Betjeman? É por isso que estás tão obcecada com aquilo que ele quer?"

«"*Não!* Meu Deus, não, Fergus! Porque é que achas isso? Ele é só o meu orientador."

«"Não acredito em ti."

«"Fergus, não sejas louco. Ele tem um milhão de anos. Nem nunca sequer o olhei dessa forma. Tu és o único que amo."

«"Bem, se é assim, então prova-o." A sua voz era calma. "Escolhe."

«"O que queres dizer?"

«"Ou ele ou eu. Diz ao Betjeman que meta o curso no cu e vem comigo para a Califórnia. Ou escolhe-o e eu acabo tudo contigo."

«Admirada, olhei para ele. "Deixa-te disso, Fergus."

«Ele manteve os olhos sombrios no meu rosto.

«"Não estou a ouvir isto", declarei, abanando a cabeça. "Não estou a ouvir o que acabaste de dizer." Abri um livro e debrucei-me sobre ele.

«"Eu sabia que irias trair-me", respondeu ele, "como já fizeste antes. Como sempre fizeste."

«Não respondi. Mantive a cabeça baixa, os olhos sobre o livro aberto, e fingi ler, mas a minha mente estava noutro lado, a um milhão de anos-luz de distância, a percorrer universos paralelos, outras dimensões, os recantos escuros da imaginação.

«"E vou dizer-te outra coisa", disse Fergus. "Naquela primeira noite no *health club*, quando me disseste que estavas a estudar Medicina, senti um aperto no coração. As Vozes já me tinham dito que não era para aí que a tua vida estava a ir, embora eu ainda não soubesse quem tu eras. Nessa primeira noite no *health club*. Olhei para ti e soube que estavas no caminho errado."

«Levantei a cabeça. Apoiando os braços sobre a secretária, inclinei-me para ele. "Estás sempre a dizer-me para ficar em sintonia com o que a Torgon quer, com a sabedoria que ela tem para me oferecer. A verdade é que a única vez que realmente fiz isso foi ao ter escolhido estudar Medicina. Não há médicos no mundo da Torgon. Nem livros. Nem ciência. E poucos conhecimentos sobre a forma de impedir as pessoas de morrerem das doenças mais simples. Apenas uma velha coberta de tinta e óleo de cabra que sacode guizos ante a injustiça de tudo. Então, pensei, *posso* aprender isso por ela. *Posso* sair do meu canto e fazer a diferença com o meu saber. A Torgon inspirou-me. Essa foi a única escolha que realmente fiz por causa da Torgon. Então como podes dizer-me agora que não é o meu caminho?"

«"Porque as Vozes disseram o contrário. Disseram-me que, por muito que te esforces, nunca passarás um dia como médica."

— Acho que poderia ter esquecido essa previsão sombria, mas depois vieram os exames, o fim do período, as férias do Natal e, com o início do novo período, as minhas notas. Eu estava com medo de as ver, porque sabia que tinha passado demasiado tempo com Fergus e não estudado o suficiente, mas ao abrir o envelope fui forçada a reconhecer que as coisas eram muito piores do que eu pensava. Tinha chumbado a Microbiologia.

«Sentei-me à mesa da cozinha e olhei para o papel das minhas notas. O meu sangue transformou-se em gelo. O que iria acontecer se o meu pai e a Marilyn descobrissem? Os meus pais não tinham ideia do meu declínio académico. Na verdade, a minha família sabia muito pouco sobre a minha vida actual, porque há uma eternidade que eu não ia a casa. Evitava o contacto, pois como iria eu explicar Fergus? Todos aqueles anos a Marilyn quisera que eu tivesse um namorado e, agora que eu realmente tinha um, o que podia dizer sobre ele? Que ganhava a vida como médium? Que planeava tornar-se o Rei-Sol depois do apocalipse?

«Como tinha tudo aquilo acontecido? Como é que, em dezoito meses, eu deixara de ser a estrela que brilhava no firmamento de Betjeman e chumbara numa cadeira fundamental para terminar o curso? Sentada ali na mesa da cozinha naquela manhã de Janeiro, tentei recriar essa sensação de alegria espantosa, mas inocente, que sentira ao invocar Torgon nas minhas aulas ou durante o trabalho de laboratório e ao tentar ver o que estava a aprender a partir da sua perspectiva. Não conseguia sentir isso agora. Não conseguia sequer lembrar-me de qual era a sensação.

«As aulas naquela altura eram uma chatice, algo que se interpunha no caminho daquilo que Fergus queria que eu fizesse ou interferia no meu trabalho com o grupo das terças. Ao longo dos últimos seis meses, eu começara a cobrar pelos conselhos das noites de terça--feira; só um pouco, um pequeno valor para ajudar nas despesas, porque eu não era aquilo a que se pode chamar rica. Além disso, o Fergus disse que eu devia. Dava à coisa uma aura mais profissional, disse ele. E ninguém se opôs. Na verdade, eu tinha agora mais gente do que nunca a vir ver-me nas reuniões de terça à noite. No entanto, isso deu mais importância ao compromisso, já que eu tinha de arranjar mais tempo para poder ver mais pessoas.

«Olhei para a carta e percebi que algures pelo caminho eu me transformara em alguém que não conhecia.

«Pegando no telefone, marquei um número.

«A Tiffany atendeu. "És tu, Laura?"

«"Sim, sou eu."

«"Estás com uma voz estranha. Constipaste-te?"

«"Mais ou menos", respondi e limpei as lágrimas dos olhos.

«"Ligaste para falar com os pais? Porque, se ligaste, tens azar. Eles acabaram de ir ao supermercado. O Cody está no treino de hóquei."

«"Não faz mal. Liguei apenas para ouvir uma voz familiar. Tu serves."

«"Bolas, Laura, isso parece mesmo uma grande constipação! Apanhaste-a no hospital?"

«"Foi mais ou menos isso."

«Então, silêncio. Tiffany estava a mascar pastilha. Esse som atravessava todo o continente melhor do que a voz dela.

«"O que tem acontecido por aí?", perguntei.

«"Pouca coisa. O pai tem-me levado a mim e ao Cody a esquiar quase todos os domingos. Só isso. Estou a ficar muito boa. Devias vir ver-me."

«"Sim, gostava de poder."

«"Porque não vieste a casa no Natal, Laura? Senti a tua falta. Há muito tempo que não vens a casa."

«"Estive ocupada."

«"No hospital?", perguntou Tiffany.

«"Apenas ocupada."

«"A mãe diz que é preciso trabalhar muito para se ser médico."

«"Sim, é mais ou menos isso."

«"Eu estava a pensar que podia ser veterinária", disse Tiffany, "mas acho que estou a mudar de ideias. Não gostava de trabalhar o tempo todo e nunca ver a minha família."

«"Sim, bem, provavelmente os animais não são tão maus como as pessoas."

«"Estás a chorar, Laura? Parece que estás a chorar."

«"Não. Estou só muito ranhosa. Ouve, Tiff, estive a pensar... Queres vir visitar-me um dia? Sabes, talvez durante as férias da Páscoa?"

«"Uau!", gritou Tiffany para o telefone. "A sério? *A sério,* Laura? Isso era bestial! *Adorava!*" Uma pausa. "Podes pedir hoje aos pais? Ligar mais tarde? Quando eles chegarem do supermercado e perguntar-lhes? Porque eu adorava!"

«Atrás de mim ouvi o som da chave na fechadura da porta. Fergus entrou no meu apartamento.

«"Ouve, Tiff, tenho de desligar. Está alguém à porta. Adeus." Desliguei rapidamente.

«"Quem era?", perguntou Fergus.

«"A minha irmã."

«"Para que estás a falar com ela?" A sua voz soava vagamente desconfiada.

«"Porque ela é minha irmã."

«"Ela é que ligou?"

«"Que importa isso?"

«"Ela é uma criança, não é?"

«"Sim, tem doze anos."

«"Então porque querias falar com ela?"

«"Porque ela faz parte da minha família, Fergus."

«Ele observou-me com atenção. "Estiveste a chorar."

«"Não, não estive."

«"O que se passa?"

«"Nada. A sério."

«Ele continuou a olhar para mim.

«"*Okay*, estive", respondi. "Mas já estou bem."

«"Porque estavas a chorar?"

«Encolhi os ombros. O documento com as minhas notas estava aberto sobre a mesa. Não queria chamar a sua atenção para ele voltando-o, mas também não queria que ele visse o logótipo da universidade.

«"Não tens meditado", disse ele.

«"Tenho meditado."

«"E aqueles exercícios de ioga? Tem-los feito?", perguntou ele.

«"Alguns."

«"Mas não todos." Ele franziu a testa. "O problema é todo esse, Laura. Não estás empenhada. Não quero que percas tempo a falar com a tua família. Estamos a chegar a um período importante e tu estás a começar a fazer aparecer várias emoções difíceis das tuas vidas passadas. Eles não vão entender aquilo por que estás a passar, portanto falar com eles só vai dificultar esta fase para ti."

«Eu sentia as lágrimas a surgir de novo, portanto virei-me e fui até à janela.

«"Laura, descontrai-te. Consigo sentir a tensão a partir daqui. Acalma-te. Não *queres* sentir-te assim, pois não?"

«"Não."

«"Então respira fundo e devagar. Como te ensinei."

«Assim fiz.

«A voz dele suavizou-se. "Anda cá. Anda cá sentar-te no chão comigo, eu massajo-te os ombros." Abriu os braços.

«Ao ver aquele gesto de amor, não consegui conter as lágrimas. "Tudo está a desmoronar-se", disse eu. "Não sei para onde me voltar."

«"Para mim", respondeu ele com ternura, puxando-me para ele. "Não para a tua irmã. Não para o Betjeman. Não para nenhum deles. Eles não podem ajudar-te. Só eu posso fazer isso, minha rainha. Porque ninguém te ama como eu." A sua voz era doce como mel. "Não vás ter com eles. Só eu sei. Só eu posso ajudar. Só eu te amo."

«Chorei.

«"Então descontrai-te agora, minha querida. Descontrai-te. Sente os teus músculos. Aqui. Parecem ferro, não parecem? Vamos fazer alguns exercícios. Eu faço-os contigo. Roda o pescoço. Assim. Segue-me. Vai aliviar a tensão. Agora levanta os ombros."

«Eu estava a chorar muito. Não conseguia parar.

«Inclinando-se para a frente, Fergus colocou as mãos em ambos os lados do meu rosto. "Vá, dá-me isso", sussurrou. "Dá-me a tua dor. Deixa-me partilhar o teu fardo."

«As mãos de Fergus estavam muito quentes. Sabiam bem contra a minha pele enquanto ele segurava o meu rosto e via as minhas caretas. Através delas fluiu a grandeza do seu amor por mim. Realmente. Eu conseguia senti-lo. Rodeava-me e absorvia a minha angústia. Mesmo no abismo do meu desespero percebi que ninguém jamais me amara com a força com que Fergus amava.

«"Vem a mim", disse e apertou-me nos seus braços novamente. Beijou a minha testa, o meu rosto molhado, o meu cabelo e segurou-me como um bebé no útero. "Estás em segurança", murmurou ele. "Estás comigo. Estamos juntos novamente e nunca nada irá separar-nos. Prometo-te isso. Prometo com a minha vida que vou proteger-te para sempre."

CAPÍTULO TRINTA E UM

— Quero um chapéu de cobói — anunciou Conor quando entrou na ludoteca. Foi até à cesta das roupas. Escolhendo o chapéu de cobói, enfiou-o na cabeça.

— Ele é meu filho — disse ele para ninguém em particular. — Não quero que ele se vá embora.

Conor olhou para James.

— O pai é forte. Levanta-me. As mãos debaixo dos meus braços. «Upa, upa», diz ele. E eu subo. O pai ri-se. Sinto o seu bafo.

— Estás a apreciar as coisas que o teu pai faz — disse James.

— Sim. — Conor aproximou-se da mesa. — A minha mãe não é forte. Não usa um chapéu de cobói. Ela disse: «Ele tem de se ir embora.» Mas o pai disse: «Não, eu não quero isso.»

James sorriu.

— Eu não vim cá da última vez — disse Conor.

— Não, não vieste.

— Estive doente de noite... vomitei. Três vezes. Sujo no chão. A minha mãe disse: «Ele tem de se ir embora.» A minha mãe chorou. As lágrimas correram-lhe pelo rosto — disse Conor e pôs um dedo sobre a face. — O pai disse: «Ele pode ficar comigo. Se vomitar no chão, eu limpo.» Mas eu não voltei a vomitar. Fiquei bom, então.

Ele virou-se.

— Onde está o gato mecânico hoje? — Foi até à estante e pegou na caixa. — Aqui está. Onde está a tua base? Vou pô-lo na tua base para que possas levantar-te e ver. — Voltando à mesa, pousou o gato de cartão e empurrou-o para o caderno de James. — Pronto. O gato mecânico vai ler o que escreve hoje. — Então afastou-se, trotando pela sala.

— Pareces feliz hoje — sugeriu James.

— Hoje é o dia em que venho aqui. Hoje é o dia que passo com o gato mecânico. — Passou pela mesa e pegou no gato de cartão. A excitação dominou-o e o seu corpo ficou momentaneamente rígido. — Leia o poema.

James folheou o caderno até encontrar a canção do gato mecânico de Conor. Leu-a em voz alta.

Ainda tenso do entusiasmo, Conor agitou os dedos diante da pequena figura de cartão.

— Tu és forte. És valente. Nada de fantasmas. Sabes que aqui não há fantasmas. Dizes-me: «Menino, estás seguro comigo! Consigo ver todos os fantasmas, mas não há fantasmas para ver. Menino, podes fazer tudo aqui. Podes ser tu mesmo.»

— O gato mecânico faz-te sentir seguro e forte — comentou James.

— Não preciso dos meus fios. Viu? Hoje não tenho fios. — Conor levantou a camisa para mostrar que o habitual fio com alumínio estava ausente.

— Hoje decidiste ser um menino normal.

— Sim. O meu pai forte diz: «Não precisas deles. Deixa-os em casa.» Eu não preciso deles. Não acontece nada. O gato mecânico diz: «Não precisas deles. Também és forte.»

Pousando o gato de cartão em cima da mesa, Conor virou-se para o cavalete.

— Hoje vou pintar. Com os dedos. Azul Material Escolar Coleman. Escolho o azul. Não fiz o azul.

James levantou-se para o ajudar a preparar os materiais. Quando os jornais estavam em cima da mesa e o papel húmido de fora, Conor foi até onde James estava sentado. Pôs o seu gato de peluche no colo de James.

— Nada de acidentes desta vez! — disse com uma gargalhada.

Conor começou a pintar com entusiasmo. Parecia ter menos interesse em pintar que em pôr tinta no papel, porque continuou a acrescentar ao que já tinha. Foi aplicando a tinta em movimentos circulares, levantando o excesso de tinta e deixando-o cair de novo no papel.

— Agora amarelo? Amarelo Material Escolar Coleman? — perguntou, levantando a cabeça para olhar para James.

— Sim, também podes juntar amarelo, se é isso que queres fazer.

— Sim! É isso que o menino quer fazer. E aqui, se o menino quer, o menino faz! — disse com satisfação. Um bocado de tinta amarela juntou-se à azul. As duas cores juntas formaram um verde algo feio.

— Este papel está gasto. Tem um buraco — disse Conor.

— Pois tem.

— Vou pô-lo além. Vou pegar num papel novo.

— Consegues pôr água nele sozinho? — perguntou James.

— Sim, consigo!

James sorriu ao ver a crescente confiança de Conor.

Enquanto Conor levava o papel ensopado de tinta para o balcão ao lado da pia, o peso no meio foi demasiado. O papel rasgou-se e o excesso de tinta caiu para o chão. Conor saltou para trás de surpresa, mas não perdeu o controlo. Na verdade, riu-se inesperadamente.

— Olha! Vomitado! O quadro diz: «Demasiado no meu estômago. Vomitar no chão!»

— Sim, é um pouco parecido com isso.

— Quem vai limpar isto?

— Queres ajuda? — perguntou James.

Conor olhou para a tinta no chão, pensativo.

— Ela diz: «Ele tem de se ir embora. Ele é demasiado para mim.» Ela chora. Lágrimas a correrem pela cara. — Uma pausa. — Desculpa, mãe — murmurou ele num fio de voz. — O menino quer dizer isso, mas o seu estômago está doente. Ele quer dizer: «Sê forte. Não chores. Não deixes que as lágrimas te corram pela cara. O homem fantasma vai vir. Ele vai beber as tuas lágrimas.»

James tinha-se levantado da cadeira para ajudar, mas deteve-se, não querendo perturbar os pensamentos de Conor. Conor olhou para ele. Estendeu os braços para o gato de peluche.

Levando-lhe o gato, James foi depois buscar as toalhas de papel para limpar a tinta. Conor ajudou a empapar a água suja do tapete com uma toalha de papel. Parecia menos animado, mas continuou sem perder o controlo. Na verdade, foi humedecer outra folha de papel para continuar a pintar com os dedos.

De volta à mesa, Conor pousou a folha. Pegou no frasco de tinta azul, mas hesitou um pouco antes de ela se derramar do frasco. Pousou-o de novo. Pegando na tampa, fechou o frasco e guardou a tinta azul no seu lugar. Fez o mesmo com a amarela. Tirando a tinta vermelha da prateleira, levou-a para a mesa, destapou-a e tirou uma boa quantidade.

Pousando a mão por cima da tinta na folha, Conor moveu-a com uma lentidão quase rítmica. Levantando-a, olhou para os seus dedos vermelhos. A seguir pôs a outra mão na tinta e moveu ambas. A seguir levantou-as e olhou para elas com cuidado.

— É tinta? — perguntou baixinho. — É tinta? É?

Voltou a pousar as mãos na tinta e a descrever movimentos circulares. Depois levantou as mãos.

— Será que a mãe sujou tudo com as suas tintas? Mãe, que confusão. Gastaste o meu frasco todo.

Ele continuou a espalhar a tinta, o seu humor mudando lentamente à medida que a actividade o atraía mais profundamente. A animação tinha desaparecido. A sua concentração foi ficando cada vez mais intensa à medida que ele estudava o movimento das suas mãos.

Uma pausa na actividade.

Conor levantou uma mão e com muito cuidado pousou-a na pele nua do seu antebraço para deixar uma impressão clara da palma e dos dedos.

— Talvez seja sangue. — Olhou rapidamente para James, a sua expressão preocupada.

— Não, não é sangue — disse James calmamente. — É só tinta vermelha.

— Só tinta vermelha. O homem diz que é só tinta vermelha. Aqui vivem gatos fortes. Só tinta vermelha.

Pousou a mão na tinta e moveu-a em círculo. Fez uma nova pausa e fez-se um silêncio profundo. Com a testa franzida em concentração, examinou a marca da mão no braço.

James ficou em silêncio a observar a criança. Que papel desempenhara o sangue nos acontecimentos que tinham traumatizado Conor?

De repente, Conor olhou para cima com uma expressão de horror puro. Erguendo as mãos a gotejarem vermelho, gritou.

Arrancado dos seus pensamentos, James levantou-se rapidamente.

— O que aconteceu? O que se passa?

Hirto de medo, Conor limitou-se a gritar.

— Queres que te ajude a lavar isso? Vá, vamos até à pia — disse James, pousando a mão no ombro de Conor para o guiar. Conor ergueu o braço sujo de tinta à sua frente. — É só tinta vermelha — assegurou James novamente.

Abrindo a torneira, James encheu a mão de água e verteu-a sobre a pele de Conor. A tinta começou a dissolver-se, tingindo a água que saía pelo ralo de vermelho-pálido. James ficou em pé atrás da criança, o seu corpo a manter Conor suficientemente perto da pia para que a tinta fosse lavada, e sentiu os músculos rígidos descontraírem-se.

Pegando em toalhas de papel, James secou o braço de Conor.

— Aquilo foi muita coisa ao mesmo tempo, não *foi*?

— Muita coisa para hoje — murmurou Conor. Virou-se. — Onde está o pai?

James ajoelhou-se e colocou os braços à volta da criança.

— Estás com medo e gostarias que o teu pai estivesse aqui contigo.

Conor assentiu.

— Ele estará aqui em breve. Quando o ponteiro do relógio chegar ao dez, ele vai estar à tua espera na outra sala e depois são horas de ir para casa.

— Leia-me o poema.

James não tinha necessidade de o ler. Já o sabia de cor.

Conor soltou um suspiro longo e aliviado ao ouvir as palavras familiares.

— O gato mecânico é forte — murmurou ele. — Estamos em segurança. O gato mecânico nunca pode morrer.

Quando Alan chegou, James deixou Conor com Dulcie alguns minutos e convidou-o para o seu gabinete para uma conversa rápida.

— Na verdade, se o senhor não tivesse tomado a iniciativa, eu ia pedir-lhe para falar consigo — disse Alan, entrando. — Porque tenho de dizer que ele se tornou um menino diferente nas últimas semanas.

James sorriu.

— Sim, está a mostrar alguns progressos.

— Ainda fala em círculos na maioria das vezes, mas, sabe, nós os dois estamos realmente a começar a ter conversas — disse Alan. — Ele agora consegue comunicar os seus desejos se o mantivermos calmo.

— Acho que o seu envolvimento tem sido fundamental para o êxito dele — disse James. — Eu estou a ver sinais importantes de ligação a si. Hoje, por exemplo, quando ficou perturbado na sessão, perguntou por si, não apenas pelo gato. Isso é um enorme passo em frente.

Alan sorriu com prazer.

— Estou a tentar ser o homem que ele pensa que sou. — A seguir a sua expressão tornou-se mais melancólica. — Faz-me sentir mal quando penso na altura em que as coisas começaram a correr mal para ele. Sinto que o decepcionei.

— Por favor, não se julgue agora — disse James. — Normalmente as pessoas fazem o seu melhor. Especialmente com as crianças. Se cometemos erros é normalmente porque não vimos nenhuma outra maneira de fazer as coisas na altura. Como está a Laura a dar-se com ele?

Alan abanou a cabeça com tristeza.

— Não muito bem. Entre eles há uma dinâmica muito diferente. O Conor ainda não fala com ela, sabe. Fala bastante comigo, mas com a Laura é tão incoerente como dantes. Tão louco como dantes. Isso torna muito difícil convencê-la de que ele está a fazer progressos significativos.

— Porque acha que isso é assim? — perguntou James.

Alan ficou pensativo.

— Não sei. Há apenas muita tensão entre eles. Ele está tenso. Ela está tensa. Alimentam a tensão um do outro. Enfim, combinei estar mais tempo com o Conor. Ainda tenho esperança que a Laura e eu consigamos resolver as coisas entre nós. Não quero forçá-la a sair de casa. Por isso pus uma segunda cama na cabana para ele poder dormir comigo. Ele parece muito feliz com isso.

— Gostava de lhe fazer mais perguntas sobre um assunto — disse James. — O aborto da gémea da Morgana. O Conor parece ter muito medo de sangue. Será que ele testemunhou o aborto?

Alan pensou um momento.

— Ele estava em casa com ela quando isso aconteceu, mas não sei. Os problemas dele tinham começado antes. A sua dependência começou antes de Laura ter ficado grávida, porque me lembro que coincidiu com a altura em que diagnosticaram TB ao meu gado, e isso foi mais de um ano antes de a Morgana nascer. Mas... como o Conor se tinha tornado muito dependente e nunca queria perder de vista a Laura, acho que é possível que ele tenha visto o sangue.

— Alguma vez falou com ele sobre isso? — perguntou James.

— Não. Ele nem sequer tinha três anos. Não é o tipo de coisa que se fale com uma criança dessa idade, pois não?

— Estou a pensar que, se ele testemunhou o sangue ou a angústia de Laura... — disse James. — Em especial porque ele era claramente um menino muito inteligente e perspicaz. Porque me lembro que a Morgana me disse que o Conor sabia ler aos dois anos, não é?

— Não lia correctamente. Conhecia as letras. Talvez conseguisse ler uma ou duas palavras, mas mais nada.

— No entanto, isso é muito avançado. Então ele é uma criança muito, muito inteligente. Mas, com a experiência de vida de uma criança de dois anos, teria sido difícil para ele interpretar o que estava a acontecer.

Alan encolheu os ombros.

— Não sei. Não me consta que ele tenha assistido a qualquer coisa e, se assistiu, a Laura nunca me disse.

— Tudo bem — disse James.

Houve uma pequena pausa.

— Uma outra coisa que queria pedir-lhe — acrescentou James. — Gostava de fazer algumas sessões com o Conor e a Morgana juntos. Acha que pode ser?

— Sim, tudo bem — respondeu Alan. — Vou tratar disso.

CAPÍTULO TRINTA E DOIS

— A Tiffany chegou a Boston no último sábado de Março — disse Laura. — Tinham-se passado quinze meses desde que eu fora a casa, portanto fiquei admirada com o quanto ela tinha crescido. Sempre tivera o tipo de corpo de Marilyn, mas o que fora sinuoso em Marilyn era magro em Tiffany. Ela tinha doze anos e era agora quase tão alta como eu.

«Tivemos um primeiro dia esplêndido juntas. Levei-a ao centro comercial perto da minha casa e a Tiffany ficou impressionada com o tamanho e o número de lojas. Ignorei todos os ensinamentos de Fergus sobre alimentação saudável e comprámos bebidas no Orange Julius e *donuts* e pipocas com caramelo. Passámos imenso tempo na loja de animais a observar as crias e os peixes tropicais e a perguntarmo-nos quem iria querer uma tarântula de estimação. A Tiff disse que podia querer, mas que preferia ter um camaleão. Ou uma cobra-d'água. Na loja de brinquedos fizemos festas aos peluches e admirámos as bonecas caras, importadas. Na livraria, olhámos para os livros.

«Não queria ir para casa. Receava que o Fergus estivesse lá à espera, porque sabia que ele iria pôr fim ao nosso divertimento. Assim, levei a Tiffany a uma pizaria para jantar e depois fomos ao *drive-in* ver o *Guerra das Estrelas*. Já o tínhamos visto, mas adorámos. Comprei uma embalagem gigante de pipocas e bebidas grandes, inclinei os bancos do carro para trás e vimos duas sessões. A Tiffany estava tonta de cansaço quando regressámos ao meu apartamento.

«Deitei-me na cama, a vê-la tirar as coisas da mala. Normalmente, ela usava sempre o cabelo comprido apanhado num rabo-de-cavalo, mas, quando vestiu a camisa de dormir, despiu a *T-shirt* e a fita que prendia o rabo-de-cavalo soltou-se. O cabelo tombou-lhe sobre os ombros. Como a mãe, o cabelo da Tiff era preto, mas, ao contrário do da mãe, ela nunca se preocupou em enrolá-lo, por isso era totalmente liso. Vê-la ali à luz suave do candeeiro quando ela tirou a última peça de roupa, o cabelo escuro a cair para a frente, entrei abruptamente no mundo de Torgon. Pensei que a Torgon devia ter sido assim aos doze anos e, pela primeira vez em meses, o mundo ensombrado da Floresta sobrepôs-se quase que instantaneamente ao mundo do meu quarto, como uma transparência.

— Ainda estávamos na cama na manhã seguinte quando ouvi o barulho da fechadura da porta. Passei pela Tiffany ainda a dormir no chão, no seu saco-cama, e agarrei no roupão, porque sabia quem era: Fergus.

«"O que é isto?", perguntou ele, tirando o recipiente vazio de pipocas do caixote do lixo da cozinha. "Isto tem produtos animais. O que mais comeste? Açúcar? Gordura animal? Não posso acreditar que estejas a fazer isto." Zangado, amarfanhou o recipiente vazio nas mãos e atirou-o de volta para o lixo.

«A Tiffany apareceu à porta do quarto.

«Fergus olhou para ela, os seus olhos ensombrando-se como os de um gato assustado.

«"Olá", disse ela e olhou para ele e para mim. Sorriu timidamente.

«"Fergus, esta é a minha irmã Tiffany. E este é o meu amigo Fergus, querida. O Fergus e eu estamos, bem, mais ou menos juntos."

«"Ai sim?", disse Tiffany, surpreendida. "Então também vens a Salem?"

«"Salem?", perguntou Fergus bruscamente. "Não podes ir a lado nenhum hoje, Laura. Precisamos de trabalhar. Vais comunicar na terça-feira à noite."

«Tiffany parecia confusa.

«"Prometi à Tiff que a levava aos museus de Salem. Ela só vai cá estar cinco dias."

«Fergus enfiou a mão no bolso das calças e tirou um maço de notas. Tirando uma de cinco dólares, estendeu-a a Tiffany. "Toma. Desaparece durante umas duas horas."

«"*Fergus!*", exclamei, consternada.

«Ele voltou-se para mim. "Duas horas, *okay*? É só o que peço. Vamos trabalhar na tua mediunidade durante duas horas e, em seguida, tu e ela podem ter o resto do dia livre."

«Concordei com relutância. "*Okay.*"

«A Tiffany, que ainda estava de pijama, olhou para os cinco dólares na mão e depois para mim, perplexa.

«"Importas-te, Tiff? Tenho de fazer umas coisas antes de podermos sair."

«"Mas o que devo fazer com isto?", perguntou ela, confusa. "Nem sequer tomei o pequeno-almoço."

«"Sim, bem, *esse* é o objectivo", respondeu Fergus. "Pega nisso e vai tomar o pequeno-almoço."

«"Há uma pastelaria apenas a dois quarteirões rua abaixo. Gostas de *donuts*, não gostas? Pensa só. Podes escolher aquilo que te apetecer", disse eu com um sorriso. "E toma. Dou-te mais cinco dólares. Vai lá tomar o pequeno-almoço e, em seguida, quando tiveres comido, as lojas estarão abertas e podes entrar nalgumas."

«"Sozinha?", perguntou Tiffany espantada.

«"Só por duas horas, Tiff. És suficientemente crescida para fazer isso sozinha, não és? Pensa só, podes dizer à tua mãe quando chegares a casa. Isso vai deixá-la doida!", acrescentei, sorrindo maldosamente.

«Com um suspiro confuso, ela virou-se e foi ao quarto mudar de roupa. Segui-a e fechei a porta. "Olha, lamento imenso isto, Tiff. Eu não sabia que o Fergus vinha cá. Mas porta-te bem, *okay*? Por mim? Sai e diverte-te durante duas horas. A seguir vamos a Salem como planeámos."

«"Sim, como *planeámos*", disse ela. "Então porque é que tens de parar agora e fazer o que ele diz só porque ele está aqui?"

«"Porque isso representa menos problemas a longo prazo."

«Fergus recusou-se a deixar-me sozinha com a Tiffany. Embora quisesse trabalhar a minha mediunidade, essa opção não era realista com a minha irmã por perto. Como não podia fazer isso, Fergus decidiu acompanhar-nos nos passeios que tínhamos planeado fazer juntas.

«Chegou a terça-feira, que era o último dia completo de Tiffany em Boston. Eu teria preferido faltar ao grupo das terças à noite, se pudesse, mas o Fergus não admitiu tal coisa. Não quis deixar a Tiffany sozinha no meu apartamento à noite, por isso acabámos por levá-la também.

«Isso foi um erro. Senti-me inibida com a Tiffany presente, com medo, acho, do que ela pudesse contar aos meus pais. Não consegui descontrair-me o suficiente para fazer o tipo de coisas que costumava fazer, portanto deixei o Fergus dominar o espectáculo. Mas foi na mesma excitante, porque uma das outras mulheres do grupo começou a falar numa língua estranha no meio da reunião. Fergus identificou-a imediatamente como um Ser de Luz a comunicar.

«Quando ela parou de falar, Fergus disse-lhe que era fundamental começar a limpar a sua mente praticando técnicas rigorosas de meditação. A seguir fê-la deitar-se de bruços no chão, enquanto pressionava os dedos nas têmporas dela. Disse que sentia a proximidade de muitos espíritos, nem todos bons, mas que a maior parte eram Vozes. A mulher pareceu encantada com toda aquela atenção.

«Em casa, mais tarde, Tiffany e eu preparámo-nos para dormir. Ela não falou muito. Na verdade estivera praticamente em silêncio toda a noite, o que atribuí ao cansaço, pois tivéramos uma agenda muito apertada, a tentar encaixar tudo.

«"Podes dormir no avião para casa", disse eu quando me deitei. "Assim a viagem passa mais depressa."

«A Tiffany anuiu em silêncio e pegou no pijama. Pousando-o na cama, tirou o elástico do rabo-de-cavalo e soltou o cabelo antes de começar a desabotoar a camisa.

«Eu dera por mim a viver por aquele breve momento todas as noites quando a Tiffany soltava o seu cabelo escuro e liso e evocava essa visão breve, bruxuleante, de Torgon. A seguir experimentava um eco distante da sensação fascinante que tivera sempre em criança quando entrara na Floresta.

«Quando mudou de roupa, a Tiffany inclinou-se sobre mim e deu-me um beijo a cheirar a dentífrico antes de se deitar no seu saco-cama. Como eu ainda não tinha sono, dei-lhe as boas-noites, levantei-me e fui para a sala.

«Em cima da mesinha estava um dos cadernos que o Fergus usara para transcrever o que eu dizia nas minhas sessões mediúnicas com o grupo das terças à noite. Inclinei-me e peguei-lhe.

«"*Torgon diz: A trama da tua própria existência funciona como um impedimento, altamente prejudicial aos factos de unidade interior, onde o ser físico, individualmente, obstrui a realização colectiva de uma actualização multidimensional*", li.

«Fui dominada por uma sensação estranha e vagamente de repulsa. Não havia sentido naquela frase. Não conseguia lembrar-me agora se a pessoa com quem eu estivera a comunicar achava que fazia sentido, mas olhando agora percebi que não dizia nada. Apenas palavras na ordem gramatical correcta, tão desprovidas de sentido como as frases geradas aleatoriamente por um computador.

«A seguir pensei na Torgon — na verdadeira Torgon —, aquela que ganhava vida quando a Tiffany soltava o cabelo. Essa Torgon estava tão distante daquela frase caótica que era quase obsceno atribuir-lha. Há quanto tempo não ia eu à Floresta como costumava? Havia meses, percebi, e tinha estado tão ocupada com Fergus que nem tinha notado.

«Será que ainda seria capaz de lá ir? Não era algo que eu pudesse apenas "invocar", como fazia com a falsa Torgon. Nunca parara realmente para pensar no que fizera durante todos aqueles anos para "ir à Floresta". Ela estivera lá quando eu quisera. Tinha-o feito intuitivamente. Agora não estava lá. Tirando aquele breve momento à noite com o cabelo solto da Tiffany, não havia nada. Mesmo isso era apenas uma ressonância, tal como um copo de cristal que apanha uma nota distante.

«Recostando-me nas almofadas do sofá, fechei os olhos e tentei dar vida à Floresta. A última história que eu tinha escrito fora a de Torgon a fugir para o alto sítio sagrado depois de matar Ansel. Pensei nos acontecimentos, mas estava apenas a recordá-los. Eu não estava lá.

«Talvez precisasse de me descontrair mais, pensei. Usando as técnicas de meditação que Fergus tão cuidadosamente me ensinara, acalmei a minha mente. Nalguma parte distante de mim ainda conseguia sentir o que acontecera no mundo dela enquanto eu estivera presa no meu.

«Fora nomeada uma nova Vidente, Caslan, a irmã mais nova de Ansel. Torgon reunira-se com os anciãos do conselho da aldeia e conseguira convencê-los de que o assassínio de Ansel fora um acto sagrado, feito sob as ordens de Dwr. Isso não foi suficiente, contudo, para os três irmãos mais novos de Ansel — os irmãos sagrados —, que também eram guerreiros. Sendo orgulhosos e bem-nascidos, sentiam-se humilhados pela forma como ele morrera: nu, adormecido pela sua própria faca na mão de uma mulher de baixa casta. O pai de

Loki, que era líder do bando *benita*, viera defender Torgon e isso pusera os guerreiros a discutir entre si, alguns aliando-se aos irmãos, outros ao bando *benita*. A guerra civil aproximava-se.

«Abri os meus olhos e olhei para o tecto da minha sala. O que nos acontecera? O que acontecera a Torgon e a mim? Os nossos futuros tinham sido tão promissores. Como tinha tudo corrido tão mal?

«Passava da meia-noite quando finalmente fui para a cama. Contornei o mais silenciosamente possível a Tiffany no seu saco-cama, tapei-me e deitei-me.

«"Laurie?", chamou a vozinha dela no escuro.

«"Acordei-te? Julguei que não tinha feito barulho."

«"Não, ainda não tinha adormecido", respondeu Tiffany.

«"Ainda não? Estás aqui há horas. Há algum problema? Sentes-te bem?"

«"Sim, estou bem."

«"Então provavelmente é só a emoção da grande viagem de amanhã", disse eu. "Eu tenho sempre dificuldade em dormir antes de uma viagem."

«"Não, não é isso." Uma pausa. "Posso perguntar-te uma coisa, Laurie?"

«"Sim, claro. Força."

«"Promete-me primeiro que não ficas zangada."

«"Bem, experimenta."

«"Amas mesmo aquele tipo? O Fergus?"

«"Sim."

«"Quero dizer, ama-lo *mesmo*?"

«"Consigo perceber o que estás a pensar pela tua voz, Tiff, e quero dizer que não viste o seu melhor lado. Ele não tem muito jeito para crianças, mas a verdade é que consegue ser muito, muito carinhoso."

«"Não é isso que estou a pensar, Laurie. Não sei como dizer isto de modo que não soe mal, mas a verdade é que acho que ele é louco."

«"Não é, Tiffany."

«"Não consigo perceber o que está a acontecer aqui", disse ela baixinho. "Não percebo porque te dás com pessoas como ele e aquelas pessoas de hoje à noite na reunião. São todos loucos."

«"Não te compete a ti julgar, pois não?", retorqui na defensiva. "Quem és tu para saber alguma coisa disto? És apenas uma miúda tagarela do Dacota do Sul."

«Ouvi-a expelir o ar dos pulmões, frustrada.

«"Não quero discutir a esta hora da noite, Tiff, portanto não o vou fazer. Isto não é da tua conta. Não tens idade suficiente para entender os meus amigos."

«A atmosfera azedou então. Cansada, puxei as mantas para cima e virei-me para a parede. Seguiram-se vários minutos de silêncio.

«"Laurie?"

«"O que foi agora?"

«"Também não quero discutir, mas diz-me só uma coisa primeiro, *okay?*"

«"Todas estas perguntas são discutir."

«"Por favor? Depois prometo que te deixo em paz."

«"*Okay, uma* coisa."

«"Diz-me que realmente, lá no fundo, não acreditas em nada deste disparate."

CAPÍTULO TRINTA E TRÊS

— Na terça-feira seguinte tive um turno no serviço de urgências do hospital universitário — disse Laura. — Uma menina com cerca de sete anos fora atropelada por um carro e levada com ferimentos na cabeça muito graves. Ainda estava viva, mas inconsciente, e estávamos muito aflitos porque ninguém sabia quem ela era. Apesar dos nossos esforços, não conseguimos encontrar a família a tempo. Ela morreu, sem nome e sozinha, apenas comigo a embalar-lhe a pobre cabeça partida nas mãos.

«Por causa disto cheguei atrasada ao grupo das terças. O Fergus já lá estava. Sentada ao lado dele, onde eu normalmente me sentava, estava uma jovem que vinha de vez em quando ao grupo. Chamava-se Philippa, embora fosse conhecida como Pippa, e a maioria de nós chamava-lhe Pip. Era pequena, com cabelo curto vermelho-escuro.

«Decorria uma discussão sobre o aumento do "potencial de prosperidade". Alguém disse que estava agora a ligar-se a energias mais elevadas durante a meditação e isso lhe permitia abandonar a velha programação negativa. Disse que se havia ligado a vários programas inconscientes que não estavam a afirmar o seu potencial de prosperidade, mas agora, desde que elevara as suas vibrações e se ligara à sabedoria infinita dos Seres de Luz, tinha a certeza de que o seu novo negócio teria êxito.

«Pip disse de repente que o *seu* guia espiritual tinha estado em contacto com Torgon na semana anterior e que Torgon dera informações ao seu guia sobre como ajudar Pip a centrar a sua vida de forma a incentivar a riqueza.

«Eu não podia acreditar no que acabara de ouvir. Senti-me muito tentada a desmascarar o *bluff* de Pip, porque isso não era algo que

Torgon fizesse, nem a real nem mesmo a minha construção dela, mas hesitei. Se desafiasse Pip sem explicar como é que tinha a certeza de que ela estava a inventar, as pessoas iriam pensar que era apenas inveja da minha parte. Se eu admitisse que sabia que a alegação de Pip era falsa, as minhas próprias falsidades seriam reveladas.

«Estávamos todos sentados em círculo no chão e, enquanto pensava no assunto, olhei em volta, para Pip e para outros membros do grupo. De repente olhei para os meus sapatos. Havia sangue num deles. Apenas duas gotas minúsculas, mas soube imediatamente que devia ser o sangue da menina que eu tratara nas urgências.

«A visão daquelas gotas de sangue atingiu-me como se alguém tivesse atirado um martelo à janela. A minha mente estilhaçou-se. Olhando em volta para aquelas pessoas bem alimentadas, bem vestidas, bem educadas, tão boçais e crédulas, descontrolei-me de repente. Pensei: *Que diabo estou aqui a fazer? Em que tipo de monstro me transformei?* E nesse momento fui invadida por um enorme pânico. Não podia ficar ali nem mais um minuto. Levantei-me de um pulo e saí da sala a correr.

«O Fergus também se levantou e foi atrás de mim. "O que foi?"

«Eu já começara a chorar. Gritei-lhe que se fosse embora. Tentando agarrar-me, ele disse: "Chiu, descontrai-te, Laura. Respira fundo agora. Respira fundo."

«Empurrando-o, corri para o meu carro. Estava a chorar tanto nessa altura que mal conseguia ver a estrada enquanto conduzia para casa. Uma vez dentro do apartamento, descalcei o sapato e corri para a cozinha, para tentar lavar o sangue, mas quando cheguei ao lava-louça a náusea dominou-me. Vomitei para cima da louça suja que estava empilhada ali dentro.

«Cerca de meia hora mais tarde ouvi o som familiar de Fergus a meter a chave na porta. "Laura?", chamou ele. "Estás aqui?"

«Apareceu à porta do meu quarto. "Como estás?", perguntou num tom preocupado. Aproximando-se, sentou-se na beira da cama. Atrás dele vinha Pip. Pip acendeu a luz de cima e em seguida sentou-se na cama ao lado de Fergus.

«"Sentes-te melhor?", perguntou Fergus. "Estavas muito pálida. Reparei quando entraste."

«A Pip disse: "Eu fui médium. Como tu tens feito. Foi uma pena não estares lá."

«Fiquei furiosa. Gritei-lhes que se fossem embora e me deixassem sozinha.

«Fergus levantou-se, abriu os braços e avançou para Pip, como se estivesse a guardar gansos. "Vai para casa", disse ele. Lembro-me de Pip perguntar: "Mas tu não vens?"

«"Por que diabo a trouxeste?", perguntei a soluçar quando Fergus voltou. "Isto não é a estação dos comboios. Porque não pensas em mim às vezes?"

«"Laura, eu só penso em ti", disse ele com ternura e estendeu a mão para alisar o meu cabelo para trás. Tive medo de que ele estivesse furioso com o meu desabafo, mas foi exactamente o oposto. A sua expressão era tão carinhosa e os seus olhos tão meigos e profundos como a escuridão. "Sem ti não há Sol, nem Lua, nem mundo para mim", sussurrou. "O universo está vazio. Estou vivo apenas porque tu estás viva."

«Descalçando os sapatos, Fergus afastou as mantas e meteu-se na cama comigo. Envolveu-me num abraço espantosamente terno, apertando-me tanto contra ele que mal me conseguia mover. Cobriu-me o rosto com beijos suaves. Ao chegar às minhas faces, tocou com a língua nas minhas lágrimas e provou-as. Sorriu. "As dores do mundo são demasiado duras para ti. És verdadeiramente sensível."

«"Não, não sou", solucei. "Vendi a minha alma. Não sou absolutamente nada."

— Quando acordei de manhã, foi como se estivesse a despertar de um sono bêbedo, a acordar no rescaldo de uma festa da pesada, quando tudo o que parecera tão maravilhoso numa névoa alcoólica parecia agora falso e irreal, quando o acordar não era uma experiência refrescante, mas de dor e decepção.

«Cansada, saí da cama e preparei-me para ir para o hospital, mas a sensação afectava tudo o que eu fazia. Nessa tarde tive de sair. Eram umas quatro e meia e eu devia ir a um seminário, mas peguei no casaco e saí.

«Já era Primavera e a tarde estava fresca e límpida. O ar encontrava-se levemente perfumado a algo floral, jacintos, penso eu, que se misturava com os escapes dos carros. Caminhei, sem pensar em nada.

«Precisava de falar com Fergus. Ele devia estar no *health club* àquela hora, mas ainda não teria iniciado as suas sessões. Se lá fosse agora, podia dizer o que tinha de ser dito e, em seguida, vir-me embora sem que houvesse tempo suficiente para ele me obrigar a fazer uma retratação.

«Entrei pela porta lateral do *health club* e desci as escadas. A luz estava acesa, derramando-se para as escadas, iluminando o tapete verde-esmeralda. A sala estava vazia, mas a porta para a pequena sala de trás, a sala privada, onde Fergus tinha as suas coisas, encontrava-se aberta. Cheguei à porta. Ouvi-o lá dentro, portanto entrei. Lá estava ele com Pip. No chão. A fodê-la por trás, como um touro uma vaca. Ele deu pela minha presença e olhou para cima.

«*"Laura"*, veio o arquejo horrorizado, mas eu não esperei. Virei-me e fugi.

«Vinte minutos depois de eu chegar a casa, Fergus estava lá. Nem bateu à porta. Limitou-se a entrar.

«"Vai-te *embora*!", gritei.

«"Laura, não é o que parece."

«"Era bem era o que parecia, Fergus!" Eu estava em lágrimas antes de poder terminar a frase.

«"Laura, acalma-te para eu poder falar contigo. Vou explicar."

«"Não há nada a explicar, Fergus. Eu vi-te."

«"Aquilo com a Pip não é nada. Pip não é evoluída. Ela é inferior. Não tem Vozes. Está apenas a fingir para obter atenção, mais nada."

«"Então dizes a ti próprio que a mulher é inferior e por isso não conta se fodes com ela?"

«"Não, tenta entender."

«"Já estou farta de entender, Fergus. Estou farta disto tudo. Estou farta da mediunidade. Estou farta do grupo das terças. E estou farta de ti. Portanto, vai-te embora. Sai. Agora."

«Fergus hesitou e foi a primeira vez que vi um brilho de incerteza na sua expressão. Fui dominada por uma enorme raiva. Peguei no caderno com os apontamentos das sessões mediúnicas e atirei-lho, porque foi a única coisa que tinha à mão. "Vai-te embora!"

«Ele hesitou um pouco mais, a sua expressão triste. Então abriu a porta e saiu. Apanhei o caderno do chão e atirei-lho novamente, sentindo apenas um pequeno alívio ao ouvir o papel e o cartão baterem na porta.

«Pegando no telefone, liguei para as informações: pedi o número das companhias aéreas. Seis horas depois encontrava-me num avião para o Dacota do Sul.

* * *

— Apesar de toda a sua insensibilidade durante a minha adolescência, a Marilyn e o meu pai fizeram um esforço sincero para me receberem de novo no seio da família, sem demasiadas perguntas ou comentários.

«A depressão dominou-me. Voltei para a cave e passei dias deitada na cama sem me preocupar com nada, nem com as aulas que tinha deixado para trás, nem com o doutor Betjeman, nem com Fergus.

«Esperara que Fergus me chateasse com telefonemas, mas os dias transformaram-se em semanas e não houve contacto. Nem uma única vez. A partir do momento em que saí de Boston, não voltei a ter notícias dele.

«Aquele silêncio gerou um misto desagradável de tristeza e de ansiedade. Sentia-me confusa e sozinha, como se literalmente não soubesse como pensar ou agir sem o Fergus me dizer o que fazer.

«No fim, foi a Tiffany quem me encorajou a sair da minha gruta na cave. Estávamos nas férias grandes, portanto ela vinha sentar-se na minha cama de manhã e falar comigo. Começou a fazer-me companhia para os desenhos animados da manhã e, para desgosto da mãe, a partilhar o meu vício de doce de framboesa em pão torrado. Entre as duas comíamos metade de um pão todas as manhãs.

«Um dia, ela anunciou: "Sei fazer *muffins* de mirtilo. Se os fizer para nós amanhã, podíamos levá-los para o quintal e comê-los na mesa de piquenique."

«"Tiff, não quero ir para o quintal às oito da manhã."

«"Então preferes panquecas? Também sei fazê-las. E está-se bem lá fora às oito da manhã. Ainda não está calor."

«Saí da cave em meados de Junho, sentindo-me como um urso a sair da hibernação. Arrastei-me em camisa de dormir e chinelos e a Tiffany fez piruetas na relva.

«A Tiffany tornou-se o meu anjo-da-guarda improvável. Vigiava cada um dos meus movimentos de volta à normalidade, ajudando-me de uma forma que eu nunca teria aceite por parte de um adulto.

«"Acho que devias cortar o cabelo, Laura", disse ela um dia, levantando-me o cabelo. "Estava melhor quando o tinhas mais curto."

«Não respondi.

«"Eu posso cortá-lo!", exclamou alegremente.

«"Ah, não, não podes. Não te vou deixar aproximar de mim com uma tesoura."

«"Deixa-me experimentar."

«"*Não*, Tiffany. Não quero que uma miúda de doze anos me corte o cabelo."

«"Então e a mãe? A mãe podia fazê-lo. Podia cortar os bocados espetados. Ficavas mais bonita."

«"O Fergus não pensaria assim."

«"O Fergus não está aqui."

— Uma noite no fim de Junho, a Tiffany disse: «Vamos a qualquer lado.»

«"Onde?", perguntei. Não tinha posto os pés fora da propriedade nas seis semanas desde que regressara ao Dacota do Sul. Nem sequer fora ao supermercado.

«Tiffany encolheu os ombros com indiferença. Estava desejosa de ver um filme de terror para o qual não tinha idade suficiente, portanto esperava que ela me pedisse para a levar a vê-lo. Em vez disso, ela sugeriu: "Que tal as Badlands?"

«"*As Badlands?*", retorqui, admirada. "Isso fica a uma hora de caminho e já passa das sete. Vai ser quase de noite quando lá chegarmos."

«"Sim, eu sei", disse ela, ainda a sorrir. "Gosto da noite nas Badlands. Durante o dia faz demasiado calor." Ela levantou-se. "Vamos lá. Vamos perguntar."

«Era um destino inesperado. Eu tivera muito medo das Badlands em criança. Fora ao sítio apenas uma vez com os Mecks. Era muito pequena e achara a estranha paisagem profundamente inquietante. Durante a viagem de regresso enjoei, o que era algo que quase nunca me acontecia. A minha mãe adoptiva sentou-me no banco da frente com ela e o meu pai. Estavam a comentar um pedaço de terra perto de Rapid City, a dizer que parecia estar a começar a erodir, e o meu pai disse que as Badlands estavam a crescer desde as tempestades de pó dos anos trinta. A conversa fez-me chorar. Lembro-me de ir deitada no banco da frente com a cabeça no colo da minha mãe e de me sentir muito enjoada, enquanto as Badlands surgiam na minha mente de criança como uma ameaça diabólica, tentando espalhar impotência por toda a parte. Já estava na adolescência quando percebi quão lentamente as mudanças geológicas têm lugar e que não precisava de ficar à espera que atacassem. Mesmo assim, nunca me sentira muito à vontade por lá. Consequentemente, parecia-me uma escolha estranha para voltar à vida.

«Quando eu e a Tiffany percorremos os cerca de oitenta quilómetros entre Rapid City e a entrada do parque nacional, o Sol já estava quase no horizonte. Não íamos conseguir ver muita coisa a menos que quiséssemos fazê-lo na escuridão, por isso, já que estávamos dentro do parque, parei no primeiro miradouro que vi.

«"Ena, sim, isto é bom!", exclamou Tiffany com entusiasmo. Havia algumas pessoas ousadas a arriscar uma caminhada até ao miradouro ao crepúsculo. Tiffany saiu do carro.

«Aquela era a minha primeira vez fora de casa ao fim de algumas semanas, portanto abri a porta do carro devagar, levantei-me e espreguicei-me. Olhei em volta. Um pássaro invisível piou. Uma fina Lua minguante pendia no céu a leste.

«Cheia de energia, a Tiffany correu até ao ponto mais baixo do miradouro, depois voltou a subir os degraus para junto de mim, que ainda estava ao lado do carro, a seguir desceu por um caminho aberto na erva da pradaria. Fiquei junto ao muro baixo no parque de estacionamento a olhar para os afloramentos mais próximos. Finalmente desci lentamente até ao primeiro local com vista panorâmica.

«Eu estivera tão poucas vezes nas Badlands que me tinha esquecido de como era um local estranho com o seu solo erodido, nu e de um branco fantasmagórico, chegando ao céu como as torres de mármore meio arruinadas de uma cidade enorme e esquecida. O Sol tinha desaparecido atrás das ondulações distantes das Black Hills, originando o longo crepúsculo do Verão. O quarto crescente tornou-se mais luminoso e nítido, uma foice pagã para caçadoras e oferendas de visco-branco. O mesmo pássaro piou novamente, uma nota longa e estridente.

«Tiffany já estava de novo na parte inferior do miradouro e desci para me juntar a ela. O chão abaixo da protecção inclinava-se abruptamente, indo a pique várias dezenas de metros.

«Já toda a gente se tinha ido embora, deixando-nos a ambas no silêncio assombrado. Apoiei os meus braços no gradeamento de metal e olhei para as formações surreais que se estendiam na escuridão até onde a vista podia alcançar. Não senti o medo que sentira em criança, mas eu ainda continuava intimidada. Era um lugar divino, particularmente ao luar.

«"Anda", disse Tiffany e esgueirou-se pelo gradeamento.

«*Tiffany!*", gritei. "Pelo amor de Deus, não vás para aí. Credo! Vais matar-te."

«"Não, não vou. Já aqui estive antes. Eu e o Cody. Há um caminho. Anda."

«Não me parecia haver nenhum caminho, apenas a queda livre para uma paisagem alienígena.

«"Anda, Laura. Quero mostrar-te uma coisa."

«Deixando para trás todo o bom senso, rastejei entre a grade de segurança e segui-a por um barranco branco de solo assustadoramente friável. Lá descemos o terreno íngreme e eu não ousava pensar como iríamos conseguir voltar a subir. "Credo, Tiffany, pára! Pelo amor de Deus, isto é para as cabras, não para as pessoas. A tua mãe vai-me matar se descobrir que te deixei fazer isto."

«"Não te preocupes", respondeu ela, sentando-se para deslizar ainda mais para o barranco fundo abaixo de nós. "Eu e o Cody estivemos aqui milhões de vezes. Há uma zona para piqueniques um pouco mais adiante na estrada e os pais param sempre lá porque tem sombra. Eu e o Cody fartámo-nos de explorar esta zona. Sei para onde estou a ir."

«E sabia, pois de repente encontrámo-nos numa reentrância estreita que abrigava três pinheiros e um bocado de erva sobre a terra branca. Estávamos a cerca de sessenta metros abaixo do miradouro, embora ainda vertiginosamente acima da base da bacia. De todos os lados, a paisagem pálida estendia-se para cima em espirais finas, como dedos esqueléticos erguidos para o céu.

«"Como é que vamos voltar para cima?", murmurei.

«"Cala-te, Laura, está bem? Se soubesse que ias ser tão adulta, não te tinha trazido", disse Tiffany. "Com essa conversa toda vais estragar o que estou a tentar mostrar-te."

«Calei-me.

«Chegando à beira do precipício, olhámos para a paisagem. O crepúsculo estava a transformar-se em noite, mas o solo branco era quase brilhante devido às estrelas. A Lua em foice pendia baixa, o resto da sua esfera ensombrada esbatida contra a escuridão. A Tiffany tocou-me no braço e apontou para a encosta à nossa esquerda. Aí, ao mesmo nível que nós, havia uma corça a caminhar pela encosta íngreme. Atrás dela vinham duas crias. Uma coruja de cor clara piou, voando rente aos pinheiros até ao abismo lá em baixo.

«"Para os índios Sioux, isto era um lugar sagrado", disse Tiffany em voz baixa. "Acho que tinham razão." Olhou para mim. "Não é uma igreja nem nada, mas ainda assim podemos senti-lo, não podemos? Eu posso. Sinto que há algo aqui que não existe na maioria dos lugares."

«*Como o alto sítio sagrado*, pensei, aquele local secreto com o seu solo branco, a sua vista, a sua sacralidade inata. Olhei para Tiffany, absorta de novo nos seus pensamentos. Com calções de ganga e uma *T-shirt* suja, os joelhos arranhados pelo solo branco, os ténis usados com buracos nos dedos, era uma guia espiritual improvável, mas reconheci-a agora por aquilo que era.

«Torgon agitou-se. Não a Torgon que me aparecera em Boston. A verdadeira Torgon. Da velha maneira. Não a vi imediatamente, apenas a senti, mas ela começou a agitar-se dentro de mim, vindo ocasionalmente à superfície, como os salmões na desova quando regressam aos riachos demasiado pequenos onde nasceram.

CAPÍTULO TRINTA E QUATRO

— Oh, mostra-ma cá. Deixa-me segurá-la. — Torgon estendeu os braços. Cuidadosamente, Mogri desembrulhou o bebé.

— Ela é forte. Trataste-a bem, Mogri.

— Quero chamar-lhe Jofa quando chegar o dia de lhe dar o nome.

Torgon acariciou o bebé.

— Oh, olha para ti, querida. Como és bonita.

— Gostava que ela parecesse tão bonita quando as corujas andassem lá fora — disse Mogri e sentou-se. — Ela ainda não distingue a noite do dia e deixa-me muito cansada.

— Bem, então senta-te e descansa, que eu seguro-a. — Torgon abraçou o bebé. — Entretanto, podes dizer-me como vai tudo em casa.

— Vou deixar os campos para aprender a tecer com a mãe.

— Tu? No tear? Mogri, sempre detestaste o tear.

— Sim, mas com um bebé, o que posso fazer? É um trabalho interior, é quente e seco e não exige que eu a carregue às costas todo o dia.

— Ah.

Mogri estendeu a mão para acariciar a testa do bebé.

— Se ao menos o Tadem estivesse vivo. Olho para ela e penso, o que será de nós? Que mundo é este para onde eu a trouxe? Sem pai. Sem irmãos. — Olhou para Torgon. — Eu ia tirar-lhe a vida quando ela saiu do útero. Tinha decidido que era a melhor solução... mas, quando a vi, não tive coragem de fazê-lo... no entanto, temo que deixá-la viva seja uma crueldade maior.

— Bem, ela não vai crescer sozinha.

— Então?

— Haverá outro a crescer com ela. Não ia dizer-te, ainda não, mas se o teu coração se sentir um pouco mais em paz...

Mogri franziu a testa.

— *O Ansel cumpriu a sua palavra comigo. Disse que naquela noite iria deitar-se comigo para fazer um filho e parece que o fez. Ela vai ter um primo antes de a Primavera voltar novamente.*

Mogri arregalou os olhos.

— *Torgon, é verdade?*

— *Sim. O meu estômago anda a incomodar-me há muitas semanas e isso fez-me desconfiar. Agora os rostos da Lua vieram e foram três vezes e eu continuo sem expelir o meu sangue mensal.*

— *Oh, santo Dwr!* — *Mogri perscrutou o rosto da irmã.* — *Quero pensar que isto é uma boa notícia, mas será, Torgon?*

Torgon abanou a cabeça.

— *Não sei... hesito em pensar no que significa e no que vai acontecer.*

— *E de onde vens tu?* — *Ele saiu de repente de detrás da árvore quando Torgon ia a atravessar a floresta.*

Era Galen, o mais velho dos irmãos de Ansel.

— *O que te traz aqui?* — *perguntou Torgon.* — *Isto é solo sagrado e não sítio de passagem.*

— *Eu falei primeiro,* anaka benna, *portanto a minha pergunta é mais forte. De onde voltas agora por estes caminhos sinuosos da floresta?*

— *Desaparece, Galen. Vai-te embora.* — *Torgon fez menção de passar por ele.*

Com uma velocidade inesperada, ele desembainhou a espada e barrou-lhe o caminho.

— *Não fales comigo assim. Esqueces-te de que também sou santo? Detém-te, ó divina, e honra-me com esta conversa.*

Torgon olhou para ele.

— *Ou talvez deva dizer-te primeiro como esta lâmina penetra facilmente um trabalhador? É afiada. Sente-a, se duvidas da minha palavra. E também há demasiados trabalhadores. Não nos perguntámos no último conselho como conseguimos alimentá-los a todos? Especialmente os* bebés. *Os trabalhadores estão sempre a procriar. Mas a minha espada é rápida com bebés. Talvez queiras que te mostre.*

— *Entre os meus, aprendemos que só os covardes magoam os mais fracos que eles. Não é obra de homens nobres.*

Virando a lâmina de lado, Galen estendeu a mão para colocar a ponta sob o queixo de Torgon. Levantou-a suavemente fazendo Torgon levantar a cabeça também para poder estudar o seu rosto.

— Sim — disse ele —, o Ansel acertou no gosto por ti. Tens um aspecto gracioso. Mas não gosto dos teus olhos. São demasiado pálidos. Dão-te um ar de espírito.

Torgon não disse nada.

— Ele falou igualmente bem dos teus seios. — Movendo de novo a espada com habilidade, Galen encostou a ponta ao ventre dela. Com um rápido movimento, levantou-a e rasgou o pano branco da sua camisa. A ponta da espada roçou a sua pele fazendo surgir esferas escarlates de sangue. — Mostra-me os teus seios, para que eu possa julgar por mim mesmo.

Torgon não se mexeu.

Galen pressionou a ponta da espada de novo contra a sua pele.

— Mostra-me.

— Desaparece. Volta para junto dos cães, que são a tua família.

Galen empurrou a espada contra o peito dela o suficiente para forçá-la a recuar.

— Não passas de tetas e de rata de trabalhadora, pelas quais um guerreiro paga apenas uns centavos. Apenas alguém sem importância que o meu pai escolheu para aplacar o cio do Ansel.

— Os homens indignos são sempre vítimas da sua sensualidade. Não importa como o teu pai fez a escolha. No acto, foi feita a vontade de Dwr.

— Tens-te em grande conta.

— Não. Tenho-te apenas em pouca. Agora baixa a espada e segue o teu caminho.

— Não, santa benna, prefiro que falemos.

Torgon fitou-o.

— Gostaria, por um lado, que falássemos sobre o meu irmão, cujos ossos jazem no meio das cinzas da sua pira funerária. Não houve nenhum dia de Verão dourado para ele.

— O que está feito está feito. Os anciãos estiveram no conselho e fizeram o seu juízo. Sabes isso bem, pois estavas lá, então nada mais há a dizer.

— Não houve honra na morte do meu irmão. Sabes isso muito bem, anaka benna. Até tu tiveste vergonha do que fizeste, fugiste.

— Procurei o retiro para poder pedir o conselho de Dwr sobre como curar o mal que o teu irmão provocou.

— Então, ó santa que fala com os deuses, que conselho obtiveste? Mais maneiras de usar a faca de um guerreiro?

— Todos vocês enviaram as vossas almas à frente para a escuridão e não querem chamá-las de volta. Por isso, Dwr diz que chegou o fim dos que nascem santos.

O rosto dele ficou vermelho.

— Mulher! *O que se passa contigo? Nasceste sem todo o senso comum? Esta espada está a um minuto da tua vida e estamos no meio da floresta, onde ninguém iria saber quem fez o quê, e ainda assim estás a pregar para mim. Dás tão pouco valor à tua vida? Mostra-me o respeito que me é devido ou eu simplesmente trespasso-te.*

— *Eu sei que o farás. Pois Dwr disse-me isso também.*

Ele pareceu espantado.

Ela sorriu.

— *Mas não hoje. Ainda não chegou a altura certa para me matares. Pois, se o fizeres, matarás também o filho do teu irmão.*

CAPÍTULO TRINTA E CINCO

— Isto não é a Lua — murmurou Conor, agitando os dedos diante do rosto. — Não fomos à Lua.

— Anda, Conor — disse James, mantendo aberta a porta da ludoteca.

— Não sei porque é que ele fala assim — murmurou Morgana. Ela passou por ele e dirigiu-se para a mesa.

— Um beijo? — pediu Alan.

Morgana correu para trás e pôs-se em bicos de pés para dar um beijo ao pai. Conor, alheado, continuou agarrado ao gato. Alan encostou os lábios ao cabelo pálido do rapaz.

— Até logo, meninos.

— Até logo, pai.

A seguir, a porta foi fechada.

— Porque é que nos quis aos dois aqui? — perguntou Morgana.

— Porque é que o Conor e eu não viemos às nossas horas do costume?

— Porque às vezes gosto de ver os irmãos brincarem juntos — respondeu James.

— Nós não brincamos os dois — disse ela. — Ele não sabe.

— Não fomos à Lua — murmurou Conor.

Morgana passeou pela sala.

— O que devemos fazer aqui hoje? Tenho de fazer alguma coisa com ele?

— Tu decides — respondeu James.

— Conor? Queres fazer alguma coisa comigo? — perguntou Morgana.

Não houve resposta.

— Ele *não* brinca comigo — disse ela a James num tom um pouco cansado. — Eu podia-lhe ter dito isso. Ele nunca brinca.

— Bem, não faz mal.

— Acho que vou brincar com o lego — disse ela, levando o grande recipiente de plástico para a mesa. — Vou fazer uma casa.

Conor permaneceu imóvel ao lado da porta.

— Gostava de construir um castelo. Já os viu? Os castelos da Lego? Tem de se comprar um *kit* especial. Mas são realmente difíceis de fazer. O meu pai diz que não posso ter um porque não sou suficientemente grande para o montar e acabaria por perder as peças. Mas gostava mesmo de um castelo para brincar.

— O que gostarias de fazer com ele? — perguntou James.

— Não sei. Só brincar. Aos contos de fadas, acho. Sabe, à Rapunzel e coisas assim. — Pegou em alguns tijolos.

James levantou a cabeça e olhou para Conor, ainda junto à porta. Por um breve momento susteve o olhar de Conor, antes de o menino desviar rapidamente o olhar.

— Queres juntar-te a nós? — perguntou James. Levantou-se da mesa e foi até junto dele.

Muito hirto, com o gato pressionado contra o peito, Conor olhava em frente, o olhar vazio.

James ajoelhou-se à altura do menino.

— Com o teu corpo e o teu rosto, vejo-te a dizer: «Vai-te embora e deixa-me sozinho.»

Uma vaga expressão de surpresa surgiu nas feições de Conor ao ouvir a interpretação precisa de James e olhou para ele.

— Sim — disse baixinho.

— As coisas estão diferentes hoje e percebo que isso não te deixa contente.

— Esta é a sala do menino.

Morgana girou na sua cadeira, espantada.

— Ele fala bem consigo!

— Talvez pudesses mostrar à Morgana o que gostas de fazer aqui — sugeriu James.

— Não.

— Queres vir para a mesa juntar-te a nós?

— Não.

— Falas comigo, Conor? — pediu Morgana, saindo do seu lugar e aproximando-se. — Que tipo de coisas sabes dizer?

Com uma expressão hostil, Conor olhou para a irmã.

— Consegues realmente falar como toda a gente? Vá lá, Conor. Fá-lo por mim.

Nenhuma resposta.

— Queres brincar com o lego comigo?

James voltou para a mesa e sentou-se.

— Quero que o Conor se sinta à vontade para se juntar a nós. Gostava que estivesses aqui connosco, Conor, mas não tens de estar, se não quiseres. Aqui, tu decides.

Ele aproximou-se.

— Já *decidi*. Já decidi que não a quero aqui. Este é o quarto do menino.

— Esqueceste-te que a Morgana também vinha hoje? — perguntou James.

— Hoje quero fazer o meu livro.

— Que livro, Conor? — perguntou Morgana. — Ele quer dizer histórias? — Ela levantou-se animada. — Eu também gostava de ouvir uma história.

Conor voltou-se para ela.

— Não é a tua história. Não é para ti.

Desanimada, Morgana sentou-se na cadeira.

— Não podes brincar com isto — afirmou Conor e aproximou-se da casa das bonecas.

— Eu não disse que queria brincar com isso — murmurou Morgana.

— Não queres partilhar a casa das bonecas — disse James.

— Quando estou aqui, eu decido e decidi isso.

— E se eu decidir que quero brincar com ela? — perguntou Morgana, o seu tom não beligerante, apenas curioso. Olhou para James. — O que acontece se eu decidir que quero, mas ele decide que não posso? Como é que funciona aqui, então?

— Boa pergunta — respondeu James com um sorriso. — E, se isso acontecer, então vamos tentar conversar até termos uma solução.

Morgana encolheu os ombros.

— Não faz mal. Ele pode ficar com isso.

Uma expressão de alarme surgiu de repente no rosto de Conor e ele moveu-se, rapidamente, para as prateleiras atrás de Morgana.

— Ela não pode ter isto — disse ele e pegou na caixa com o gato mecânico.

— Porquê? O que é isso? — perguntou Morgana.

Conor apertou a caixa contra o peito.

— É meu. Não podes tê-lo.

— Não, eu não disse que queria, Conor. O que é isso?

— É o gato mecânico — respondeu Conor com um pouco menos de rispidez.

— Um gato mecânico? A sério? O que é que faz?

— É o gato mecânico — repetiu ele.

— Deixa-me vê-lo. Por favor? Gosto muito de coisas assim. Por favor, Conor?

Ele apertou mais a caixa contra o peito.

Ela virou-se, a expressão apelando à intervenção de James.

— Não posso vê-lo?

James sorriu, mas não respondeu.

— Gosto muito de coisas assim — disse ela mal-humorada. — Uma vez vi um cão mecânico. Tinha uma bola na boca e quando se lhe dava corda a sua cauda abanava e ele movia-se e sacudia a bola. — Olhou para Conor. — O que faz o teu gato?

— Vê fantasmas.

— Oh, bestial. — Morgana soltou um suspiro. — Estás a começar a falar novamente à maluco.

Silêncio.

— Há uma menina na escola, a Britney, que tem um irmão de nove anos como o Conor — disse Morgana a James. — Ele sabe fazer bons legos. Recebeu um foguete da Lego no Natal e levou-o para a escola para o mostrar depois de o construir. Se o Conor fosse como ele, podia ter sido capaz de me fazer aquele castelo que eu quero. Porque o meu pai não o faz. Diz que dá muito trabalho. Mas o Conor podia tê-lo feito por mim, porque tem nove anos.

Na outra ponta da mesa, Conor sentou-se. Ainda tinha a caixa de animais de cartão pressionada contra o peito, mas abrandou o aperto.

Morgana recomeçou a brincar com os legos.

Os minutos seguintes passaram em silêncio. Furtivamente, Conor observou a actividade de Morgana. Como ela não levantou o olhar do que estava a fazer, ele pousou a caixa dos animais de cartão na mesa. Olhando rapidamente para ver o que Morgana estava a fazer, enfiou a mão sob a tampa da caixa e tirou cuidadosamente o gato de cartão. Pondo-o rapidamente no colo, manteve-o ali, a olhar para ele, acariciando ternamente o seu desbotado pêlo. Ainda a segurá-lo no colo abaixo do nível da mesa, pôs o gato no suporte. Outro olhar furtivo para Morgana. Então Conor pôs o gato em cima da mesa. Havia ainda um pequeno bocado de plasticina preso à ponta do cordel que fazia de trela, pelo que Conor o pressionou contra o tampo da mesa.

— Pronto — disse ele.

Morgana olhou para cima.

— Aqui está o gato mecânico.

As sobrancelhas de Morgana franziram-se.

— Mecânico como? O que é que ele faz?

Conor pareceu perplexo com a pergunta.

— É o gato mecânico — respondeu ele num tom de voz que indicava que achava que isso era evidente.

— Mas o que faz ele? — insistiu Morgana. — Onde está o bocado mecânico? Porque devia mover-se ou qualquer coisa e a mim parece-me apenas de cartão.

— Tem electricidade. Zap-zap. — Conor tocou no cordel à volta do pescoço do gato de cartão. — Vê o homem.

— Que homem? Ele? O doutor Innes?

— O homem debaixo do tapete.

Morgana rolou os olhos.

— Aqui vamos nós outra vez. — Olhou para James. — Como é que o Conor diz disparates, se realmente sabe falar como deve ser?

— Sabes o que estou a pensar? — perguntou James. — Estou a pensar que não deve ser muito agradável ouvir outras pessoas na mesma sala a falar de ti como se não estivesses lá. O que achas?

— Os meus pais estão sempre a fazer isso.

— E como te sentes? — perguntou James.

Morgana encolheu os ombros.

— Não sei. Uma vez ouvi-os falar de eu ser desobediente. É por isso que a minha mãe e o meu pai se estão a divorciar.

James olhou para ela.

— Achas que os teus pais se estão a divorciar porque foste desobediente?

Morgana assentiu.

— Sim, disseram isso. O meu pai disse à minha mãe que ia divorciar-se porque eu menti sobre a festa da Caitlin. — Os seus olhos encheram-se de lágrimas.

— Anda cá — disse James, estendendo o braço. — Anda até aqui ao meu lado enquanto te digo uma coisa.

Morgana pousou o lego e aproximou-se dele.

— Isso não é verdade — disse James baixinho. — Os teus pais não estão a divorciar-se por causa de ti, Morgana. Eles têm problemas de adultos que não foram capazes de resolver e é por isso que estão a divorciar-se. Eu sei que ambos te amam muito e que tu não fizeste nada para provocar o divórcio.

— Não senhor. Porque menti. Queria as canetas para o Rei Leão, por isso fingi que eram para a Caitlin. O meu pai ficou muito zangado e bateu-me. E ouvi-o dizer à minha mãe que se ia divorciar dela porque menti. *Ouvi-o* dizer isso — disse ela a chorar.

— Essa é uma preocupação muito grande para uma menina. Ainda bem que me contaste — disse James —, porque então posso ajudar-te a entender que, apesar de *parecer* ter acontecido isso, apesar de *parecer* que o teu pai quis dizer isso, não é verdade. Falei com os teus pais e sei tudo sobre a festa de aniversário da Caitlin. Sei também que ambos te amam muito, muito e que ficariam muito tristes se soubessem que pensas ser responsável pelo divórcio. Se o teu pai disse isso foi só porque estava muito zangado na altura e disse algo que não queria dizer. Isso acontece, mesmo com os adultos, às vezes.

Seguiu-se um pequeno silêncio. Procurando conforto, Morgana aninhou-se no tecido do casaco de James.

Conor assistira à troca de palavras, mas levantou-se e começou a andar pela sala. Chegando à prateleira onde estava dobrada a folha de plástico branca com as estradas, pegou nela e colocou-a de cabeça para baixo no chão. Havia uma cesta de pequenas figuras de plástico na prateleira ao lado. Conor começou a tirá-las, uma a uma, e tentou pô-las direitas, mas a folha das estradas ainda não estava lisa e a maior parte caiu. Finalmente, limitou-se a empilhar as figuras em cima umas das outras.

Ainda agarrada a James, Morgana reparou na actividade de Conor. Durante um momento observou em silêncio e, em seguida, soltou-se e aproximou-se devagar para ver o que se passava.

— O que estás a fazer? — perguntou ela.

Conor não respondeu.

— Porque não viras o outro lado para cima, para parecer uma estrada?

Nenhuma resposta.

— Podias fazer um rancho. Com esses animais. — Ainda nenhuma resposta.

Morgana estendeu a mão e pegou num cavalo, deitado de lado.

— Olha. Levanta isto.

— Não — disse Conor com firmeza, empurrando-lhe a mão.

Admoestada, Morgana recuou, mas não se afastou.

— Posso brincar também? — perguntou por fim.

Ele não respondeu.

— Posso ter alguns dos animais?

Nenhuma resposta.

— Não é justo, porque tens todos. — Voltou a apelar a James. James sorriu.

— Vejam se conseguem os dois resolver isso.

Inicialmente, Conor parecia não estar a prestar atenção. Continuou a empilhar as coisas da cesta para a folha de plástico de uma forma bastante ritual. Então, inesperadamente, estendeu uma pequena figura de plástico de uma mulher a Morgana.

— Posso ter mais? Posso ter alguns animais?

Conor pegou num punhado de figuras da cesta e largou-as na ponta da folha.

— Onde está o gato mecânico? — perguntou ele de repente, olhando para James. Levantou-se, foi até à mesa e trouxe-o. Com cuidado, pousou-o a meio da folha.

— Oh, aí está outra vez o teu gato — disse Morgana. — Como se chama? Será que tem nome?

— O gato diz que este é o lado do menino. Não venhas para aqui. Não uses este lado.

Vários minutos passaram em silêncio. Morgana formou um pequeno mundo no seu lado da folha. Desdobrando-a para expor as estradas, trouxe carros de brincar das prateleiras e estacionou-os de lado. Pôs em fila os poucos animais que Conor tinha partilhado.

Conor observava furtivamente. Do seu lado havia apenas um amontoado de figuras de plástico. Ele reuniu-as numa pilha mais íngreme, mas depois parou de novo para ver o que Morgana estava a fazer. Pegou no gato mecânico e colocou-o em cima da pilha de animais. Pô-lo primeiro de lado, em seguida tentou fazê-lo ficar em cima das pernas e da cauda de plástico. Com algum esforço conseguiu isso.

— Vou fazer um rancho para os meus animais — declarou Morgana. — Mas gostava que tivéssemos algumas árvores. Para o tornar bonito, como junto ao riacho.

— Árvores e flores — disse Conor. Inesperadamente estendeu a mão e agarrou no braço de Morgana. — Onde o lego está. — Puxou-a até ela se levantar. — Árvores e flores. Além. Vês? — Dobrou-se e vasculhou a grande caixa de lego. Pegou numa das pequenas árvores verdes de lego. — Estás a ver?

— Ena, que bom! Sim, pode ser isso, Conor.

Ele baixou-se e tirou árvore após árvore da caixa. As pequena flores de lego apareceram também. Morgana retomou a construção do seu rancho, mas Conor continuou a trazer-lhe todas as árvores e flores. Quando não conseguiu encontrar mais, ele parou em cima delas. Alinhando-as ao lado da estante, contou-as. — Vinte e cinco árvores. Treze flores. Treze flores vermelhas. Oito flores azuis. Onze flores amarelas. — Ele aproximou-se de Morgana. — Vinte e cinco árvores mais seis árvores. Trinta e uma árvores. Seis árvores aqui para o teu rancho. Vinte e cinco árvores na prateleira.

— Sim, está bem, Conor, já percebi. Agora deixa-me brincar.

— Vinte e cinco árvores. O menino tem vinte e cinco árvores na prateleira.

James observou, fascinado pelos esforços de Conor em fazer conversa. Ele obviamente queria comunicar com Morgana e era comovente o seu apego ao tema que ela tinha elogiado.

Ele voltou para a prateleira e pegou em todas as árvores que conseguiu. Levou-as para o seu lado da folha.

— Aqui estão onze árvores. O menino tem onze árvores. — Deixou-as cair por entre os dedos em cima dos animais.

Uma árvore de plástico acertou no gato de cartão e tombou-o da pilha. Apressadamente, Conor pegou-lhe.

— Ele não está ferido — disse a James. Atravessando a sala, ergueu-o perto do rosto de James. — O gato mecânico não está magoado. Uma árvore caiu sobre ele e tombou-o, mas não faz mal. O gato mecânico não pode morrer.

James sorriu.

280

— É seguro aqui. O gato mecânico está seguro. — Eram quase perguntas, dada a entoação de Conor.

— Sim, estás em segurança aqui — disse James.

— Não na Lua — retorquiu Conor.

Voltou para a folha das estradas e com cuidado colocou o gato mecânico mais uma vez a meio caminho entre ele e Morgana.

— Em Terria — murmurou.

Cuidadosamente, Conor escolheu três árvores. Pô-las juntas na parte superior da folha.

— São assim — disse ele. — Três árvores na Lua.

Morgana olhou para cima.

— Acho que a Lua não tem árvores, Conor. Acho que ouvi isso uma vez.

— Três árvores na Lua.

— A Lua não tem árvores, pois não, doutor Innes? O Conor está enganado.

— *Eu* vi. *Eu* sei — disse Conor. — Tu não estavas lá. Não foste à Lua.

— Tu também nunca foste à Lua — comentou Morgana.

— Com o homem debaixo do tapete. Num foguete. Três árvores na Lua — disse Conor.

James viu os dedos dele começarem a agitar-se ao lado do tronco.

— Conor, tens de ser um astronauta para ir à Lua. Os miúdos não podem ir.

— O homem fantasma estava na Lua.

Morgana olhou para James suplicante.

— Não gosto quando ele fala de fantasmas.

Conor estendeu a mão e pegou no gato mecânico. Apertou-o contra o rosto, os lábios e os olhos.

— O gato mecânico está aqui — murmurou. — Ele diz: «Estás seguro aqui, menino. Estás segura aqui, menina. Nunca vou morrer. Vou cuidar de vocês para sempre.»

CAPÍTULO TRINTA E SEIS

— Voltei para Boston revitalizada e pronta para começar de novo — disse Laura no início da sessão seguinte. — Durante o Verão conformara-me com o facto de que nunca viria a ser cirurgiã na selva. Isso não passara de um daqueles sonhos idealistas que temos na adolescência. Tudo que eu queria naquela altura era apenas terminar a minha licenciatura em Medicina e iniciar o estágio.

«Não tivera nenhum contacto com o Fergus enquanto estive no Dacota do Sul e na minha mente a relação acabara. No entanto, no dia seguinte a ter voltado para Boston, a campainha tocou. Soube instintivamente que era ele.

«Abri a porta. Por um momento, ficámos apenas a olhar um para o outro. Então, ele abriu os braços e envolveu-me num grande abraço.

«"Meu Deus, meu Deus, meu Deus", murmurou no meu cabelo e abraçou-me com tanta força que quase me faltou o ar. "Tive tantas saudades tuas."

«Convidei-o a entrar.

«Na sala de estar, Fergus sentou-se pesadamente na poltrona grande perto da janela. "Estive deprimido durante todo o Verão", disse ele. "Não me tinha apercebido o quanto a tua força de vida é crucial para a minha. Enquanto estiveste fora, quase não fui capaz de enfrentar ninguém."

«Fergus recostou-se na cadeira e fechou os olhos por um instante. Estava lindo assim, as suas feições descontraídas, os seus caracóis escuros banhados pela luz do candeeiro.

«"É o sono", murmurou ele. "Não consigo dormir. Há semanas que não consigo dormir."

Uma pausa.

«"Eu estava errado", disse ele. "Devia ter sido mais franco contigo. Fizeste bem em deixar-me. Vejo isso agora. Vejo que não tiveste alternativa e sinto muito. Lamento muito."

«Assenti. "Obrigada por dizeres isso."

«"Tem sido tão difícil, Laura. Estive a morrer sem ti."

«"A Torgon voltou para mim", disse eu.

«Ele franziu a testa.

«"Estou a escrever novamente. Não vou parar com isso desta vez. Preciso de escrever."

«"A Torgon nunca te deixou."

«"Essa Torgon nunca existiu, Fergus. A pessoa com quem eu comunicava... com quem *fingia* comunicar... era apenas eu. Acabei com isso agora e recuso-me a fazê-lo novamente."

«A expressão de Fergus era enigmática.

«"Só o fiz na altura porque desejava ser aquela pessoa que querias que eu fosse. Às vezes, quando queremos muito uma coisa, tornamo--la real, mesmo para nós mesmos. Mas isso não a torna verdadeira. Real e verdadeira são coisas diferentes."

«"És *tão* talentosa", disse Fergus, os olhos brilhantes de admiração.

«Abanei a cabeça. "Não. Estou muito confusa. Foi o que ficou claro para mim durante o Verão. Algures pelo caminho perdi-me. Deixei o caminho que a minha vida levava e estraguei tudo, como resultado. Então preciso de parar uma data de coisas que estava a fazer. Não vou voltar a fazer de médium. E não vou voltar ao grupo das terças à noite."

«"Sim, compreendo isso." Fergus recostou-se novamente e instalou-se um silêncio profundo e cansado. Ele parecia realmente exausto. De repente, senti muita pena dele. Estendendo a mão, agarrei na dele.

«Ele sorriu, fechando os dedos sobre os meus. "Estou tão cansado deste mundo, Laura", murmurou. "Tão farto e cansado de tudo."

«Baixando-me, beijei-lhe a mão. "Lamento que te sintas tão em baixo."

«"Há tanta merda neste mundo."

«"Sim, mas também há pedaços bons." Beijei-lhe os dedos e sorri. "Sim?"

«Ele inclinou-se para a frente e abraçou-me. Momentos depois estávamos perdidos nos braços um do outro e todas as partes más dos últimos dois anos desapareceram no meio de beijos. Eu não estava habituada a ser o elemento forte na nossa relação, mas gostei. Gostei da ternura que senti por ele, da sensação de que podia fazer desaparecer todo o sofrimento dele.

«Ele esfregou o rosto no meu cabelo, mas depois parou, recuando para olhar para mim. "Porque cortaste o cabelo?"

«"Apeteceu-me mudar", respondi.

«"Mas sabias que eu gostava dele como estava. Porque me tiraste isso?"

«"Tirar-te isso? Não sejas tolo. Fi-lo porque me apeteceu. Está mais bonito."

«Ele estudou o meu rosto com cuidado, sorrindo mais completamente quando o fez. Levantando uma das mãos, percorreu as minhas feições com os dedos muito, muito suavemente. "És a minha rainha, minha bela. Estaremos juntos para sempre, não estaremos?"

«Sorri.

«"Não me vais deixar outra vez, pois não?"

«"Vou tentar."

«"Não vais. Pois não? Estaremos juntos para sempre. Para a eternidade."

«Sorri.

«"Morreria por ti", disse ele calmamente. "Como fiz antes. Como sempre fiz antes. Sempre morri por ti, minha rainha. Cada vida. Pensei que morreria de novo desta vez quando me deixaste." Esboçou um sorriso ténue. Os seus olhos escuros eram insondáveis. "Morrerias por mim? Farias por mim o sacrifício que fiz tantas vezes por ti?"

— Em Novembro estava a fazer o meu trabalho prático na unidade neonatal do hospital da universidade quando um bebé do sexo masculino foi levado de helicóptero de outro município. Tinha nascido sem rins. No curso normal das coisas, os bebés assim morrem em muito pouco tempo. Os pais, no entanto, haviam tido dificuldade em conceber. Sentiam que era a sua única oportunidade de ter um filho e estavam desesperados por não perdê-lo. Como consequência, os médicos decidiram tentar um transplante. Este tratamento ainda era bastante experimental na altura. Embora tivesse sido tentado anteriormente, nunca tinha sido bem-sucedido. Na verdade, os transplantes de rins, em geral, não funcionavam bem em crianças pequenas. Os médicos tinham acordado, no entanto, tentar manter o bebé o tempo suficiente para encontrar um dador adequado.

«O menino estava tão gravemente doente que requeria supervisão médica contínua e foi assim que eu e dois colegas estudantes de Medicina entrámos em cena. Fazendo turnos de oito horas cada, era nossa tarefa permanecer continuamente com o bebé para ajudar o pessoal de enfermagem a fornecer o nível necessário de cuidados no período pré e pós-transplante.

«Gostei de fazer parte daquilo. Era emocionante ter a oportunidade de ver em acção a investigação médica e de interagir com os médicos da equipa de transplante, muitos dos quais eram como deuses para nós, alunos, normalmente inacessíveis. Para mim, pessoalmente, foi também uma oportunidade para me redimir aos olhos de Betjeman. Ele fizera-me mais um favor, permitindo-me voltar ao programa após o meu "esgotamento", como lhe chamou.

«Não falei muito sobre esta nova responsabilidade com o Fergus. A nossa separação durante o Verão tinha-o afectado de forma estranha, inexplicável. Por um lado, ele queria estar sempre comigo e ficava facilmente perturbado quando estávamos separados. Por outro lado, no entanto, estava mais impaciente e irritadiço comigo do que antes. Andava sempre com ideias malucas de que eu era infiel. Era mais fácil simplesmente não lhe dizer muito sobre qualquer coisa de que ele não podia fazer parte. Eu ainda achava que conseguia manter tudo em equilíbrio.

«Quando teve lugar o primeiro turno, fui rapidamente contagiada pela emoção de tudo aquilo. Era uma intervenção de ponta e quando a criança chegou havia uma tensão quase palpável no hospital. Esta ainda não me tinha deixado quando saí para me encontrar com Fergus às onze horas.

«Para minha surpresa, ele não estava lá quando saí. Ficara de me ir buscar, portanto não fiquei contente, porque tive de apanhar vários autocarros e era muito tarde quando cheguei a casa.

«Abri a porta para o corredor escuro. Imediatamente ouvi Fergus falar em voz baixa, um pouco sonhadora.

«"As minhas Vozes falam-me de ti", disse ele. "As minhas Vozes dizem-me que este não é um Ser de Luz. Estão preocupadas, Laura. E eu também."

«"Credo, Fergus, pregaste-me um susto! O que estás a fazer aqui? Devias ter-me ido buscar."

«"Estás a ser seduzida pela Escuridão. Estás a abandonar a Luz para voltar para a Escuridão."

«"Fergus...?" Aproximei-me e parei na frente dele. Observei-o com atenção. Não parecia bêbedo. Não senti o cheiro de nada. Ele consumia drogas de vez em quando, mas nas poucas vezes em que o vi usá-las tinham-no apenas tornado mais sonolento.

«Então ele disse numa voz mais intensa: "Fiz realmente o meu melhor, Laura. Sei que te pressionei muito. Sei que te coloquei numa posição de receber mais energia das Vozes do que podias aguentar, portanto tentei de facto ser compreensivo. Tentei encontrar-te ao teu nível. Mas não vale a pena continuarmos se não queres ser médium. Tive de descer ao teu nível para te encontrar e estive disposto a fazer isso a fim de te levantar, mas tens de compreender que não é o meu nível. Estou aqui simplesmente para te ajudar. Agora estás de novo a descer e a ficar fora do meu alcance. *Escolhes* cair. E estou com medo, a ver tudo aquilo por que trabalhei tanto a escapar-me. Percebo que vai ser necessária outra vida e mais procura e..." Pôs a cabeça entre as mãos melodramaticamente. "Não consigo ver o fim."

«Fiquei confusa. "Estás a acabar comigo?", sussurrei.

«"Essas acções do teu eu menor... aceito que tenho de aproveitá-las, se quisermos ascender, mas não penses que vou chafurdar nelas. Estive aqui a pensar sobre isso e não posso continuar assim."

«Eu estava a começar a sentir-me extremamente desconfortável. "Há quanto tempo estás aqui sentado?", perguntei desconfiada. "Não foste trabalhar?"

«"*Enojas-me* quando ages assim", respondeu. "Não somos iguais, sabes? Tu realmente ainda não me mereces."

«"Fergus, não sei o que se passa, mas isto não me agrada." Havia algo de errado na forma como ele agia. "Acho que devias ir. Agora. Estou a falar a sério."

«Ele continuou sentado, completamente imóvel.

«Eu não sabia o que fazer. Finalmente disse: "*Okay*, se quiseres ficar aí sentado, fica. Vou tomar banho e vou para a cama." Virei-me e deixei-o. Caminhei pelo corredor até à casa de banho, fechei a porta firmemente atrás de mim e tranquei-a.

«"Laura?" Ouvi-o aproximar-se pelo corredor.

«"Já é tarde. Tens de ir para casa", disse eu para a porta trancada. Abri a água da banheira.

«"Deixa-me entrar."

«"Não, é muito tarde. Quero ir para a cama. Boa noite, Fergus."

«"Deixa-me entrar, Laura", disse ele em voz mais alta.

«"Não, Fergus. Vai para casa agora."

«"Deixa-me *entrar*!", exigiu num tom irado. Como não respondi, bum! Ele deu um pontapé na porta. Com força.

«Apavorada, olhei em volta à procura de algo para enfiar debaixo do puxador. Não havia nada.

«Fergus agarrou na maçaneta da porta e abanou-a. "Deixa-me entrar." Dessa vez havia menos raiva na voz dele.

«Ainda assustada, não respondi.

«"Laura? Laura?" Uma nota de pânico surgiu na sua voz. "Por favor, não me deixes."

«"Eu não te deixei. Estou aqui. Mas vai-te embora agora, *okay*? Vai para casa dormir. Telefona-me amanhã."

«"Desculpa o que eu disse. Não sei o que aconteceu. Não quis dizer aquilo. Por favor, perdoa-me."

«Não respondi.

«"*Laura?*", gritou ele de uma forma verdadeiramente desoladora.

«Parecia estar a chorar. Confusa e preocupada, entreabri a porta. Fergus estava de joelhos.

«"Oh, minha rainha, por favor, não me deixes!", implorou e estendeu os braços para me agarrar as pernas.

«Baixei-me para o abraçar. "Fergus, o que se passa contigo esta noite? Vá, levanta-te."

«Ele levantou-se e abraçou-me com tanta força que senti o seu coração a bater. "Meu Deus, preciso tanto de ti", sussurrou. "Preciso de ti. Não posso viver sem ti. Como podes assustar-me desta maneira?"

«"Eu? Como posso eu assustar alguém? És *tu* quem *me* está a dar a volta à cabeça. Assustaste-me imenso hoje. O que provocou isto?"

«"Sinto muito. Por favor, perdoa-me." Era tão patético.

«"Sim, claro que te perdoo."

«"Diz-me que me amas", implorou.

«"Amo-te, Fergus. Claro, amo-te."

«"Não vou perder-te. Não outra vez. Não vou deixar isso acontecer", disse ele. "Vou lutar. Com todo o meu coração e força, vou lutar para te trazer de volta à Luz comigo. Morrerei antes de te deixar escapar de novo."

«"Chiu, não falemos disso tudo agora, *okay?*", murmurei. "Porque te amo e é isso que importa, não é?"

«"Tanto como amaste na Atlântida?", perguntou ele.

«Eu assenti. "Sim, claro. Tanto como lá."

«Ele beijou-me ternamente. "Tanto como na Atlântida, minha rainha, quando sacrificaste tudo por mim?"

CAPÍTULO TRINTA E SETE

Quando Morgana entrou na ludoteca nessa tarde, não disse nada, nem mesmo olá. Em vez disso, foi direita à enorme janela e subiu para o parapeito. Abrindo os braços, Morgana encostou o rosto e o peito ao vidro.

James não estava preocupado porque Morgana se encontrava em segurança. Não havia nenhuma maneira de abrir as janelas e estas eram de vidro duplo, temperado. Ficou em silêncio, para não travar quaisquer sentimentos que ela quisesse expressar.

— Hoje está vento lá fora — disse ela, em voz baixa.

— Sim — disse James. — Vem das planícies, por isso é frio.

— Aqui sou como um pássaro — disse Morgana, os braços ainda estendidos contra a janela. — A planície está lá fora e eu vou planar com o vento.

— Hoje estás a sentir-te como um pássaro — reflectiu James.

— Não — disse ela, de costas para ele, o rosto contra o vidro. — Estas grandes janelas é que me fizeram pensar nisso. Sempre quis fazer isto. Desde que aqui vim pela primeira vez.

— Estou a ver.

— E o vento fez-me pensar em experimentar hoje.

— Porquê? — perguntou James.

— Porque o vento carrega os nossos sonhos. Isso é o que a minha mãe diz. Diz que os Sioux acreditavam nisso. Que os sonhos vêm até nós com o vento.

Quando Morgana disse aquilo, James pensou imediatamente no primeiro livro de Laura sobre o Sonhador do Vento, o jovem preso entre o mundo real e o seu mundo de «vozes».

— Às vezes voo nos meus sonhos — disse Morgana. — Não num avião ou qualquer coisa. Voo mesmo. Abro os braços assim e lá vou eu.

— Sim, esses sonhos são maravilhosos, não são? — comentou James.

— O senhor também sonha com isso? — perguntou Morgana e, pela primeira vez, virou-se, mas continuou no parapeito da janela.

James sorriu.

— Sim, às vezes.

— Eu gostava de voar — disse ela, pensativa. — Espero sempre que isso aconteça talvez num dia ventoso. — Saltou do parapeito para o chão. — Mas acho que isso nunca irá acontecer.

Morgana atravessou a sala até às prateleiras. Caminhando lentamente ao lado delas, arrastou os dedos de uma mão ao longo da madeira da prateleira do meio.

— Tive um sonho mau a noite passada — disse ela. Pegou numa boneca.

— Queres contar-me? — perguntou James.

Morgana levou a boneca para a mesa.

— Não — disse ela. — Foi muito assustador.

— Foi um pesadelo?

— Sim. Farto-me de sonhar. Depois acordei a chorar. Às vezes, a minha mãe tem de vir abraçar-me.

— Tens a certeza de que não queres falar disso?

— Sim. Nunca falei a ninguém deles. Nem mesmo à minha mãe.

— Estou a ver.

— Porque ela pode ficar zangada. Quero dizer, quando é dia e eu estou bem, sei que não devia ficar, porque é apenas um sonho e eu não estou a fazer nada, mas quando acordo nunca tenho a certeza.

— Compreendo — disse James. — Mas deve ser difícil guardares uma coisa assustadora só para ti.

— Tento não pensar nisso, pois posso assustar-me mesmo quando estou acordada.

— Parece mesmo muito assustador — observou James. — Mas, se me contasses, talvez eu pudesse pensar em algo para te ajudar.

Morgana aproximou-se da boneca, inclinando-se, e James sentiu o silêncio aprofundar.

— Gostava que não tivéssemos falado sobre esse sonho. Agora estou com medo. A minha mãe diz: «Não lhe ligues.» Mas está na minha cabeça e é difícil não prestar atenção ao que está na nossa cabeça.

— Tu sabes que eu não iria ficar zangado — tranquilizou-a James.

— Nunca fico zangado com as crianças que vêm até aqui, porque entendo que os sentimentos fortes por vezes nos levam a fazer coisas que não devíamos. Para resolver os problemas, é importante que as crianças possam mostrar os seus sentimentos aqui dentro.

Morgana ergueu os olhos para ele, sem levantar a cabeça. Houve um longo momento pensativo e a seguir voltou a olhar para a boneca. Sacudiu-a ternamente.

— O sonho é sobre mim e o meu cavalo. Tenho um cavalo chamado *Shaggy* que o meu pai me comprou no ano passado. Tem pêlo castanho. No sonho, ele e eu estamos a passear. Vamos pela estrada. A estrada principal. Na verdade, eu não estou a montar o *Shaggy*. Estou a passeá-lo, seguro-o pelas rédeas.

— Estou a ver — disse James.

— Eu não devia estar na estrada. É muito longe e perigosa. Mas estou no sonho. E um carro aparece atrás de mim. Não consigo ver quem está nele. Acho que é um homem. E ele vem muito devagar. Começo a ficar assustada.

— O que achas que vai acontecer? — perguntou James.

— Não sei. É por isso que é difícil falar, porque não sei o que vai acontecer, mas faz-me sentir muito medo. Quero virar-me e olhar para ele para ver quem é, mas, por alguma razão, não consigo. Só sei que ele está lá. Bom, ele vem muito, muito devagar. Tenho medo que vá parar. Acho que ele vai fazer alguma coisa.

Morgana parou. Os seus olhos estavam fixos na boneca. Aproximou-a do seu corpo.

— Há outra coisa no sonho. Acontece mais ou menos antes. Nunca sonho realmente a parte anterior, mas sei sempre que aconteceu. E o que é, é que entrei no escritório da minha mãe. Sabe, eu e Conor não devemos lá entrar sozinhos, porque a mãe não quer que estraguemos as suas coisas.

Morgana fez uma pausa para acariciar os cabelos da boneca.

— Ela tem uma estátua pequenina de um gato lá dentro. Feita de pedra, acho. É deste tamanho. — Separou os dedos cerca de cinco centímetros. — É cinzento e está sentado no rabo, sabe, como os gatos fazem. E a minha mãe pô-lo em cima da torre do computador. Mostrou-mo uma vez. Deixou-me pegar-lhe. Mas disse que, se ela não estivesse ali, eu não devia nunca, nunca tocar-lhe.

— A estátua do gato parece muito especial para a tua mãe — reflectiu James.

— Ela pensa que talvez eu a perca ou algo assim se brincar com ela. Ou que talvez a deixe cair. Sabe, custou muito dinheiro, porque veio do Egipto. É um sítio de que falam na Bíblia e que fica muito, muito longe daqui. E aquele pequeno gato é tão antigo como a Bíblia. Diz a minha mãe. Disse-me que a pessoa que fez aquela estátua de pedra do gatinho viveu nos tempos bíblicos e que quando acabou de a fazer a pôs no caixão de um rei.

James ergueu as sobrancelhas.

— Uau. Isso é incrível.

— Um caixão é onde colocamos um corpo morto. O corpo morto do rei, antes de ele ser enterrado — disse Morgana. — E depois vai para o túmulo. E foi aí que a estátua do gato esteve até que um «arcólogo» a escavou. E depois esse amigo da minha mãe deu-lha. E ela pô-la em cima do computador. E disse-me para nunca, nunca lhe tocar sem ela saber, porque é muito valiosa.

— Percebo agora porque é tão especial para a tua mãe — disse James.

Morgana inclinou-se e mexeu na boneca durante um momento.

— Então como é que essa pequena estátua do gato entra no teu pesadelo? — perguntou James.

— Bem, porque no sonho, quando eu estou a andar na estrada com o *Shaggy* e o carro começa a andar muito devagar atrás de mim, fico com medo e quero ir à procura da minha mãe. Mas depois ponho a minha mão no bolso e a estátua do gato está lá. — Lançou um olhar rápido e culpado a James. — Não sei como foi lá parar, mas sei que devo ter ido ao escritório buscá-la. No sonho não me *lembro* de a ir buscar, mas sei que ela vai ficar muito, muito zangada comigo quando descobrir. Primeiro penso que devo deitar fora a estátua do gato para que a minha mãe não saiba que a tenho. Mas sei que é muito valiosa e que ela a adora e, realmente, não a quero deitar fora. Não sei o que fazer. Então, fico com medo de que o homem me apanhe, mas tenho medo de que se gritar por socorro as pessoas descubram que tenho a estátua do gato. Tenho medo de ir arranjar muitos problemas e nem sabia que a tinha no bolso.

— Sim, isso soa muito assustador — disse James.

— O sonho é um pouco diferente de cada vez. Às vezes não é sempre o mesmo carro. Era um carro branco na noite passada. Uma vez foi um carro vermelho. E uma vez lembro-me que era uma carrinha branca. Mas há sempre aquele condutor que me mete medo e não consigo virar-me para ver quem é. E de cada vez que quero pedir ajuda ponho a mão no bolso e descubro a estátua do gato.

— O que achas que o condutor pode fazer?

— Raptar-me. Levar-me para longe dos meus pais e que eles não saibam onde estou.

— E o que é mais assustador quando descobres que tens a estátua do gato contigo? — perguntou James.

— É uma surpresa muito grande o gato estar ali e eu não me lembrar de o levar, mas quando o encontro lá dentro sei que devo ter ido buscá-lo e toda a gente vai pensar que fiz de propósito.

— E isso faz-te sentir medo?

— Sinto-me assustada, porque... — Ela fez uma pausa, franzindo a testa de concentração. — Porque... estou a fugir. É por isso que estou na estrada, com o *Shaggy*, mas só me lembro disso quando sinto o gato. Quero voltar para trás para que o homem do rapto não me leve, mas estou a fugir porque roubei o gato da minha mãe.

— Parece um sonho muito complicado. Parecem acontecer muitas coisas que tu não querias. Sentes que as causaste, mas, na verdade, não causaste. Elas só aconteceram.

— Sim, é verdade.

— Então o que acontece a seguir? — perguntou James

— Eu acordo.

— Não acontece mais nada? O carro continua atrás de ti? A estátua do gato está no teu bolso?

— Sim. Nunca sonho mais do que isso, mas tenho esse sonho muitas vezes. Estou sempre a chorar quando acordo e sinto-me tão assustada. Na noite passada fui ao quarto do Conor.

— O Conor estava acordado?

Morgana assentiu.

— Acho que o acordei com o meu choro, porque ele tinha os olhos abertos quando lá cheguei, mas não estava sentado a «ajustar». Tinha a roupa puxada até ao pescoço e estava a olhar para mim quando entrei. Eu disse: «Estou com medo. Tive um sonho mau. Posso ir para a tua cama?»

Morgana fez uma pausa.

— O Conor costumava ter aquelas coisas estúpidas na cama, bocados de metal, mas ultimamente tem estado muito normal. A sua cama é como a das outras pessoas. Portanto, às vezes deito-me com ele. E foi o que fiz ontem à noite. Porque não quis chamar a minha mãe, no caso de não ser um sonho. É isso que me preocupa sempre quando acordo. Que talvez seja real e eu descubra que roubei o gato.

— Estou a ver. Então, o que fez o Conor?

— Disse: «Não tenhas medo. Eu tenho o gato mecânico.» Perguntei: «Onde?» Ele disse: «Dentro de mim.»

«Eu disse: "O que fizeste, Conor? Engoliste aquele da sala do doutor Innes?" Porque achei estranha a maneira como ele disse. — Morgana riu, os olhos a brilhar. — Era engraçado, não era? Se o Conor tivesse comido o seu gato mecânico. Sabe, aquele gato de cartão que tem.

James sorriu.

— Mas ele disse que não, mas que podia ouvi-lo cantar. Quando me enfiei na cama com ele, ele cantou-me uma canção. Não é realmente uma canção, porque não tem música, mas ele disse-a e eu senti-me melhor.

— Então deixaste o Conor cuidar de ti a noite passada? — perguntou James.

Ela assentiu com a cabeça.

— Ele disse: «Não tenho medo dos teus sonhos. Tenho gatos fortes.» Eu disse: «Tu és forte sozinho, Conor.» E ele disse: «Tu também.»

CAPÍTULO TRINTA E OITO

— Trabalhar com o bebé do transplante não foi o que eu esperava — disse Laura. — Ele era adorável, com olhos azuis e um penacho de cabelo ruivo. Era um bebé grandinho... mais de cinco quilos... mas não era saudável. Nunca chorava. Isso foi o que me impressionou mais. O bebé ficava ali deitado, a olhar para mim.

«Eu fazia coisas como ajudar a administrar os medicamentos que o mantinham em condições de permitir a diálise e mantê-lo ligado à máquina. Também lhe dava de comer, mudava-lhe a fralda, limpava o equipamento. Depois sentava-me numa cadeira ao lado da incubadora e velava por ele até ser tempo de fazer tudo outra vez.

«As dúvidas começaram a atormentar-me. Ali sentada, a vigiá-lo durante oito horas de cada vez, era impossível ignorar o que lhe estávamos a fazer. Mantê-lo vivo o tempo suficiente para tentar o transplante significava que tínhamos de o submeter a procedimentos médicos extremamente invasivos e, se quiséssemos ser realistas, havia apenas uma pequena hipótese de êxito. Quando me sentava ao lado da incubadora, conseguia sentir a sua dor. As drogas usadas para lhe paralisar os músculos mantinham-no quieto.

«Punha-me a pensar no que estava eu a fazer ali? Porque queria ser parte daquilo? Estávamos a *magoar* o bebé. Conscientemente. Estávamos a fingir ajudá-lo, mas a verdade era que nós fazíamos aquilo por nós. Mantê-lo vivo para aprender mais sobre os transplantes. Um dos especialistas até se atreveu a dizer isso. Era para o "bem maior", disse ele. Justificámos deixar aquela criança sofrer.

«Nas longas horas de vigília ao lado da incubadora dei por mim a pensar sobre Torgon e a sua sociedade. Se aquele bebé fosse da Floresta, provavelmente teria morrido antes dos primeiros três dias e teria sido o fim. Se não, Torgon tê-lo-ia levado ao alto sítio sagrado e passava-lhe a faca pela garganta.

«Quando soube que faziam isso aos bebés na sociedade dela, fiquei horrorizada. Ia tão profundamente contra tudo o que eu aprendera na minha cultura. Mas, agora, sentada ao lado daquele bebé ligado a todo o equipamento caro e invasivo, ocorreu-me que o assunto era muito mais complexo do que inicialmente parecia. Aquilo que estávamos a fazer ao bebé era mais defensável que o que Torgon faria?

«O caso tomou conta de mim. Não conseguia deixá-lo no trabalho. Tudo o resto na minha vida começou a empalidecer porque tudo parecia trivial em comparação com as questões relacionadas com este bebé.

«Tentei explicar a Fergus o que estava a acontecer, porque me afectava tanto. Eu lidava com a vida e a morte. Se não pudesse conformar-me ao que estava a acontecer, não ia ser capaz de avançar muito bem na minha carreira. No entanto, ele simplesmente não pareceu compreender.

«Estávamos no meu apartamento uma tarde, no quarto, abraçados preguiçosamente na cama, e a minha mente voltara ao bebé do transplante. Comentei por acaso que *achava* que a Torgon ficaria chocada com o meu envolvimento naquela situação.

«Fergus pareceu despertar. "A Torgon está a dizer-te que não é aceitável?"

«"Não, o que eu quis dizer foi que, para nós, isto gira à volta do avanço da ciência, portanto achamos que é correcto. Mas essa não é a única perspectiva. O certo e o errado não são absolutos. A Torgon ficaria horrorizada por deixarmos o bebé sofrer, porque na sua cultura estamos a desonrar a alma da criança. O correcto teria sido matá-la imediatamente."

«Fergus olhou para mim. "Estás a dizer que a Torgon te disse para matares o bebé?"

«"Não, claro que não", respondi, irritada. "A Torgon não me diz nada. Estou simplesmente a começar a perceber que, bem, talvez não estejamos numa posição muito boa para julgar a forma como os outros fazem as coisas. Talvez o que justificamos em nome da ciência não seja melhor que o que ela justifica em nome da religião."

«Fergus observava-me atentamente. "O que te diz a Torgon para fazer? Diz-te para matares o bebé?"

«"Ouviste alguma coisa do que eu disse? Ela não está a dizer-me *nada*, Fergus. Nunca disse. Estas são as *minhas* ideias."

«"Descontrai-te", disse ele naquela voz melosa, puxando-me para ele. "Fecha os olhos e flutua, minha rainha. Vamos partir deste plano terreno."

«Fechei os olhos. Respirei fundo, sustive a respiração, soltei-a lentamente e senti-me descontrair. Dentro da minha cabeça havia negrume, como o céu nocturno sem estrelas.

«"Ela diz-te para matares o bebé?", murmurou Fergus baixinho.

«Os meus olhos abriram-se. Julguei que ele me queria acalmar porque eu estava tensa. Isso sempre foi importante na nossa relação: eu a afundar-me no mundo duro da ciência e da vida quotidiana, e o Fergus a puxar-me novamente para si e a ajudar-me a descontrair. Assim que ele disse aquilo, no entanto, soube que ele estava num caminho diferente. "A Torgon não está a dizer-me nada. Não estou a comunicar com ela. Disse-te que não faço isso."

«Os olhos dele cintilaram perigosamente. "Não podes atormentar-me desta maneira", disse ele. "Disseste que a Torgon acha que devias matar o bebé e depois calas-te. Estás sempre a provocar-me assim. Sei que a tens na tua cabeça. Por favor, partilha-a comigo."

«"A Torgon não está nada a dizer-me para matar o bebé. Percebeste? É nojento."

«Fergus assentiu. "Está bem. Mas ela anda a dizer-te coisas, não anda? Não podes escondê-lo de mim, Laura. As Vozes sabem que está a comunicar. Elas nunca se enganam."

«"Se é isso que te estão a dizer, então lamento, mas estão enganadas."

«Ele tinha uma expressão particularmente sedutora, como um rapazinho a suplicar por uma bolacha. Inclinei-me para a frente. "Não estou a esconder-te nada, Fergus. A sério. Vá, vamos esquecer isto. Dá-me um beijo."

«Fergus recuou abruptamente. "Não podes desistir. Não podes simplesmente dizer que vais deixar de ser um veículo se foste escolhida. As Vozes exigem que partilhes a sabedoria da Torgon."

«Olhei para ele e suspirei. *Fergus...*"

«De repente, ele levou as mãos às têmporas, como se tivesse uma dor de cabeça terrível.

«Senti-me pouco à vontade. "Estás bem?"

«"Elas estão a ficar tão impacientes comigo." Olhou-me com um estranho desespero. "Tens de me deixar falar com a Torgon."

«"Não consigo."

«*"Tenta!"*

«"Fergus, não consigo. Ela não é real."

«Ele ainda tinha as mãos nas têmporas. Baixando a cabeça, balançou para a frente na cama. "Por favor. Por favor, não deixes que isso seja verdade."

«Abrindo os braços, puxei-o contra o meu peito. "Anda cá. Vem a mim."

«Em vez de aceitar o meu consolo, ele explodiu. "Tira as mãos de cima de mim!", gritou.

«Recuei, surpreendida.

«"Tu só queres é foder, sua puta."

«"Fergus, não era isso que eu estava..."

«"Tu *não* és a minha rainha! És a Rainha das Trevas."

«"Fergus!"

«"A Torgon é o *mal*. Ela não é um Ser de Luz. Ela é a voz da Rainha das Trevas." O seu rosto tinha ficado com umas manchas terríveis.

«"O que está a acontecer contigo? Acalma-te agora. Vá. Estás a assustar-me, Fergus."

«"Então *comunica* com ela. Trá-la aqui e agora. Prova que ela é o que dizes que é. Traz-ma."

«"Não consigo. Porque eu estava a *fingir*! Já to disse cem milhões de vezes. Já te *disse*. *Nunca* comuniquei com nada. A Torgon é apenas algo que eu inventei, apenas uma companheira imaginária da minha infância. *Por favor*, tens de entender isso." Eu estava a começar a chorar.

«Ele agarrou-me. "Tu só queres é foder. Foi tudo o que sempre quiseste de mim. Pura luxúria."

«"Fergus, não! Não!"

«Agarrando na frente da minha blusa com tanta força que os botões saltaram, empurrou-me para baixo. "Tentei educar-te", disse ele. "Tentei trazer-te para a Luz."

«"Pára!", gritei, muito assustada.

«Mas ele não o fez. Com ferocidade, manteve-me debaixo dele e obrigou-me a deitar-me na cama. Lutei. Empurrei. Ele enfiou o pénis em mim com tal força que poderia ter sido uma estaca no coração.

«"És a Rainha das Trevas! Recusas-te a ser levantada para a Luz."

«Eu soluçava. "Por favor, pára, Fergus. Estás a magoar-me. Por favor. *Por favor*."

«Quando ele atingiu o orgasmo, tirou o pénis para deixar o sémen cair sobre a minha cara. "Toma. Come-o, sua puta suja."

— Eu estava sentada na banheira. Ainda não parara de me lavar. Ele fora-se embora há várias horas e eram cerca de três e meia da manhã nessa altura, mas eu não conseguia parar. Não havia nada cortado, nada a sangrar, nada para mostrar o que tinha acontecido, mas eu sentia que tinha vermes a sair de dentro de mim.

«Então a porta da frente foi sacudida bruscamente. Fiquei em pânico.

«A chave girou na fechadura. A maçaneta rodou. A porta da frente abriu-se, depois bateu na corrente com estrondo.

«"Laura?", chamou Fergus. A sua voz já não era agressiva, mas lamurienta por causa da corrente inesperada.

«Entreabri a porta da casa de banho mas fiquei na sombra, com demasiado medo até para respirar.

«"Laura? Onde estás? Deixa-me entrar."

«"Vai-te embora", disse eu baixinho.

«"Desculpa, Laura. Desculpa. Sinto mesmo muito. Voltei para te dizer isso. Não sei o que aconteceu. Não queria fazer aquilo."

«"Não quero falar sobre isso. Não te quero ver outra vez, vai-te embora."

«"Oh, Laura, *não*", disse ele tristemente. "Por favor, perdoa-me. Não queria fazer aquilo. Por favor, perdoa-me. Não vai acontecer novamente. Por favor, deixa-me entrar."

«Fiquei na escuridão do corredor, a toalha agarrada à minha pele nua. "Não. Vai-te embora."

«"Laura, por favor? Diz que me perdoas." Ouvi lágrimas na sua voz.

«Ele enfiara a mão através da pequena abertura proporcionada pela corrente e agitava-a para cima e para baixo no vazio. Pela altura da sua mão, percebi que estava de joelhos. "Por favor, por favor, perdoa--me", suplicava. Começou a soluçar.

«Eu também comecei a chorar.

«"Minha rainha, *por favor*, não me faças isto."

«Então as coisas mudaram. Como eu não respondi nem o deixei entrar, as lágrimas começaram a transformar-se em raiva. Ele sacudiu a porta e gritou bem alto. "Deixa-me entrar!"

«Assustada, voltei para a casa de banho e tranquei a porta.

«"Puta!", gritou ele. "Deixa-me entrar!"

«Compreensivelmente, isto acordou os meus vizinhos. Ouvi as portas dos outros apartamentos abrirem-se e alguém a mandá-lo calar. Ameaçaram chamar a polícia. Rezei para que o fizessem.

«Ele gritou, chorou e suplicou durante uma hora ou mais. Então, finalmente, veio o silêncio.

«Ainda trancada na casa de banho, fiquei à escuta. Prestei tanta atenção que os ouvidos doíam-me. Não tinha relógio. Não fazia ideia das horas. Continuei à escuta. Ele estaria ainda à minha porta? Fora-se embora? Estaria junto ao meu carro, à espera? Fiquei maldisposta com o medo. Vomitei e não senti qualquer alívio.

«Quando finalmente me atrevi a sair da casa de banho, eram sete e meia da manhã. À minha volta ouviam-se todos os sons familiares do prédio a despertar. Fui para o quarto, passando pela cama amarrotada e pela minha blusa rasgada no chão, e peguei numas calças de ganga e numa *T-shirt* limpa. Fui então à cozinha e abri a janela, porque ela dava para o parque de estacionamento onde o meu carro estava. Não parecia haver nada de estranho ali. Enchendo-me de coragem, fui até à porta do meu apartamento e abri-a em toda a extensão da corrente. Não vendo nada, tirei a corrente e pus a cabeça de fora. Vanessa, a rapariga que morava ao fundo do corredor, vinha a sair.

«"Estás bem?", perguntou ela. "Quero dizer, o teu namorado parecia muito descontrolado a noite passada, não parecia? Estava bêbedo?"

«Assenti. Ela trancou a porta e saiu. Voltei para dentro. Pegando nas chaves do meu carro e na minha mala, fechei a porta do apartamento, percorri o corredor, desci as escadas das traseiras e saí para o parque de estacionamento. Olhei atentamente para o banco de trás do carro antes de o abrir. Uma vez lá dentro, tranquei-o, liguei a ignição e saí do meu lugar de estacionamento. Uma madrugada de Novembro, pálida e muito nublada, tornava os faróis uma necessidade. Saindo do parque de estacionamento para a rua que levava à auto-estrada, rumei a oeste. E foi assim que deixei Boston, o Fergus e a minha carreira médica para trás e nunca mais voltei.

CAPÍTULO TRINTA E NOVE

Depois de Laura ter saído, James tirou as folhas da última história da pasta e começou a ler.

— *Gostava de ir agora para o alto sítio sagrado e comungar com Dwr, aquele que tudo vê. Vais ter de carregar estas coisas* — *disse Torgon, dando os sacos de comida a Loki* — *porque aquilo que carrego é suficientemente pesado para mim.*

Loki levantou os fardos e pô-los sobre os ombros.

A tarde de Inverno estava a terminar quando chegaram à pequena cabana.

— *Olhe para a palha!* — *gritou Loki de surpresa quando entrou.* — *Há pilhas e pilhas dela! Os animais podem ficar aqui quando não está a ser usada para ritos de purificação?*

— *Não.*

— *Não imaginava que fosse um lugar tão agradável durante o dia, pois «cabana de isolamento» soa tão frio e escuro para mim. Mas há lenha seca aqui e a lareira está limpa. Quer que faça lume e prepare a comida? Ou deseja fazer a sua viagem para o alto sítio sagrado esta noite?*

Torgon tinha começado a retirar o seu pesado vestuário exterior quando a primeira contracção surgiu. Cerrando os dentes, arqueou as costas contra ela.

Loki imobilizou-se, arregalando os olhos. Pousando as suas coisas, aproximou-se rapidamente.

— *A minha mãe diz que não nos devemos pôr hirtas contra a dor, senão ela piora.* — *Estendeu a mão para tirar as últimas roupas exteriores de Torgon.*

Torgon afundou-se na palha quando a contracção passou.

Toda a alegria despreocupada da rapariga tinha desaparecido.

301

— *Oh*, anaka benna, *o que devemos fazer?* — *perguntou ela, desanimada.* — *Quem me dera que nunca tivéssemos embarcado numa viagem assim, pois ela provocou o nascimento do bebé.*

— *Não. A viagem não provocou o nascimento do bebé. Ele já estava a nascer quando eu saí. A palha que vês aqui foi a que a minha irmã trouxe quando preparou a cabana para mim. E tu estás aqui para me ajudar. Calculo que com todos os teus irmãos tenhas ganho bastante experiência com os partos da tua mãe.*

— *Eu?* — *exclamou Loki e levou as mãos às faces.* — *Oh, grande Dwr, eu? Ajudar no nascimento de uma criança santa? A senhora e eu sozinhas? Aqui na floresta?*

— *Os partos são fáceis entre as mulheres trabalhadoras, Loki. É comum fazê-las ficar no campo até ao nascimento e depois voltarem ao trabalho antes de o dia acabar. Tenho a certeza de que já ouviste os teus pais dizerem que os trabalhadores o fazem como as vacas.*

— Anaka benna, *não é o momento de me censurar pela minha casta.*

Uma pausa.

Torgon baixou a cabeça.

— *Sim. Bem dito.*

Um longo silêncio abateu-se sobre a cabana.

— *Devia ter-te dito o que pretendia daqui e deixar-te escolher.* — *Torgon olhou para a rapariga.* — *Se agora não quiseres ficar, que assim seja. Entendo. Não vou exigir-to e não vou ficar a pensar mal de ti.*

— *Eu não disse que ia deixá-la* — *declarou Loki.* — *Claro que não a deixaria, santa* benna. *Tenho é medo que a minha ajuda seja um presente miserável. Seria muito mais sensato ter a ajuda de alguém mais competente do que eu.*

— *Vais fazê-lo por mim. Se eu ou o bebé morrermos esta noite, isso só irá acelerar o que vai acontecer, de qualquer maneira.*

A criança nasceu na hora mais escura da noite, veio com facilidade, molhada e a emitir vapor no frio à luz das velas na cabana. Loki levantou o bebé para o mostrar a Torgon.

— *Um menino* — *disse ela e sorriu.* — *Um menino grande, forte,* anaka benna. *E olhe para tanto cabelo! É peludo como um bezerro.*

O cordão foi cortado e Torgon tinha-o nos braços. Ela tocou-lhe com os dedos no rosto, nas mãos pequenas, nos genitais rechonchudos. Ele choramingou e agitou-se contra a sua pele quente, em busca do seu mamilo.

— Tome, santa benna, *ponha esta capa à sua volta. O trabalho de parto terminou agora e em breve vai arrefecer, pois o aposento está muito frio.*

Torgon não ouviu o que mais Loki disse. Naquele momento não havia mais nada no universo a não ser o bebé.

Loki ajoelhou-se ao lado dela.

— *O que quer que faça agora? Que vá com uma mensagem secreta à santa Vidente dizer que deu à luz um filho?*

— *Não.*

A rapariga franziu a testa.

— *Não. Vou ficar aqui com o menino até ele ter sido alimentado três dias. Durante esse tempo, ficará apenas entre nós que ele nasceu.*

— Anaka benna! Anaka benna! *Acorde, por favor! — exclamou Loki.*

Mergulhada num sono exausto, Torgon despertou lentamente.

— *Acorde! — Loki abanou Torgon com brusquidão.*

O movimento súbito assustou o bebé e ele soltou um grito. Torgon ergueu a cabeça. O dia nascera. A cabana estava cheia de sol, mais luminoso devido à neve.

— *Vejo guerreiros. Estão longe, mas vêm nesta direcção — disse Loki.*

Torgon puxou o bebé para si.

— *Reconhece-los? Eram do bando do teu pai? Ou são guerreiros* cariuna*? Ou* anaka*? Consegues perceber?*

— *São guerreiros do nosso povo, mas não eram do bando do meu pai. Ao longe, é difícil distinguir a cor dos seus mantos.*

Torgon inspirou.

— *Se me encontrarem desprotegida, matam-me agora e levam o bebé.* — Olhou em volta. — *Tens de me esconder.*

— *Escondê-la,* anaka benna*? — repetiu Loki alarmada. — Não consegue chegar ao alto sítio sagrado a tempo?*

— *Sangrei muito no parto. Os cães deles seguiriam o meu cheiro facilmente e correriam mais depressa do que eu. Não, tens de me esconder. Depressa. E depois mantê-los e aos cães lá fora.*

Torgon levantou-se com o bebé e atravessou o pequeno aposento.

— *Vou deitar-me aqui e mantê-lo a mamar para que ele não chore. Deves empilhar a palha sobre nós. A palha suja em primeiro lugar, para que não seja óbvio que há sangue. Depois, a palha limpa. Depressa, Loki. Faz o que eu digo.*

* * *

Eram sete ou oito, com dois dos irmãos santos — Maglan e Galen — entre eles. Abrindo a porta da cabana, Loki saiu para o sol que se filtrava através das árvores desfolhadas.

— Ah, filha de Marek — disse Maglan. Os outros guerreiros puseram-se em semicírculo em torno de Loki. Os cães moveram-se irrequietos à volta deles.

— O que te trouxe aqui? — perguntou Galen.

— Acompanhei a anaka benna. Ela queria ir para o alto sítio sagrado para comungar com Dwr em preparação para o santo parto, mas a Vidente achou imprudente ela ir sozinha com o Inverno tão avançado. Então, a Vidente pediu-me para vir para a cabana manter o lume aceso e fornecer comida, caso a divina benna precise.

— Ouvi dizer que és muito piedosa — respondeu Galen. — Então consideras a tarefa alegre?

— Oh, não — respondeu Loki rapidamente. — É só porque agora sou a mais velha entre os acólitos, e a tarefa cabe-me a mim. Na verdade, isto é um lugar frio e solitário, pois a anaka benna raramente vem, e, quando isso acontece, mantém um voto de silêncio. Está ocupada com pensamentos de Dwr e do parto vindouro.

— Estou a ver — disse Galen.

— Então ela está perto do parto? — perguntou Maglan.

— Sim. Mais uma semana ou duas, disse a Vidente.

Os cães continuavam em movimento. Dentro e fora entre os homens, à volta de Loki, à volta das fundações da cabana. Os guerreiros não fizeram nenhum esforço para controlá-los.

Loki esforçou-se para não olhar para os cães, mas era difícil ignorá-los, uma vez que eram muito activos. Por sua vez, percebeu que Galen a observava. Ele examinou o seu rosto atentamente.

— Quer-me parecer que estás com medo — disse ele. — A tua pele denuncia o teu nervosismo com manchas.

— É o frio — respondeu Loki.

— Acho que não. Vi-te à porta. Não esperaste para nos cumprimentar, como deveria esperar a filha de um guerreiro.

— O teu pai tem sido muito frouxo contigo — disse Galen com desdém. — Perdes o controlo das tuas emoções.

— Estou com muito medo, santo senhor. Tenho medo de si, se quer saber a verdade. Porque, quando vos vi ao longe, não sabia quem podiam ser. E estou aqui sozinha e desprotegida. Assustam-me, com todas as vossas espadas e ameaças.

— *Guarda a tua espada, Galen. Ela não passa de uma criança e é natural que tenha medo.*

— *O teu pai é guerreiro, portanto não precisas de ter medo de nós* — *respondeu Galen.* — *Não pensaríamos em fazer-te mal.*

Loki inspirou profundamente e abanou a cabeça.

— *Lamento ter agido de forma tão tola, mas à primeira vista não soube quem vocês eram e estou numa idade em que as meninas devem ser mais cuidadosas com essas coisas. A minha castidade é tudo o que tenho, portanto dou-lhe muito valor.*

Pela primeira vez, Galen sorriu.

— *Sim, é claro que em breve irás ter os teus ritos de mulher. É agradável descobrir que és prudente com o teu valor.* — *Voltou a embainhar a espada.*

Loki conseguiu esboçar um sorriso fraco.

Ele inclinou a cabeça e observou Loki de cima a baixo.

— *Seis irmãos para te defender e és a única filha do teu pai. Irás ter um belo preço.* — *Continuou a sorrir.* — *Talvez te considere para um filho meu. O teu sangue é bom e a tua piedade, sem dúvida, fez-te obediente. É pena que não tenhas um rosto mais atraente.*

— *O meu coração compensa isso* — *respondeu Loki.*

— *Sim, tenho a certeza que sim.* — *Então ele virou-se para os outros.* — *Chamem os cães para podermos ir. O veado corre longe.*

Loki esperou até os guerreiros terem desaparecido de vista e mesmo assim permaneceu à porta da cabana até a floresta à sua volta ficar silenciosa como a neve. Entrando por fim, ela barrou a porta atrás de si antes de se aproximar da palha amontoada no canto mais distante.

— Anaka benna? — *sussurrou, e começou a puxar a palha.* — Está bem?

No meio da palha suja, Torgon sentou-se com alguma dificuldade. O bebé, encostado à sua pele dentro da blusa, dormia pacificamente.

Ao vê-los seguros, Loki desatou a chorar.

— *Desculpe. Desculpe, mas não consigo deixar de chorar. Eles meteram-me muito medo.*

— *Saíste-te muito bem* — *respondeu Torgon. Inclinou-se para a frente para puxar a rapariga contra ela.* — *Vá, toma o conforto dos meus braços, pois não acho as tuas lágrimas inapropriadas. Mostraste grande desenvoltura no trato com os irmãos santos. Foste muito, muito corajosa.*

— *Não me senti nada corajosa, apenas muito, muito assustada.*

— *Sim* — *disse Torgon e sorriu* —, *mas, infelizmente, isso é a verdadeira coragem.*

CAPÍTULO QUARENTA

No terceiro dia, Torgon estava à porta da cabana. A alvorada tinha colorido o céu de um cinzento-pena-de-pombo, mas através das árvores desfolhadas ela conseguia ver fios vermelhos onde o Sol iria nascer. Voltando para dentro, fechou a porta e na escuridão levantou o bebé.

— Esta manhã vou ao alto sítio sagrado apresentar a criança a Dwr — disse ela a Loki. — Ele precisa de um nome e não podemos esperar pelo dia da atribuição do nome.

— O que escolheu para ele?

— Vou chamar-lhe Luhr, como o grande felino, que Dwr possa conceder-lhe a força e a coragem do grande felino.

— O que diz a Vidente? Não é um nome santo.

— Não. Mas é um nome de poder e ele vai precisar mais disso. — Olhou para a rapariga. — Quando eu tiver ido, vais ter com a minha irmã? Vai discretamente ter com ela sozinha e não com os meus pais. Quando estiveres em segurança para falar com ela em particular, diz-lhe que o menino nasceu neste dia e que ninguém ainda sabe. Diz-lhe que gostaria de vê-la e que ela dever trazer a sua filha Jofa com ela, para que o meu filho possa conhecer outras pessoas do seu sangue. Diz-lhe também para trazer comida. Diz-lhe que não temos o suficiente aqui e que não me atrevo a mandar-te ao recinto, por isso precisamos de comida para pelo menos três dias.

Loki ficou perplexa.

— Não há muita verdade naquilo que me manda dizer.

— Sim, eu sei, mas diz à minha irmã apenas o que te disse. Não acrescentes mais nada.

* * *

A neve começou a cair ainda antes de Torgon chegar ao cimo da escarpa. Ela fora ali muitas vezes antes no Inverno, mas nunca carregada com um bebé que deveria viver. Amarrando o filho dentro da sua roupa, usou as duas mãos para escalar por cima das pedras geladas.

Estava bem suprida com ferramentas santas, pois haviam sido as únicas coisas que ela pudera trazer do recinto sem arriscar levantar as suspeitas da Vidente. Torgon pousou o saco de pele de veado e abriu-o. Os óleos da atribuição do nome estavam todos ali, a faca sagrada, o barro sagrado, e uma a uma ela pôs no chão as coisas de que ia precisar.

Enquanto trabalhava, a neve caía em grandes flocos macios, um belo nevão. Ela fez uma pausa, vendo-a pairar até ao chão, e ficou maravilhada com a sua beleza.

Enquanto despia o filho, ele chorou com o frio e verteu águas como todos os recém-nascidos pareciam fazer quando de repente despidos. Pegando no barro sagrado, Torgon pintou marcas sagradas no rosto dele, a todo o comprimento do seu corpo e sobre o seu pénis. Era triste que aquilo tivesse de ser feito em solidão, pensou ela, e o pensamento intrometeu-se no estado de transe sagrado em que ela devia estar. Tão triste, na mais alegre celebração da vida dele, que o filho sagrado não estivesse rodeado pelo círculo amoroso de amigos e familiares que deveriam ter comparecido no dia de ele receber o seu nome.

Torgon desrolhou os óleos, ungiu-lhe a testa, o peito, os órgãos genitais e tocou-lhe nos lábios. Depois levantou o bebé nu acima da sua cabeça, oferecendo-o a Dwr. Dou-te esta criança: Luhr, o Grande Felino.

Preocupada com o bem-estar do bebé após a exposição ao frio tão intenso, Torgon amarrou-o à pele nua do seu peito e protegeu-o do vento cortante despindo a camisa e dobrando-a sobre o corpo dele antes de voltar a vestir a roupa de fora. Quando chegou à cabana, ao anoitecer, ela própria estava gelada.

Loki tinha voltado há muito tempo. A pequena fogueira ardia alegremente e uma panela de caldo feito com carne de veado seca fumegava sobre ela. Loki ajudou Torgon a despir a sua roupa de fora e pegou no bebé. Servindo-se grata de uma tigela de caldo de carne, Torgon sentou-se com as pernas cruzadas diante do fogo.

A porta foi sacudida.

Um olhar de terror passou entre as duas. Loki pousou rapidamente o bebé adormecido na palha do canto mais distante.

— Sou só eu — disse Mogri. — Deixa-me entrar.

Loki destrancou a porta.

Uma lufada de neve entrou com ela.

— Não há o perigo de ser seguida numa noite como esta — disse Mogri e sacudiu a roupa. — Os meus passos foram cobertos antes de poderem arrefecer.

O seu bebé estava profundamente escondido nas dobras da sua roupa. Às costas trazia uma cesta.

— Trouxe-te pão e queijo. Não havia muito mais. — Deixou cair a cesta no chão. Levantou uma sobrancelha ao olhar para Torgon junto ao lume. — Estás com bom ar, irmã, mas tens uma pose descontraída para uma mulher que há pouco deu à luz. Foi um parto tão fácil?

— Tive-o há três dias.

— Oh, Torgon! — exclamou Mogri, decepcionada. — E mentiste-me?

— Depois uma preocupação súbita. — O que está a acontecer aqui, meninas? Onde está o teu bebé? Ele está bem?

— Sim, ele está bem. — Torgon foi buscar o bebé ao seu ninho de palha. Mogri abriu os braços para lhe pegar.

— Oh, olha para ele, é grande! — exclamou. — Muito bem, Torgon! — Sentando-se, pousou o bebé no colo e examinou-o mais de perto. — Tanto cabelo. Mas ficará ruivo? É bastante escuro agora, mas olha, acho que tem um tom avermelhado. Ele tem os teus olhos? Abre os olhos, dorminhoco, para que eu os possa ver.

— Acho que não tem — respondeu Torgon.

— Bem, é difícil dizer em alguém tão novo. Os olhos de todos os bebés são escuros. — Mogri afastou a roupa para trás. — Fizeste bem, no entanto, em ter um rapaz. A Vidente vai ficar satisfeita contigo. E também os seus santos irmãos. Talvez por fim isto traga a paz a todos.

Torgon enxugou os olhos.

— Sim, vejo agora que tens razão acerca dos três dias. Estás a chorar, pobrezinha. — Mogri estendeu a mão para alisar o cabelo da irmã. — Mas isso significa mais leite. Mais lágrimas, mais leite. — Uma pausa. — Qual foi a tua ideia de vires para aqui sozinha? Quando me mandaste preparar a cabana para ti, eu supus que viriam outras pessoas contigo. É assim que os santos fazem as coisas? Não é sensato, acho. Devias ter a companhia de outras mulheres numa altura destas. Talvez resulte para quem nasceu santo e de classe alta, mas não irá resultar para uma mulher da nossa classe estar iso-lada desta maneira.

— Não é isso.

— Porque lutas tanto contra as lágrimas, Torgon? O teu corpo quer que as derrames. Tens o sangue dos trabalhadores e não estás destinada a mostrar um rosto sem vida.

— *Mogri*, por favor. *Não me fales de coisas tão simples. Tenho questões de natureza mais grave a dizer-te hoje.*

Mogri olhou para ela.

Inclinando-se para a frente, Torgon tirou o bebé dos braços de Mogri e encostou-o a si.

— *O que o Ansel me disse naquela noite é verdade. Já não há nenhuma santidade entre os da sua espécie.*

«*Não é por eu ter derramado o sangue do Ansel que eles me odeiam. Se eu fosse apenas sua mulher e o tivesse esfaqueado num arrufo de amantes, teria havido uma cena terrível, sem dúvida uma flagelação pública na praça, porque eu sou trabalhadora e mulher, mas como eu fui a sua escolha e tive o seu primogénito, as coisas teriam terminado ali. Os santos irmãos teriam aceitado um crime passional, pois é uma falha humana, e isso eles entendem. Aquilo que não é humano em mim é que os inquieta. Quando aquele homem mau que os gerou me enviou para invocar o Poder, eu fi-lo. E é isso que eles consideram intolerável em mim, pois sabem que a minha santidade é real.*

«*Por causa disso, não me vão deixar viver. Não podem deixar-me viver, porque sou a prova de que o Poder existe; que existe realmente alguma coisa maior do que nós que podemos invocar. Mas, mais do que isso, o Poder não liga a casta ou classe ou sexo. Nem sequer à piedade, mas simplesmente à capacidade de ouvir com abertura e força de vontade para o seguir.*

— *Sem dúvida os santos irmãos pretendem vingar-se de ti pelo Ansel —* disse Mogri —, *mas não vão matar-te. O conselho decidiu a teu favor e os irmãos nunca iriam contra os anciãos. Sabem que isso conduziria à guerra civil. E matar a divina* anaka benna? *Torgon, não ousariam.*

— *Ousariam. Ousarão. E no seu coração já o fizeram.*

Mogri recostou-se.

— *E serão bem-sucedidos porque já não sou santa.*

— *O que queres dizer?*

Torgon baixou a cabeça. O bebé mamava no seu peito e ela observou-o.

— *Desde a morte de Ansel que o meu Poder diminuiu. Temo que agora a minha santidade também esteja danificada.*

— *Oh, Torgon, certamente que não.*

— *É assim, Mogri. Não sei porquê. Às vezes ainda sinto o Poder dentro de mim, mas agora, ao contrário de tempos passados, ele raramente fala comigo. Não quero ser como Ansel e os seus, a usar a minha própria voz quando a voz de Dwr perde força...*

Silêncio.

Torgon olhou novamente para o bebé. Ele dormia, a boca entreaberta contra o seu seio. Delicadamente, levantou um dedo e limpou o leite que escorria dos seus lábios.

— Tenho medo é pelo bebé — disse ela baixinho —, pois acho que estás certa. Quando eu for morta, haverá uma guerra civil. — Acariciou a cabeça do bebé. — A sua ascendência significa que ele não será nem santo nem trabalhador, todavia será ambos. Em ambas as facções haverá aqueles que acharão a sua morte sensata. E os bebés morrem com tanta facilidade...

Torgon ergueu a cabeça.

— Loki? Queres trazer as minhas ferramentas sagradas?

A menina levantou-se e foi buscá-las, levando o saco a Torgon. Com a mão livre, Torgon abriu-o e verteu o conteúdo para o chão. Entre os frascos de óleo e de unguentos havia um saco mais pequeno.

— Toma, Mogri, abre-o, pois só com uma mão não consigo.

Mogri ajoelhou-se e pegou no nó. Desfazendo-o, esvaziou o saco no chão. Os seus olhos arregalaram-se de surpresa.

— Sim, é ouro — disse Torgon.

— De onde veio? — perguntou Mogri em voz baixa. — Nunca vi tanto.

— Tenho estado a derreter os meu ornamentos sagrados, pois é pouco provável que tenha necessidade de voltar a usá-los.

Apreensiva, Mogri aproximou-se.

— Acho que isto foi bem planeado... agora estou preocupada.

— E agora vou suplicar-te que salves a vida do meu filho recém-nascido...

— Torgon, não...

— Toma o meu filho e parte amanhã de manhã, à primeira luz. Vai para o reino do Povo Felino. Quando o rei cá esteve pela última vez, mostrou ser um homem de sabedoria e de grande piedade. Ele honrou Dwr, embora Dwr não ande entre os seus deuses, e mandou todos os seus guerreiros fazerem o mesmo, portanto é também um rei de força e poder. Diz-lhe que agora estou doente e que este é o filho sagrado. Dá-lhe o ouro que tenho aqui e implora-lhe que proteja o meu filho.

— Não, não posso!

— Pede-lhe que instrua Luhr como um homem bom e nobre e que o mantenha seguro até que ele seja maior de idade e possa reclamar o seu lugar. Acho que o rei fará isso. Ele estava muito aflito aquando do nosso último encontro, porque ele e a sua rainha não foram abençoados com o dom sagrado das crianças. Ele pediu a minha intervenção divina, para que possam ser abençoados com o fruto real. Se a sua rainha deu desde então à luz, ele aceitará o meu

filho por estar em dívida para comigo. Se não deu, ele pode gostar da oportu-
nidade de aceitar o bebé como seu, em especial porque isso pode significar um
futuro reino. Se nada mais resultar, deixa o ouro falar, pois não é uma soma
insignificante.

— Oh, Torgon...

— Não, Mogri, por favor. Por favor, faz isso por mim. Já não tenho as
minhas visões sagradas, mas tenho sonhos e neles vejo o menino crescer e tornar-
-se um homem. Um rei. Um rei divino com o dom sagrado do Poder de Dwr.
Mas se ele ficar aqui... irá andar, muito em breve, entre os mortos comigo.
Também vejo isso.

— Se as coisas são realmente assim, Torgon, não seria muito melhor leva-
res o menino e fugires tu com ele, para que pelo menos pudesses criá-lo nos
caminhos da santidade?

— Passei muitas horas a pensar sobre isso, pois, naturalmente, é o que
gostaria de fazer, mas no final a resposta é sempre não. Se eu também fosse,
o Rei Felino poderia recusar-nos ajuda. Os meus olhos são a minha maldição.
Por muito cuidadosa que eu fosse no meu disfarce, eles iriam denunciar-me, e
abrigar a divina anaka benna *certamente levaria os nossos guerreiros às suas*
portas. Porque haveria o rei de arriscar uma guerra por minha causa? Mas
um bebé parece-se com qualquer outro e tu poderias passar facilmente por uma
vendedora ambulante.

«Mais importante, ninguém ainda sabe que o bebé nasceu. Eu posso voltar
para o recinto e evitar a Vidente e os irmãos mais uma semana ou duas, tal-
vez até mais, uma vez que este é o meu primeiro filho e os primogénitos são mui-
tas vezes lentos a nascer. Isso dar-te-ia tempo para chegares às fronteiras do
Povo Felino sem perseguição. E mesmo assim posso dizer-lhes que o bebé é uma
menina. Ou que nasceu morto. Ou que eu matei o bebé antes que mo tirassem.

— E eles vão matar-te.

— Mogri, eles vão fazer isso de qualquer maneira.

As lágrimas encheram os olhos de Mogri. Ela baixou a cabeça.

— Receio ter ainda mais a pedir-te — murmurou Torgon.

— Fala, então. Acaba com isso.

— Quando chegares ao reino do Povo Felino, peço-te que fiques lá com ele.
Peço-te isso não como santa benna, *mas simplesmente como tua irmã, que te*
ama muito. Isto aqui será perigoso nos dias vindouros. Quando se descobrir
que ele partiu, irão adivinhar que me ajudaste e a tua vida será tirada
também. Então fica lá e cuida dele como eu faria. Ele precisa de um tutor.
Mesmo que o rei o aceite, tenho medo do que lhe possa acontecer. E se ele for

maltratado? Ou se adoecer e estiver sozinho? Quero que ele conheça o tipo de amor que tu e eu conhecemos na juventude, pois é assim que os homens nobres são feitos. Mesmo a indiferença bondosa, que não fere o corpo, marca a alma e deixa um espaço vazio. Então, por favor, por favor, *Mogri, fica e cuida dele.*

Baixando a cabeça, Mogri assentiu.

— *Muito bem.*

— *Santa* benna?

A cabana estava totalmente às escuras. Nenhum sinal da madrugada assinalava a janela das paredes. Virando-se na palha, Torgon tentou orientar-se.

— *Santa* benna?

— *Sim, Loki. Estou acordada* — *sussurrou Torgon na escuridão.*

Ouviu-se a jovem a rastejar na palha.

— *Não consigo dormir* — *murmurou.*

— *Não. Nem eu.*

— *Estive a pensar durante toda a escuridão da noite, santa* benna.

— *Vá, Loki, vem para debaixo das mantas comigo, não quero acordar a minha irmã. Deita-te perto de mim. Estás fria. Talvez adormeças quando estiveres quente.*

— *Não, acho que não* — *disse ela baixinho, mas aceitou o calor e aproximou-se.* — *Decidi, santa* benna, *que, quando eles partirem, irei com eles.*

— *Não, Loki.*

— *Sim, santa* benna. *Pensei muito nisso. O meu coração diz-me para o fazer. Irá aliviar a carga da sua irmã. Ela não consegue carregar facilmente dois bebés e a cesta. Com tanta neve, isso tornará a viagem lenta. Irei com eles. Poderei levar a criança sagrada e mantê-la aquecida enquanto ela leva o seu próprio bebé.*

— *Não, Loki.*

— *As pessoas irão desconfiar se ela tiver dois bebés. As idades são demasiado diferentes para poderem ser gémeos e são demasiado próximas para poderem ter nascido da mesma mulher. Alguém poderia acusá-la de roubar uma criança. Se assim fosse, o mal cairia sobre eles. Mas, se eu estiver com ela, posso dizer que ele é meu e vão assumir que fui expulsa da minha tribo pela perda da minha virgindade.*

— *É um sacrifício demasiado grande.*

— *Quero fazê-lo* — *disse Loki.*

— Sim, com o teu coração valente, sei que queres, mas é preciso sermos também práticas. És bem-nascida. Ninguém dará pela falta da Mogri, mas, se a filha de um guerreiro desaparecer, haveria um clamor e iriam à tua procura. Seria mais seguro se a Mogri fosse sozinha.

— Já pensei nisso — respondeu Loki — e quero que lhes diga que morri. Diz-lhes que, quando eu estava na floresta a tratar de si, um felino grande apareceu e devorou-me e que nada resta de mim a não ser a minha pouca roupa.

— Estiveste demasiado tempo comigo. Aprendeste a minha maneira de mentir.

Na escuridão, Loki riu-se.

— Não, isto é produto da minha própria mente. Além disso, carrega a verdade à sua própria maneira. Ele tem o nome do grande felino, não tem? E eu já estou devorada de amor por ele.

— Não, Loki. És demasiado jovem para entender o sacrifício que ofereces. Espera-te aqui uma vida boa. Não é correcto ires trocá-la pela existência de uma refugiada numa corte estrangeira.

— Anaka benna, não tenho qualquer desejo da vida daqui. Não ficaria cá para casar com algum filho bem-nascido, sabendo como sei agora que as crianças dos trabalhadores morrem de fome nas suas cabanas enquanto as minhas brincam descuidadamente com enfeites de prata. E, com certeza, não iria ficar para vê-la morrer. Se partir, a minha vida não teria sentido aqui. Então deixe-me ir com ele para que o bebé rei cresça sabendo que conduz o seu povo já agora.

Torgon tacteou a escuridão para tocar no rosto da rapariga.

— Muito bem. Se assim o desejas, que assim seja.

Levantaram-se de madrugada e quebraram o jejum com pão e caldo. O resto da comida foi embalada na cesta e a seguir a roupa extra. Loki levantou a cesta para Mogri e fixou as tiras. Depois vieram os bebés, Jofa nas dobras das roupas de Mogri e Luhr nas dobras das de Loki.

Torgon hesitou com o filho nos braços. Ele tinha acabado de comer e estava sonolento. Então, com um suspiro, colocou-o junto ao peito pequeno de Loki e começou a tarefa de o ligar. Fez uma pausa e acariciou o seu cabelo escuro, tocado, como Mogri dissera, apenas pelo brilho do ruivo.

— Oh, que Dwr te mantenha em segurança, meu pequeno — murmurou ela e inclinou-se para beijar o seu rosto. Ficou assim, os lábios contra a pele dele, e Loki manteve-se imóvel, sentindo o calor da cabeça de Torgon através das dobras da roupa.

Ninguém disse mais nada. As três trabalharam em silêncio até todas as tarefas terem sido realizadas. Então Torgon levantou a barra pesada da porta. Lá fora, a neve parara e estava intocada.

— Dá o meu amor aos pais, Torgon.

— Sim.

— Encontra o teu caminho até eles. Não deixes a tarefa a outra pessoa. Vai tu até eles e diz-lhes o que nos aconteceu, pois, enquanto o teu coração chora a perda de um filho, lembra-te que eles estão a perder dois. E também netos.

— Sim. Irei fazê-lo. Prometo.

Ficaram em silêncio.

— Viaja bem — sussurrou Torgon, pois as palavras não saíam mais altas. — E que Dwr vele por vocês.

— E tu — disse Mogri —, que Dwr também vele por ti. Pois, se o futuro que descreves for apenas uma sensação e não visões que ele enviou, então talvez corra de forma diferente. Vou ficar na corte do Povo Felino e não irei para outro lado para que saibas onde podes encontrar-nos, se alguma vez fores à nossa procura. E, embora vá criar Luhr como se ele fosse uma criança nascida do meu próprio corpo, irei ensinar-lhe que não é meu e que deve estar sempre atento à estrada de leste, na esperança de que um dia possa ver a sua mãe verdadeira a aproximar-se.

— Abraça-me uma última vez — disse Torgon, estendendo os braços. — Deixa-me beijar-te. E a ti também, Loki. Não. Não me beijes como a benna, *pois o tempo das* bennas *passou. Beija-me aqui, no rosto, como a irmã que agora és para mim. E a seguir despeço-me das duas.*

James virou a última página dactilografada. Olhou para ela, vazia nas costas, os cantos dobrados e ligeiramente amarelecidos com a idade, e lamentou que tudo tivesse acabado, que a história tivesse terminado, que Torgon fosse voltar para morrer e a sua nobreza não a tivesse salvado. Lamentou também já não ter aquele espelho da vida de Laura.

Ocorreu-lhe, ao olhar para a pilha despretensiosa de folhas, que aquele era o único sítio onde Torgon existia. Toda aquela vida, aquela vitalidade, não era mais do que um conjunto de letras numa folha que ele e Laura e um punhado de outros tinham experimentado. E ainda assim sentiu pesar. Estranho, realmente, se se pensasse sobre isso.

CAPÍTULO QUARENTA E UM

— Então foi assim que eu e o Fergus acabámos — disse Laura.
— Não acabei o curso. Portanto, o Fergus acertou. Nunca trabalhei um dia como médica. Em vez disso, saí de Boston nessa madrugada de Novembro e voltei para aqui. Havia uma vaga para paramédica no serviço de ambulâncias da reserva de Pine Ridge, portanto aceitei-o e comecei o trabalho longo e lento de remendar a minha vida.

«As primeiras semanas foram terríveis. Não fui vítima da grande depressão que tivera na Primavera, mas sim de ansiedade. Tinha um medo de morte que o Fergus descobrisse onde eu estava. Ele só me pareceu médium na sua incrível capacidade de me encontrar, onde quer que eu estivesse. Era assustador pensar que, de alguma forma, as Vozes *podiam* dizer-lhe onde eu estava, porque como é que uma pessoa se protege disso? Via-o, como um fantasma, escondido atrás de cada canto escuro. Isso deu-me uma insónia crónica. Acordava todas as noites com o coração a bater descompassadamente e ficava apavorada no escuro. A sensação continuava durante o dia e eu sentia-me nervosa e irritadiça e incapaz de me concentrar no que quer que fosse.

«A única coisa que ajudava era exercício físico enérgico. A reserva faz fronteira no lado sul com as Badlands, assim no meu tempo livre comecei a caminhar. As Badlands eram um bom sítio para o fazer. Sentia-me segura na sua abertura, e a sua desolação, especialmente no Inverno, acompanhava o meu humor. Eu saía com todos os climas: vento, chuva e até neve. Sempre sozinha. Os meus pais eram absolutamente contra, pois achavam muito perigoso eu fazer aquelas caminhadas sozinha no caso de cair ou coisa parecida. A verdade é que não me importava nada que algo tivesse realmente acontecido, algo que

315

me tirasse a responsabilidade pelo acidente. Durante horas e horas caminhei nas bacias, subi as ravinas, trepei pelas rochas, e durante todo esse tempo a minha mente estava completamente vazia. O que era tão bom. Tão curativo.

«Um sábado... deve ter sido cerca de três semanas depois de eu ter voltado... passei o dia inteiro a caminhar. O tempo estivera péssimo e quando cheguei a casa as minhas roupas estavam encharcadas, o meu rosto queimado pelo vento e os dedos das mãos e pés dormentes de frio. Comecei a preparar o meu jantar, depois abri uma garrafa de vinho tinto e servi-me de um copo. Apeteceu-me ouvir música, então fui à sala e pus a tocar a *Missa de Requiem* de Saint-Saëns na aparelhagem.

«Estava sentada, a descansar na poltrona com o meu vinho, quando a introdução de metais rara do "Agnus Dei" começou. Já a tinha ouvido muitas vezes antes, é claro, mas o que aconteceu então foi que... de repente eu estava na Floresta. Ao vê-la com a mesma clareza eidética e abrupta que tinha experimentado na minha juventude, nos velhos tempos antes de Fergus, eu estava lá mais uma vez, de uma forma que há muito desistira de experimentar de novo.

«Torgon estava na cabana de isolamento. Ia a fechar a porta. Mogri e Loki já haviam partido com o bebé recém-nascido de Torgon. Ela ficara a ver até elas desapareceram de vista, depois fechou a porta e voltou-se para a escuridão da cabana.

«Aquela parte lenta e misteriosa do "Agnus Dei" de Saint-Saëns tinha começado... — Laura levantou a mão distraidamente, quase como se estivesse a dirigir a música. — Eu podia ouvi-la, a música, quero eu dizer. Mesmo quando estava na Floresta, a ver Torgon. A música fazia parte dela, de alguma forma. Ou talvez eu não estivesse tão completamente na Floresta como pensava, porque continuava bastante ciente da música.

«Na cabana, a solidão era tão penetrante como o "Agnus Dei". Torgon estava a reunir as suas poucas coisas, colocando-as devagar uma a uma no saco, preparando-se para regressar ao recinto, e havia um sentimento de desolação total. Ela sabia que estava a voltar para a sua morte e sabia que estava a voltar completamente sozinha, sem apoio algum. Sem Loki. Sem a irmã. Sem o filho... e... percebi pela primeira vez, sem mim.

Laura olhou para ele.

— Porque, evidentemente, *eu* era o Poder, não era?

James fitou-a.

— Quero dizer, você já tinha percebido isso, não já? O mundo da Torgon era a minha inspiração para tentar tornar-me algo mais do que aquilo que poderia ser, mas, da mesma forma, eu era a dela. Ela tornara-se grande a imaginar o meu mundo. — Os olhos de Laura brilhavam com lágrimas. — Mas então ela perdeu a visão, porque eu a tinha abandonado.

— Essa é uma premissa interessante — comentou James. — Mas «abandono» é uma palavra muito forte.

— Não, é a palavra certa. *Optei* por deixá-la. Optei por transformá-la em algo menos do que ela era, porque queria...

Laura parou um instante e limpou os olhos.

— Porque eu só queria ser normal. Ter o que toda a gente tinha.

— Então está a dizer que se sente responsável pelo destino da Torgon? — perguntou James, intrigado com aquela complexidade surreal.

Laura franziu a testa.

— Compreende aquilo de que estou a falar? A diferença? Entre a Torgon real... aquela criatura bela e nobre que me apareceu na minha infância... e a caricatura em que a transformara, que não era mais do que uma extensão do meu *ego*?

James assentiu.

— Houve o Fergus com toda a sua conversa sobre o destino. Eu continuava a ouvir aquela palavra à minha volta e nunca lhe prestei grande atenção, nunca reconheci que já *tinha* um destino. Não precisava da versão do Fergus dele.

Laura soltou um suspiro longo e lento.

— Num mundo diferente, melhor, eu teria continuado a viver o que me fora predestinado. Ter-me-ia tornado aquela médica excelente e teria ido para algum canto esquecido do mundo para fazer um bem incomensurável. As pessoas teriam olhado para mim e dito: «Ela foi inspirada.» Talvez até: «Ela ouve a voz de Deus.» Porque *há* de facto Vozes neste mundo, chame-lhes o que quiser, e, se as ouvir, *você* é especial.

Laura fez uma pausa e no seu silêncio James detectou uma ténue defesa.

— Mas a verdade — disse ela — é que muito poucos podem ser a Madre Teresa ou o Martin Luther King. É fácil pensar que seríamos todos capazes desse tipo de grandeza se tivéssemos a oportunidade. Mas isso é um sonho. A realidade é muito diferente. A Torgon exigiu tudo de mim a partir do momento em que a conheci naquela noite de Verão no atalho, tinha eu sete anos. Ela queria o meu tempo, a minha atenção, a minha vida social, a minha educação, a minha carreira. Fazer o que ela queria de mim significava que eu não podia ter amigos. Não podia ter uma família. Não podia ter nada além dela. Isso era de mais para mim. Seguir Torgon exigia uma nobreza de mim que eu não tinha.

«Então... Deixei-a como ela estava, para voltar à aldeia sozinha, e passei a criar uma vida própria. Tive uma aprendizagem notável, a escrever tudo aquilo sobre a Floresta, portanto dei-lhe bom uso. Os meus livros são literatura de qualidade. Proporcionam alegria a muita gente e, gosto de pensar, alguma profundidade e perspicácia aos problemas sobre os quais escrevo. Sou uma pessoa decente. Tento fazer o correcto sempre que posso. Mas estou cansada de sentir que não fiz jus ao que poderia ter sido. A forma como vejo isto é que me foi entregue um cálice de ouro mas não estava destinado a ser meu. Assim, bebi dele e passei-o.

— Há aqui uma história — anunciou Conor, pegando num grande pedaço de papel de desenho em branco. Levou-o até à mesa. — Parece que não há nada sobre ele, mas há realmente uma história aqui. Está a vê-la? — perguntou a James.

— Vejo um pedaço de papel em branco.

Conor pegou num lápis de James e, em seguida, sentou-se.

— Vai ver a história em breve, porque vou fazer os desenhos para ela. Amanhã, quando olhar para este papel, vai ver que a história está cá. — Inclinou-se para a frente e começou a fazer uma linha na parte superior do papel.

«Estava a pensar nisto esta manhã na minha cama — disse ele, enquanto continuava a desenhar. — Pensei, a história estará no papel amanhã. Então, está sempre no papel? É apenas por os nossos olhos serem assim que não a podemos ver porque é hoje e não amanhã?

— Isso é um grande pensamento — disse James.

— Tenho grandes pensamentos.

— Já reparei.

— O amanhã está escondido. A minha história aqui está escondida até eu a fazer. O mundo está cheio de coisas escondidas.

— Estava a desenhar linhas verticais no papel, dividindo o espaço em caixas. — O meu gato mecânico está escondido. Ninguém pode vê-lo, porque está aqui — disse ele e bateu no peito.

— Sabes que dentro de ti há algo forte — disse James.

Conor assentiu.

— Sim. Ouço-o cantar. A minha mãe diz que não consegue. Ela diz: «Dá corda aos sapatos, Conor, está na hora de irmos.» Eu digo: «O gato mecânico está a cantar.» Ela diz: «Não sejas tolo. Não temos tempo.» — Olhou para cima. — Mas o gato mecânico sabe. Nada está escondido do gato mecânico.

James olhou para ele.

— O gato mecânico consegue ver tudo. Ele consegue ver a história escondida neste papel. Ele consegue ver o amanhã. E em nossa casa consegue ver o fantasma.

— Este é o homem debaixo do tapete?

Conor não respondeu. Acabara de dividir o papel em secções e agora virou-se para a caixa no canto superior esquerdo.

— Vou fazer um desenho do homem debaixo do tapete. Então saberá o que procura.

Com a língua entre os lábios, a cabeça inclinada para o papel, Conor pôs mãos à obra. Uma figura apareceu, deitada, mas o desenho era difícil de decifrar, porque havia muitas linhas ténues a sair do corpo em todas as direcções.

Conor passou para a caixa ao lado e desenhou uma figura de um homem em pé. Não era uma imagem particularmente estranha, apenas um desenho típico de criança de um homem com olhos arregalados e uma expressão neutra, vestido com calças e uma camisa lisa.

Na terceira caixa, Conor desenhou um outro homem. Desta vez, a imagem era horrível. Fez sangue sair da boca do homem e de ferimentos em todo o seu corpo. O homem ainda estava de pé, mas havia uma faca no seu flanco e uma segunda faca no seu pescoço.

— Não deviam estar por esta ordem — disse Conor, pensativo, ao endireitar-se para olhar para os desenhos nas suas pequenas caixas na parte superior da página. — Este vai ser um daqueles testes que os médicos dão. Vemos as imagens e depois devemos colocá-las por ordem a fim de contar uma história.

Debruçando-se sobre o papel, passou para uma nova caixa e desenhou uma cama. Desenhou uma criança de sexo indiferenciado debaixo das mantas. A criança não estava a dormir. Os seus olhos eram círculos. Conor parou para estudar a imagem um momento, depois voltou ao trabalho, dedicando muito mais atenção aos pormenores daquela imagem do que dedicara aos das outras. Desenhou um tapete no chão, um camião de brincar e um pequeno cavalo. Acrescentou cabelo à cabeça da criança e riscas ao cobertor. Então começou a desenhar o corpo.

— Nós não conseguimos ver esta parte — disse ele enquanto trabalhava. — Fica escondida por baixo do cobertor. Mas o gato mecânico consegue. Nada está escondido do gato mecânico.

Conor desenhou o pijama na criança e sob o pijama os órgãos genitais. Era um menino, deitado de lado na cama, e James percebeu que estava a urinar.

— Agora, aqui, nesta... — Conor passara para o quadrado ao lado e começou a esboçar um homem muito parecido com o do primeiro quadrado, deitado no chão. Desenhou uma linha sobre o homem.

— Isto é o tapete. Não sei desenhar um tapete de forma a que possamos dizer como é olhando para ele de lado. E o menino desceu as escadas. Sem fazer barulho. Calado como um rato. Ele fez chichi na cama. Está a ver aqui em cima? — Ele apontou para a outra imagem.

Conor parou. Seguiu-se um longo momento tenso, enquanto ele olhava para a série de desenhos. Depois pousou o lápis e olhou para James.

— Este é o meu sonho.

— Sonhaste isto tudo?

— Sim. Muitas vezes. Quando estou a dormir, sonho com isto. Quando estou acordado, também sonho com isto. Mesmo quando não estou a sonhar, está lá. Mas ninguém sabe. É uma das coisas escondidas.

A pausa seguinte alongou-se e transformou-se num silêncio profundo.

Conor olhou finalmente para James.

— Estou a ouvir o gato mecânico agora. Ele consegue cantar mais alto que o sonho. Isso é o que ele faz. *Zap-zap. Pêlo de metal. Nunca chora. Nunca morre.*

James sorriu.

— Ele canta para o sonho se ir embora?

— Sim.

Outra pausa.

— Aqui, o menino está em segurança.

— Sim — disse James.

Conor inclinou-se sobre o papel de novo e na caixa seguinte começou a desenhar a imagem de uma criança, ao lado de uma mesa.

— Aqui é esta sala. Esta é a mesa do homem. Vê? Aqui. Esta mesa.

— Conor bateu na madeira. — O menino está de pé ao lado dela. «Aqui não há fantasmas», diz ele. Ele diz isso para si mesmo. — Debruçando-se sobre o desenho, o seu corpo tornando-se mais hirto à medida que trabalhava, Conor disse: — E aqui dentro do menino, *aqui* está o gato mecânico. Consegue vê-lo? Desenhei-o, então agora não está escondido. Consegue ver?

Dentro do tronco da criança que estava em pé ao lado da mesa, Conor tinha desenhado cuidadosamente um pequeno gato. Estava sentado na vertical, como os gatos se sentam, as orelhas inclinadas para a frente, os olhos a observar a partir da imagem, tinha um pequeno triângulo de cabeça para baixo à laia de nariz e um sorriso quase melancólico no focinho.

Conor desenhou linhas finas através da cabeça, dos braços e das pernas da criança, todas ligadas ao gato, como se fosse um titereiro felino a mexer a sua grande criação.

— Preciso de pintar isto — disse Conor. Levantou-se e estendeu a mão sobre a mesa para o cesto de lápis de cor e canetas de feltro, depois pintou o gato de preto com uma risca branca no focinho, meias e peito branco e um pequeno nariz rosa. Pintou os olhos de verde e, em seguida, fez os bigodes e garras muito, muito nítidas a sair das patas brancas. Não pintou o menino.

— Quero cortar isto. Há algum cartão? Quero colar isto ao cartão primeiro para ele se manter bom. Preciso de cartão — anunciou e levantou-se da mesa. Sem esperar por uma resposta de James, foi até às prateleiras e revolveu os materiais. Encontrando um pequeno pedaço de cartolina, voltou. Pegou numa tesoura, cortou habilmente a figura do menino. Colou-a na cartolina, em seguida esforçou-se para cortar o excesso para deixar apenas a figura do menino com o seu gato interior.

Conor ficou muito satisfeito com o resultado. O seu rosto iluminou-se.

— Olhe! Vê? Aqui está. O *meu* gato mecânico. — Levantou-se e correu para as prateleiras para ir buscar a caixa de animais de cartão.

Pegando no pequeno gato de cartão, fixou-o à base enquanto voltava para a mesa. — Vê? O meu gato e o seu gato. Vou buscar plasticina, para que o meu possa também ficar de pé. O meu e o seu! Posso levar isto para casa! Este é meu.

— Sim, agora fizeste o teu próprio gato mecânico, não foi? Que boa ideia tiveste.

— Sim! Fiz tudo sozinho, portanto posso ficar com ele. — Esboçou um grande sorriso a James.

Conor recostou-se para admirar os gatos em cima da mesa, mas, quando o fez, os seus olhos desviaram-se para o papel onde estivera a desenhar.

— Não acabei isto — disse ele. Pegou no papel com o seu quadrado em falta. — Devia ter feito outra imagem. Não fiz o sonho todo. — Não fez menção de desenhar.

— Podes dizer o que ficou de fora? — perguntou James.

— Não a pus na escada. Fiz um desenho da escada.

Tacteou o buraco onde tinha cortado o desenho do menino e do gato.

— Ela disse: «Não venhas para baixo.» — Conor olhou para os outros desenhos. — Ela disse: «És um menino muito mau. *Não* deves sair da cama.» Ela queria brincar com as minhas tintas. Não queria pedir primeiro. Eu precisava de fazer chichi. Pensei: «Tenho de me levantar. Preciso do bacio. Não consigo baixar as calças sozinho.» Mas ela estava a chorar. Usara as minhas tintas sem pedir. Disse num grito: «Menino mau! Menino *muito* mau! Isto é por vires cá abaixo.» O menino mau desceu as escadas. Depois, correu para cima. O mais depressa que conseguiu. Rápido como uma raposa. Rápido para debaixo dos cobertores. Ela está a gritar. O menino está a gritar também. A gritar e a chorar. Onde está o seu pai forte? Ele quer o seu pai, mas o seu pai não está lá. O gato mecânico não está lá. Ninguém está lá e o menino faz chichi na cama.

Conor passou o dedo pela imagem do menino na cama.

— Sim, foi isso que aconteceu. Foi um sonho muito mau. Um sonho que tive muitas vezes.

— Parece realmente muito assustador — disse James. — Percebo porque te sentias tão assustado.

Conor pôs as mãos sobre os olhos.

— Não falo sobre isso. Mantenho a boca fechada. — Fez um gesto nos lábios. — «Não fales disso», diz ela. «Não é real. É apenas um sonho. Vai desaparecer se não lhe prestares atenção. Tornas isso real com os teus pensamentos. Mas os pensamentos não são reais.»

Estava a balançar-se para a frente e para trás, os dedos a premir os olhos.

— Quem te diz isso? — perguntou James.

— A mãe. Ela diz que não é real. Que só o ouvi num sonho.

— E esta outra imagem? — perguntou James, apontando para a última do menino e do homem debaixo do tapete. — O que podes dizer-me sobre isto?

Conor baixou o recorte.

— Isto também é o sonho. Fazem todos parte do sonho. Mas esta é a parte mais tranquila. Quando só há o homem fantasma. A mãe não está aqui. O pai não está aqui. O homem fantasma não corre pelo corredor. O menino está a pensar: «Esta sala está diferente.» Está a pensar: «O que é este alto?» Então aproxima-se e levanta o tapete para ver porque há um alto e *ali está o homem fantasma*! O menino fica *muito* assustado. Corre. Assim. — Conor move dois dedos sobre a mesa. — Ele corre muito depressa, porque sabe que o homem fantasma vai levantar-se e vir buscá-lo como fez antes.

— O homem fantasma «apanhou-te» antes? — perguntou James, mudando o pronome de «ele» para «ti» na esperança de compreender melhor o que Conor estava a dizer. — Quando foi isso?

— No corredor — respondeu Conor, como se isso fizesse sentido.

— O que aconteceu então?

— A mãe diz: «Esta noite vamos à Lua e o homem fantasma vem connosco. Vamos apanhar um foguetão.»

Confuso, James não pediu mais esclarecimentos.

— Há Terria fora da janela quando o foguetão aterra — disse Conor. — Três árvores. Uma-duas-três. Ele consegue contar. Ninguém lhe ensinou, mas ele consegue fazê-lo. Ele conta as árvores.

Pegando na folha, Conor estudou a série de desenhos um momento. Então, sem nenhum aviso, rasgou-a ao meio. Em seguida, rasgou as metades ao meio novamente. E uma e outra vez até que o papel ficou reduzido a pouco mais que confete.

— Não quiseste ficar com imagens desse sonho — disse James.

— Não. Agora está de novo escondido. — Empurrou com força os pedaços de papel para fora da mesa, deixando-os cair no chão. — Quer ficar de boca fechada. Nunca contar.

Conor pousou a cabeça na mesa.

— Estou muito cansado — disse ele. — Não me sinto bem. Acho que não consigo falar.

James assentiu.

— Não faz mal. Aqui, podes decidir.

— «Aqui, podes decidir.» Diz sempre isso. — Conor esboçou um sorriso ténue. — Aqui, eu decidi. O sonho acabou. Eu decidi isso.

CAPÍTULO QUARENTA E DOIS

A formação psiquiátrica original de James tinha sido estritamente freudiana e o consultório em Manhattan tinha sido quase exclusivamente psicanalítico. Naquele mundo de clausura nunca nada era o que parecia, sendo antes uma expressão de desejos ocultos ou reprimidos, aversões e ansiedades que o paciente lentamente descobria à medida que ganhava consciência de si na presença do psiquiatra benevolente, mas afastado.

James achava difícil abandonar alguns aspectos da formação dessa década. Sentia-se confortável no papel psiquiátrico tradicional de ouvinte passivo, permitindo que o paciente definisse o ritmo sem a sua interpretação activa. Era natural para ele apenas escutar, manter-se numa posição que não fazia juízos de valor e não tirava conclusões de qualquer espécie. Os pacientes percebiam isso sobre ele — que ele não presumia ou tinha uma agenda predefinida para descobrir o que julgava ser o problema — e reagiam bem a isso. Por esse motivo, ele fora muitas vezes bem-sucedido onde outros haviam falhado.

Além disso, James estava bem ciente de quão florida podia ser a mente de uma criança perturbada. As crianças *imaginavam*. As crianças *sonhavam*. As crianças faziam *interpretações* erradas.

James suspirou. Ainda achava um desafio investigar activamente significados literais na confusão de sonhos, fantasias e interpretações erróneas que compunham a infância. Estava determinado, no entanto, a que jamais houvesse outro Adam.

Então o que devia pensar das conversas de Conor? James estava certo de que houvera um evento por volta dos seus dois, três anos que tivera um impacte profundo em Conor. Teria sido um acontecimento real? Envolvera uma morte real? Seria a tinta vermelha sangue? Seria o homem fantasma e o homem debaixo do tapete a mesma pessoa? Seria uma pessoa real? Conor era uma criança muito inteligente, o que o teria tornado mais perspicaz do que os adultos julgavam. Também era muito pequeno e sensível. Esses aspectos teriam afectado a exactidão da sua interpretação de qualquer evento literal. Tudo era filtrado pela experiência limitada de uma criança ansiosa.

Tudo podia ser igualmente um acontecimento simbólico. Com base na sua formação psicanalítica, James iria considerar «o homem» Alan, uma expressão da fase edipiana de Conor, na qual, segundo Freud, o filho tem fortes desejos ocultos de matar o pai e casar com a mãe. O «fantasma debaixo do tapete» seria então interpretado como a consciência de culpa de Conor. Talvez o facto de Alan ter engravidado Laura naquela altura, precisamente quando Conor estava a ser forçado a separar-se da mãe para ir para a creche, tivesse sido demasiado. Talvez tivesse visto Alan e Laura a fazerem sexo, um evento traumático na psiquiatria clássica freudiana. Talvez se tenha sentido suplantado por Morgana, que o afastou ainda mais da mãe.

Claro, a perturbação de Conor também poderia ser uma mistura confusa dos dois, de acontecimentos literais que Conor era demasiado jovem para entender e de sonhos meio recordados. Uma grande parte, como o foguetão e a viagem à Lua, não fazia sentido para James em qualquer contexto, de tal forma que ele permaneceu relutante em tirar conclusões sem mais informação.

James acabou por decidir chamar Alan de novo para ver se conseguia descobrir mais coisas de uma perspectiva adulta.

— Agradeço muito ter vindo — disse James quando Alan se acomodou no centro de conversa.

— Tenho muito gosto em ajudar — respondeu Alan cordialmente. Tirou o chapéu e passou a mão pelos cabelos desgrenhados tentando alisá-los. — O Conor tem estado óptimo, especialmente agora que retomou as aulas em casa. Vai ter à cabana quase todos os dias depois de o professor se ir embora. Sozinho. Se me tivesse dito em Setembro que ele conseguia percorrer sozinho em segurança a distância entre a casa e a cabana, eu teria respondido que era impossível.

James sorriu.

— Estou muito contente com o progresso dele. Mas ouça, o que gostaria de explorar consigo mais uma vez é aquele período em que começaram os problemas de Conor. Quanto mais verbal o Conor se torna, mais confuso eu fico. Evidentemente, houve acontecimentos que o afectaram quando ele tinha dois ou três anos, mas estou com muita dificuldade em perceber exactamente o que pode ter acontecido — disse James.

— Sim, posso imaginar — disse Alan.

— Às vezes, os eventos que afectam uma criança podem parecer insignificantes para os adultos. Como as crianças são muito egocêntricas nessa idade, às vezes dão uma interpretação diferente às coisas e acreditam ter causado um evento que, na realidade, lhes era completamente alheio. Às vezes, o evento não aconteceu de todo. A criança tem uma falsa memória, que lhe foi dada acidentalmente por uma pessoa que está a falar sobre algo ou criada a partir de um sonho, de um programa de televisão ou algo semelhante.

James fez uma pausa.

— Então é aí que me encontro agora. Para ajudar o Conor, preciso de identificar mais claramente o que o afectou nessa altura, mas isto é um desafio, porque de momento ele não consegue dizer-me.

Alan pensou um pouco.

— Eu contei-lhe praticamente tudo — disse ele por fim. — Quero dizer, *foi* um período bastante conturbado. Os problemas financeiros e a quase perda do rancho. A gravidez inesperada. O Conor ser diagnosticado como autista...

— Isso já foi muito depois — respondeu James. — O Conor não é autista. Estou absolutamente certo disso agora e conheço outros profissionais que concordam. Ele retirou-se. Deixou de falar e começou com todo aquele pensamento mágico sobre gatos e coisas mecânicas em resposta ao evento ou eventos traumáticos, por isso teria de ter acontecido antes de ele ser diagnosticado. Ele foi diagnosticado aos quatro anos e, até aos dois anos, o senhor lembra-se que ele se desenvolveu normalmente. Então acho que o evento deve ter acontecido nesse período intermédio.

Mais uma vez, Alan ficou pensativo. Lentamente, abanou a cabeça.

— Lembra-se de alguma coisa com sangue? — perguntou James.

— Qualquer quantidade anormal de sangue? Algum sangue onde não devia estar? Qualquer coisa em que a Laura estivesse envolvida?

Alan levantou uma sobrancelha.

— Isso é uma pergunta assustadora. — Uma pausa. — A única coisa em que consigo pensar é no aborto.

James assentiu.

— Lembra-se de mais alguma coisa? E algo que estivesse a acontecer com a Laura?

— A verdade é que me sinto realmente mal por a ter deixado tanto tempo sozinha — disse Alan. — Percebo agora que deve ter contribuído para tudo isto. Não só porque não fui capaz de acompanhar o que estava a acontecer em casa, mas porque a Laura estava vulnerável ali sozinha. Ela disse-me isso na altura. Mas eu estava tão preocupado com a possibilidade de perder o rancho que simplesmente não vi que tinha outra opção e continuei a tentar encontrar trabalhos extra para nos manter à tona.

— Sim, compreendo — disse James.

— A única coisa que me ocorre desse tempo é do fã. O tipo obcecado que andava a incomodar a Laura. Realmente nunca o vi, mas, se o Conor viu bem, acho que pode ter sido muito assustador para ele...

— Consegue lembrar-se do nome dele? — perguntou James.

Fez-se um pequeno silêncio enquanto Alan se perdeu nas suas recordações. James ouvia o granizo a bater de novo nas grandes janelas panorâmicas da ludoteca.

Por fim, Alan abanou a cabeça.

— Não. Receio que não.

— Poderia ter sido Fergus qualquer coisa? Isso lembra-lhe algo?

Alan mais uma vez abanou a cabeça.

— Não, acho que não. Porquê? Houve algum Fergus de que eu devia ter conhecimento?

James encolheu os ombros.

— Foi apenas um palpite. Alguém que Laura referiu dos seus tempos em Boston.

— Boston?

— Sim — respondeu James. — Quando ela estudou Medicina.

No rosto de Alan surgiu uma expressão confusa.

— Boston? Ela não estudou Medicina em Boston. Estudou na Universidade do Minnesota, em Minneapolis.

— O quê?

— Que eu saiba — disse Alan —, a Laura nunca sequer foi a Boston.

* * *

Depois de Alan sair, James ficou num silêncio atordoado diante da janela do escritório. Mãos nos bolsos, olhou para leste, para a imensidão das planícies. A sensação de choque manteve a sua mente absolutamente vazia por alguns minutos.

Como podia Boston não ser real?

Talvez Alan estivesse enganado. Talvez tivesse sido cometido um erro. Mas, então, James percebeu que Laura devia ter mentido a alguém. Senão a ele, então a Alan. Sentiu-se traído.

Como Xerazade a encantar o rei, também Laura tinha usado o poder das histórias, conseguindo suavemente a vantagem com os seus longos monólogos em voz baixa. James estivera simplesmente a seguir o seu credo do «aqui você decide». Nunca quisera interrompê-la com muitas perguntas. De facto, a certa altura as perguntas tinham deixado de se formar na sua cabeça. Ele *quisera* que ela continuasse sem interrupções.

A verdadeira magia, no entanto, não tinha sido feita por Laura, mas por Torgon. James poderia ter sido capaz de permanecer calmo se os monólogos de Laura tivessem sido tudo. Mesmo quando a linha entre história pessoal e narrativa se fundiam nos contos de Laura acerca de uma realidade alterada, isso continuava dentro do âmbito de uma sessão de terapia comum. O que mudara tudo fora a chegada das histórias de Torgon.

Com elas, a imaginação de Laura já não estava confinada a duas horas por semana na clínica. Ia para casa com James. Comia com ele. Ia para a cama com ele. E, quando ele lia, a sua mente tornava-se uma com a de Laura e juntas criavam uma nova realidade. James começara as histórias apenas como mais um meio de melhor compreender Laura, mas, à medida que ficava mais e mais preso no que acontecia a Torgon, deixou de ser um observador objectivo. Tornou-se, em vez disso, um participante na imaginação de Laura e dessa junção surgira uma Torgon — e, de facto, uma Laura — criada por ele.

CAPÍTULO QUARENTA E TRÊS

— Sei que tem sido minha prática aqui deixá-la decidir como decorrem as sessões — disse James quando Laura se sentou na sua cadeira habitual no centro de conversa. — Mas às vezes é necessário para mim, como profissional, intervir e pôr as coisas em equilíbrio. Esse é o meu papel neste processo e é a diferença entre uma relação terapêutica e uma relação normal e quotidiana.

Um lampejo de alarme surgiu nas feições de Laura.

— Então há algumas coisas que precisamos de esclarecer.

— Não me assuste, *okay*? — disse ela, com uma nota de preocupação na voz.

— Estou a assustá-la? — perguntou James.

— Sim. — Uma pausa. Ela olhou para as mãos no colo. — Porque comecei realmente a confiar em si. Tenho sido muito sincera aqui e falamos sobre coisas que são difíceis de reconhecer perante outras pessoas.

— Você confiou em mim? — perguntou James com ironia. — Tem sido sincera?

— Sim.

— Tal como quando me falou de Boston, por exemplo? — perguntou ele.

O olhar de Laura pousou no seu rosto. Não havia ali o choque de ser descoberta que James esperava ver. Apenas um lampejo momentâneo de surpresa, quase imediatamente seguido de uma expressão de profundo cansaço, como uma raposa acossada.

— Boston não era verdade, Laura. Você nunca estudou em Boston.

— *Boston* não era verdade, na medida em que a *localização* física não é verdade. Não. Não era Boston. Mas o que eu lhe disse é verdade. Cada experiência de que lhe falei aconteceu realmente.

— Mas não foi em Boston? — perguntou.

— Não — respondeu ela pesadamente —, não foi em Boston. James olhou para ela.

— O nome da cidade não tinha nenhuma importância — disse ela. — Não estávamos a discutir destinos de férias. Ou bons restaurantes ou qualquer outra coisa.

— O problema é que você não disse simplesmente «na costa leste» ou algo do género igualmente vago — respondeu James. — Atribuiu--lhe parâmetros concretos assim que lhe chamou Boston e tornou-se uma mentira no momento em que não especificou isso.

— Não julguei que precisava de justificar nada, porque não era importante. Queria simplesmente tornar mais fácil a referência ao lugar, mas não queria coisas específicas. James, não sou qualquer pessoa. Sou relativamente conhecida. E tenho-lhe contado alguns episódios muito pessoais e embaraçosos do meu passado. Na cidade onde tudo ocorreu, ainda há muita gente que se lembraria de mim como uma médium charlatã ou, pior ainda, como «rainha» New Age do Fergus.

— *Okay*, percebo o desejo de proteger a sua privacidade, mas não percebe que não saber sobre essa discrepância tem impacte sobre o que está a acontecer aqui, na terapia? Como me faz questionar tudo o resto que você me disse? — perguntou James.

— Mas o que lhe estou a dizer *é* real. Dizer «Boston» foi um pormenor que não fez diferença alguma para a história.

— Sim, a «*história*». Desconfio que temos aqui uma palavra-chave, Laura — disse James baixinho. — Agora, temos de esclarecer este conceito de «história», porque acho que está na origem de um bom número dos problemas que a trouxeram aqui. Quando falamos de eventos que realmente aconteceram, não é uma história... é um conjunto de factos inalteráveis e não podemos afastar-nos deles sem dizer às pessoas o porquê. Boston é Boston. Paris é Paris. Tóquio é Tóquio. Uma coisa não se transforma noutra indiscriminadamente.

— O mundo não é assim tão fixo — disse ela em voz igualmente baixa. — Se aprendi alguma coisa das minhas experiências com a Torgon, é que tudo isto à nossa volta que parece tão concreto é, na realidade, tão insubstancial como ela. As coisas não são mais verdadeiras simplesmente porque podemos vê-las, ouvi-las ou encontrá-las num mapa. Tudo é apenas percepção. Não temos forma de sair de nós mesmos para verificar se algo existe. Vejo e sinto esta mesa, por isso ela existe para mim. É «real». Mas um aborígene que viva no deserto da Austrália não pode ver ou sentir esta mesa e não tem conhecimento dela, portanto não existe para ele. Se tem algum conhecimento dela, é somente na sua imaginação. Então como sabemos que a mesa é *real*? Eu vejo a Floresta. Vejo-a e sinto-a com os meus sentidos internos, de modo que ela existe para mim. Você não vê a Floresta, portanto o local é irreal para si. Mas, se eu lhe der as histórias a ler, em breve irá vê-la e senti-la com os seus sentidos internos. Como sabemos se isso é real? Nós vemo-la. Boston era Boston porque você percebeu Boston naquilo que eu lhe disse, Boston existia para si. Mas isso nada tem a ver com o facto de Boston existir ou não como um lugar que você pode experimentar com os seus cinco sentidos. Se tivesse visto esse lugar como Seattle, São Francisco ou Catmandu, o que eu lhe disse teria sido igualmente verdadeiro.

— Esse raciocínio é impressionante — respondeu James —, mas tem uma escala um pouco mais ampla do que aquela que a maioria das pessoas usa. O que é importante ter em mente é que, quando está a falar com alguém, não existem apenas as suas percepções. Existem também as dessa pessoa. Então, o que acontece comigo é que, quando descubro que a sua localização não era a localização real, começo a perguntar-me o que mais nas suas histórias poderia ter sido considerado «realidade flexível». Pergunto-me, conheceu realmente o Alec, por exemplo? Será que o grupo das terças à noite era real? E o que dizer do Fergus? Ele é quem você disse que ele era? Ou você criou o Fergus da mesma forma que criou a Torgon?

— *Não!* Oh, bom Deus, não. — Os seus olhos arregalaram-se de horror. — Claro que não o «criei». Como diabo poderia criar alguém assim?

— Mas não foi isso que disse? «Vejo a Floresta, portanto ela existe.» Como é que sei que você não «vê» o Fergus e, portanto, ele existe também?

— *Porque* iria eu criar alguém assim? — exclamou ela. — Porque havia de querer pensar que todas aquelas coisas horríveis me aconteceram? O Fergus era o *mal*, James, e conseguiu destruir praticamente tudo o que havia de bom em mim.

— Às vezes — disse James —, acontecimentos muito fortes com que é difícil lidar surgem nas nossas vidas e são tão avassaladores que a única forma de podermos lidar com eles é colocá-los numa parte separada das nossas mentes. É a única maneira de conseguir paz suficiente para continuar a viver.

«Quando fazemos isso, essas coisas, por vezes, assumem uma personalidade própria. São parte de nós, mas têm a sua própria identidade a representar aquilo com que estamos a lidar. Isto não é errado, Laura, portanto não estou a criticá-la e não estou a tentar com que se sinta mal por fazer isso. É apenas uma maneira de lidar com as coisas. Devido ao abandono, ao isolamento, ao abuso sexual que sofreu na infância, é muito possível que a Torgon seja um *alter ego*. Seria perfeitamente compreensível se Fergus fosse também um *alter*. Acho que considerar a possibilidade de múltiplas personalidades explicaria muitas destas «mentiras» com que você teve tantos problemas na vida. E tem razão... *não* é mentir. Alternar entre estas personalidades vai criar inconsistências que realmente não consegue evitar.

Os olhos dela encheram-se de lágrimas.

— Está *enganado*.

— Sei que é um conceito enorme para abarcar, portanto compreendo.

— *Não* sou doida. Não o inventei. Quer a prova de que não é tudo produto da minha mente? — gritou ela zangada.

James olhou para ela.

— Porque tem estado bem à sua frente este tempo todo, James. Basta *olhar* para a Morgana.

— O que quer dizer?

Laura começou a chorar a sério.

— É cego? Como podia ela ser filha do Alan?

James ficou espantado quando compreendeu.

— Ela é filha do Fergus — disse Laura entre soluços irritados.

— Quem me dera tê-lo inventado! Gostava que tivesse sido realmente Boston, porque talvez nunca o tivesse conhecido.

Pegou num lenço de papel. Fungando, limpou os olhos.

James ficou em silêncio, atordoado.

— Consegui escapar ao Fergus cerca de dez anos — disse Laura.

— O que foi tempo suficiente para eu achar que aquilo com ele acabara. E para encontrar um homem decente como o Alan e assentar.

«Pela primeira vez na minha vida eu estava feliz. Tinha um marido que me amava loucamente, uma casa maravilhosa numa paisagem bonita e um trabalho que eu adorava. E estava grávida do meu primeiro filho, que... por favor, deixe-me enfatizar... significou muito para mim. Eu *queria* ter filhos. Cresci num mundo onde nunca tinha completamente pertencido a nenhuma das pessoas com quem vivera, portanto ter a minha própria família era um sonho. É por isso que o facto de Fergus aparecer na minha vida naquele momento foi algo tão devastador.

James estava atento.

— Então, o Fergus era o seu «fã demente»... o tipo de quem o Alan me falou?

Laura anuiu.

— Sim, não queria contar ao Alan todo o meu passado, portanto foi assim que o descrevi.

James hesitou, pensativo.

— Quero acreditar em si — disse ele lentamente. — Quero mesmo, Laura. Mas as coisas ainda não batem certas para mim. Diz que estava grávida do Conor quando o Fergus reapareceu, mas o Alan diz que o fã a perseguiu quando o Conor tinha dois anos. E a Morgana só nasceu quando o Conor tinha três anos.

— Lidei sozinha com o Fergus durante muito tempo — disse Laura. — Eu estava desesperada para que o Alan não soubesse da existência dele. Tinha finalmente uma vida normal. Queria deixar o meu passado para trás. O que iria o Alan pensar de mim, se descobrisse que passei anos a ganhar dinheiro de almas crédulas como falsa médium? Ou se soubesse que aquele tipo louco fora meu amante e que eu tinha ficado tanto tempo numa relação abusiva? Só queria esconder isso, o que não era muito difícil, porque o Alan não estava em casa de forma consistente. Saía por um dia ou dois todas as semanas para comprar e vender gado e, mesmo quando estava em casa, eu passava a maioria das horas do dia sozinha porque ele estava lá fora. Uma das razões por que o Alan e eu funcionamos tão bem juntos é por sermos ambos pessoas independentes. Damo-nos bem com a solidão. Era uma vida ideal para um escritor, mas, naturalmente, também resultou a favor do Fergus.

«O Fergus tinha um jeito de se materializar sem avisar. Nos velhos tempos, eu acreditava que isso era uma evidência da sua habilidade psíquica, que ele tinha uma capacidade paranormal de sentir onde as pessoas estavam. Naquela altura, porém, eu sabia que não havia nada de místico nisso. Era apenas o resultado da sua obsessão por mim. Ele estava a perseguir-me, pura e simplesmente. Eu podia estar em qualquer lado... em casa, no supermercado, na minha consulta pré-natal... e saía para encontrá-lo à espera junto ao meu carro. Ele dizia sempre que queria apenas uma oportunidade de falar comigo, mas não era assim. A verdade era que ele queria que eu me fosse embora com ele. Achou que eu iria abandonar esta vida que tinha construído entretanto e voltar para... quê? Ser a sua "rainha"? O Fergus comportava-se como se todos os anos no entretanto não tivessem acontecido, como se nunca nos tivéssemos separado. Quando eu lhe disse que não, que nunca iria deixar o Alan, que o queria fora da minha vida de uma vez por todas, ele ficou muito zangado comigo.

«Tive um parto muito difícil com o Conor. Sangrei bastante e fiquei no hospital mais uns dias. Tinha um quarto só para mim e o Conor estava comigo. Uma noite... já muito depois da hora das visitas, pois o Alan fora para casa há muito... o Fergus apareceu no meu quarto. Eu estava acamada, com o soro ligado ao braço e um tubo de drenagem, portanto não podia mover-me facilmente. Ele entrou e a primeira coisa que fez foi pegar na minha campainha para chamar a enfermeira. Pô-la na cómoda fora do meu alcance. Depois foi até ao berço e espreitou.

«Disse-lhe imediatamente para deixar o bebé em paz, mas ele pegou no Conor. O Fergus não o aconchegou ao corpo como se costuma fazer com um bebé. Em vez disso, pegou no Conor assim... — Laura demonstrou, afastando as mãos do corpo, como se estivesse a segurar uma bola de básquete. — Ele disse: «Isto devia ter sido o nosso filho. Por muito que tentes, não podes fugir ao teu destino, minha rainha.» E com isso deixou cair o Conor. Abriu os dedos e deixou-o cair. E saiu.

Laura empalideceu com a memória.

— Gritei — disse ela. — Lancei-me para a frente para sair da cama, para lhe pegar. Soltei o tubo. Estava a gritar e a chorar quando todos vieram a correr... — Olhou para ele com lágrimas nos olhos.

— Mas sabe uma coisa? Pensaram que *eu* é que tinha deixado cair o Conor. Tentei explicar que tinha sido o Fergus, mas ninguém o vira. Não sei *como* não o viram, mas o facto é que não viram. Pensaram que tinha sido eu. Não acreditaram em mim.

James olhou para ela e pensou: «E eu, acredito?»

Laura limpou os olhos e recostou-se.

— De repente, parecia que eu estava de volta ao meu sótão na casa do lago com o meu gatinho *Felix* e o Steven Mecks a dizer-me que podia fazer o que quisesse. Só que desta vez era o meu bebé. Eu sabia que na mente distorcida do Fergus ele via o meu destino como seu e era impensável que eu tivesse o filho de outro homem. Ele mataria o Conor, eu tinha a certeza disso. O Conor nunca iria estar seguro.

— Não estou a duvidar de si aqui, mas um homem acaba de entrar e de agredir seriamente o seu filho recém-nascido e você acha que há uma grande possibilidade de ele matar o bebé. Porque não chamou a polícia? — perguntou James.

— E dizia o quê, exactamente? Ninguém acreditava que ele era real. Pensaram que era psicose pós-parto. Deram-me *Haldol* para parar as alucinações.

«O Fergus desapareceu durante algum tempo após esse incidente. Isso era típico do seu padrão. Estava por perto várias semanas, depois desaparecia durante meses. Desconfio que ele estava hospitalizado. Eu tinha na altura a certeza de que ele era doente mental, pois simplesmente não funcionava no mundo real. O seu raciocínio era cada vez menos claro e devia estar a arranjar-lhe outros problemas. Então continuei a rezar de cada vez que ele se ia embora para que fosse de vez.

«O Conor tinha dezanove meses quando o Fergus apareceu a seguir. Eu estava em Spearfish, junto à Interestadual Noventa. Parei no supermercado de lá para comprar comida antes de voltar para o rancho e, quando saí com as minhas coisas, lá estava ele, sentado no banco do condutor do carro estacionado ao lado do meu. Não percebi de início quem ele era porque estava preocupada a sentar o Conor na cadeirinha, mas, quando terminei e fechei a porta do carro, virei-me e vi-o. Quase morri de susto. Meu *Deus*. Sinceramente, a forma como o Fergus surgia parecia saída de um filme de terror.

«Bom, ele abriu a janela e, calmamente, disse... sem nenhum preâmbulo: "Um leão, quando conhece a sua companheira, mata todos os filhotes que não são seus." Pensei: "É agora. Ele vai fazê-lo." Corri para chegar ao lugar do condutor do meu carro, mas antes de poder destrancar e trancar novamente ele simplesmente sentou-se no banco do passageiro da frente, e lá estávamos nós, lado a lado no meu carro, como qualquer casal, com um ar normal para as pessoas que passavam.

«Eu sentia que ele ia matar-nos. Estava a tentar desesperadamente pensar no que fazer.

«Ele disse: "Estamos unidos, Laura. Não lutes mais. Não pode haver nenhum outro amor senão o nosso amor." Então virou-se para olhar por cima do ombro para o banco de trás onde estava o Conor. O Conor começou a chorar.

«Eu sabia que tinha de agir depressa. Então fiz a única coisa de que me lembrei. Bati nele. Só com o meu punho. Era tudo o que eu tinha. Mas com toda a força de lado na cabeça, junto à têmpora. Isso surpreendeu-o. Parou abruptamente e pestanejou, admirado. Então virou-se para olhar para mim e vi um olhar de puro ódio. Eu pensei: "Oh, meu Deus, estamos feitos."

«Acho que ele teria feito alguma coisa, só que a pessoa cujo carro estava estacionado em frente ao meu por acaso voltou nesse momento. Em vez de simplesmente entrar e arrancar, sentou-se no banco do condutor e, em seguida, abriu um pacote de biscoitos *Ritz* e começou a comê-los. — Laura sacudiu a cabeça ligeiramente. — É estranho pensar que a nossa vida pode depender de um gesto insignificante e casual de um desconhecido.

«Então o Fergus ficou ali sentado, à espera e a olhar-me com aqueles olhos. Por fim, disse: "Não podes fugir ao teu destino, minha rainha." Em voz muito baixa, como se fosse uma carícia. Depois saiu do meu carro, entrou no dele e arrancou.

— Mas você *ainda* não tinha contado nada disso ao Alan? — perguntou James.

— Não.

— Parece uma coisa extraordinária para esconder dele, Laura. O Fergus está a ameaçar a vida do seu filho e você não partilha isso com ele?

— Eu estava encurralada — disse ela num tom queixoso. — Parecia que o Fergus ainda podia destruir a minha vida sem fazer nada.

— Está bem, mas ao não contar ao Alan uma coisa tão importante você dá a impressão de tentar controlar a vida de todos. Ou então que está simplesmente a censurar de forma implacável aquilo que não lhe convém. Tenho a sensação de que você gosta da liberdade de não estar confinada às noções normais do que é real e do que não é. Com o seu tipo de pensamento, se o Alan não souber que o filho foi ameaçado... se não vir isso... então isso não existe para ele, não é? Pode agir como se não tivesse acontecido.

Laura olhava para as mãos. Não respondeu.

— Pode ter conseguido manter o Alan no seu lugar — disse James —, mas e o Conor?

— O Conor?

— Se estes acontecimentos são reais, então ele experimentou-os ao seu lado.

— Ele era apenas um bebé. Muito jovem para se aperceber do que quer que fosse.

— Quando foi a última vez que viu o Fergus? — perguntou James.

Houve uma longa pausa antes de ela finalmente dizer:

— Na noite em que a Morgana foi concebida.

— Pode contar-me o que aconteceu nessa noite? — pediu James.

Ela hesitou, depois suspirou pesadamente.

James esperou.

— Essa noite — murmurou ela. — Essa noite, essa noite, como posso falar sobre ela?

Silêncio.

— Eu sabia que a situação ficara séria. Pedi uma ordem de afastamento, para poder ter lá a polícia se precisasse, porque sabia que corríamos perigo real. Foi então que o Alan descobriu, portanto falámos do assunto. Não fui capaz de entrar em pormenores. Simplesmente não podia suportar que o Alan pensasse em mim como fui naqueles anos com o Fergus. «Fã demente» dizia basicamente o que estava a acontecer. Assim que o Alan percebeu que ele tinha um interesse doentio pelo Conor e por mim... foi tão protector. Quase fiquei com o coração destroçado por saber que fora eu quem colocara a nossa família em perigo.

«A seguir o Fergus desapareceu durante cerca de três ou quatro meses. O Alan achou que o tínhamos assustado e eu esperava que sim. Mas uma tarde estava eu a voltar ao rancho e havia um carro estacionado numa zona para piqueniques, perto de onde o nosso caminho encontra a estrada. Não havia ninguém no carro, mas na janela de trás as palavras "Minha rainha" tinham sido escritas no pó. Parecia uma coisa tão pequena... palavras escritas em pó num vidro de trás... mas foi como uma flecha no meu coração.

«O Alan estava num leilão de gado em Denver, portanto fiquei sozinha no rancho cerca de três dias, e tinha a certeza de que de alguma forma o Fergus sabia isso. Essa era a parte mais assustadora dele, que *sabia* sempre o que estava a acontecer na minha vida.

«Foi quase uma repetição daquela vez em que eu estava na Faculdade de Medicina, na noite em que ele levou o vinho para minha casa para me dar as boas-vindas da conferência, porque também nesta ocasião ele bateu à porta da frente, o vinho na mão, e agiu como se eu estivesse à sua espera e feliz por vê-lo.

«O Conor já estava na cama, portanto era só eu, sozinha. A mais de vinte quilómetros de qualquer lado. O meu instinto foi bater-lhe com a porta na cara e trancá-la, mas pensei que isso iria aborrecê-lo. Tive medo de fazer isso. Portanto, decidi mostrar-me calma. Deixei-o entrar. Deixei-o abrir a garrafa de vinho. Deixei-o falar a respeito de como estava a ter todas aquelas visões sobre o "novo mundo", não apenas só as Vozes, mas as visões reais que queria partilhar comigo. Dantes eu teria achado que aquilo parecia muito importante e místico, mas nessa altura, francamente, ele parecia apenas doido. Deixei-o falar e bebi vinho com ele e durante todo o tempo tentei pensar na melhor forma de fazer disparar o alarme sem que ele se apercebesse.

«Quando ele subiu as escadas para usar a casa de banho, achei que ali estava a minha oportunidade. Levantei o auscultador para marcar cento e doze e foi quando percebi que ele cortara a linha.

«Fiquei tão apavorada, James. O Fergus devia ter cortado a linha antes de chegar à porta, então era evidente que sempre tivera intenção de fazer alguma coisa. Eu estava desesperada por fugir, mas o Conor encontrava-se lá em cima na cama.

«Quando ele voltou para a sala, percebi o que ele pretendia fazer. Empurrou-me para o chão.

«O resto foi apenas... Bem, acho que violar-me era o objectivo de tudo. Ele queria ter esse tipo de poder sobre mim, precisava dele... da humilhação, da degradação... por isso não lutei. Pensei: "Não vou ser capaz de salvar o Conor se me deixar matar."

«E quando acabou... Ele levantou-se. Mas não se limitou a sair. Pegou na pila e mijou-me em cima. Depois deu-me um pontapé. Com força. Aqui, no fundo das costas. Como se eu fosse apenas um cão. Depois bateu com a porta e foi-se embora.

Houve uma longa pausa. Um profundo silêncio instalou-se em torno deles. James olhou para ela, mas não falou.

— Isso foi o fim de tudo — disse Laura baixinho. — O verdadeiro fim. Ele deixou-me ali numa poça de mijo e nunca mais o vi. De alguma forma, sabia que não veria. Essa foi a verdadeira conclusão do nosso relacionamento.

— E a concepção da Morgana?

Laura anuiu.

— O Alan sabe a verdade sobre a origem dela?

Laura baixou a cabeça.

— Não sei — respondeu ela, cansada. — Não imagino que não veja. Mas, por outro lado, eu estou sempre a ver mais que as outras pessoas vêem.

— Houve alguma oportunidade de o Conor ter testemunhado isso entre si e o Fergus nessa última noite? — perguntou James.

— Não. Ele estava lá em cima na cama a dormir.

— Tem ideia de onde o Fergus está agora?

— No Inferno, espero.

CAPÍTULO QUARENTA E QUATRO

— Um piquenique? — perguntou Becky com cepticismo. Pressionou o rosto contra a janela da sala e olhou para o céu. — As pessoas geralmente não fazem piqueniques no Inverno, pai.

— Não é Inverno. Tecnicamente estamos na Primavera.

— Não me parece — disse Mikey. — As plantas crescem na Primavera. Tudo o que eu vejo está morto.

— Afinal porque queres fazer um piquenique? — perguntou Becky. — Vamos ao centro comercial.

— E depois podemos ver o *Homem-Aranha*! — gritou Mikey, saltando da cadeira a imitar o seu herói.

— Há mais na vida do que fazer compras e ver DVDs. Podem fazer isso em Nova Iorque. Vamos fazer algo especial juntos que só podemos fazer no Dacota do Sul.

— Como o quê? — perguntou Becky, o seu tom ainda céptico.

— E as Badlands? Nunca lá estiveram.

— As Badlands? O que é isso? É uma praia? — perguntou Becky.

— Badlands! Badlands! É onde há muitos bandidos! — gritou Mikey. Empurrou Becky do sofá.

— Pára com isso! Pai, fá-lo parar. Ele está a ser um chato. Manda-o acalmar-se. Isso é o que a mãe faz.

— Mikey, acalma-te.

— Ele é tão estúpido — murmurou Becky. — Acha-se muito inteligente, mas na realidade é estúpido.

— Precisas de exercício, não precisas, rapaz? — perguntou James, levantando Mikey no ar acima da sua cabeça. — Isso é metade do teu problema. Então, vamos gastar as tuas energias. Anda. Vai buscar os sapatos. Vamos fazer esse piquenique.

* * *

É certo que não era realmente um dia para um piquenique. Nuvens altas e finas amorteciam a luz do Sol e tornavam o céu leitoso. Uma brisa fresca agitava a erva à beira da estrada enquanto James seguia para leste pela interestadual no planalto.

Ele não sabia bem porque se sentira atraído pela ideia de ir às Badlands. Só lá fora uma vez desde que chegara ao Dacota do Sul. Fora em Julho e fizera tanto calor que ele nem se dera ao trabalho de sair do carro. Limitara-se a conduzir pelo parque.

James sabia que a sua vontade de ir lá agora tinha a ver com Laura, com a sua hesitação confusa entre crença e traição, como se alguma coisa na paisagem alienígena que tanto a alimentara pudesse também falar com ele. Mikey acertara na face da moeda e ganhara o prémio de ir sentado no banco da frente, mas parecia não ligar a esse privilégio. Trouxera dois aviões de brincar e passou a maior parte da viagem absorto a descrever círculos com eles no espaço à sua frente, imitando o ruído dos motores. Becky ia sentada atrás, amuada.

— Eu é que devia ir à frente. Sou a mais velha — murmurou.

James ignorou os protestos dela e o barulho de Mikey.

— Sento-me sempre à frente em casa. A mãe deixa.

— Não sei se é sempre — respondeu James.

— Ele está apenas a brincar com os aviões estúpidos e podia fazer isso no banco de trás.

Isso era verdade, mas James não disse nada.

— Não é justo. Nunca fazemos nada do que eu quero. O Mikey é que escolhe sempre.

— O Mikey não escolheu. Venceu de forma justa.

— Bem, eu não queria vir a este piquenique. Porque não pudemos ficar em casa?

— Porque não podes «ficar em casa» — respondeu James. — Acabaste de voar mais de três mil quilómetros para fazer algo diferente.

— Então devia escolher para onde vamos — murmurou ela. — Eu queria fazer um piquenique na praia.

— Becky, estamos no meio do continente. Não há praia. Vais gostar das Badlands. São como uma praia, só com montanhas. E sem água.

Silêncio mal-humorado.

Alheio a tudo, Mikey fez despenhar um dos seus aviões no tabliê, acompanhando o movimento com barulhos explosivos.

— Mikey, não faças isso. Este é o carro do tio Lars e ele não vai querer riscos.

— Vou ser piloto quando crescer — respondeu Mikey.

— Se pilotares os teus aviões dessa maneira, não vais. Porque não olhas pela janela durante algum tempo?

— Para o quê? — perguntou ele, olhando para a pradaria.

— Procura os antílopes. Quando o pai cá chegou, essa foi a parte mais emocionante da viagem. Já estava farto de conduzir desde Nova Iorque e sentia-me *tão* cansado. Pensei: «Nunca mais vou chegar a Rapid City. Nunca mais vou ver esse novo lugar.» E então olhei pela janela e lá estava uma manada de antílopes num campo perto da estrada. Deviam ser uns vinte e pensei: «Estou aqui! Estou realmente no Oeste!»

— Porque querias estar no Oeste? — perguntou Mikey.

— Quando uma pessoa diz «o Oeste», refere-se aos espaços abertos. Onde há verdadeiros cobóis. Onde os americanos nativos costumavam caçar búfalos.

— Porque querias estar onde estão os cobóis?

— Porque ele já não queria estar em Nova Iorque — interveio Becky. — O pai não queria viver connosco.

— Não, Becky, isso não é verdade. A minha mudança foi uma decisão de adultos entre a vossa mãe e eu, não te queria deixar e ao Mikey.

— Agora és um cobói, pai? — perguntou Mikey.

— A mãe diz que fugiste. Quando ela e o tio Joey estão a falar, é o que ela diz sempre. «O James fugiu das suas responsabilidades.»

— Fugiste para ser um cobói, pai? — insistiu Mikey.

— Não, não fugi para ser cobói. Nem fugi.

— O tio Joey diz...

— Becky, vamos pedir uma moratória sobre o que o tio Joey diz, *okay*? Sabes o que significa «moratória»? É uma maneira agradável de dizer que está na hora de calar a boca sobre as opiniões do tio Joey. E as da mãe também, já agora. Porque estamos aqui e vocês estão comigo e vamos divertir-nos imenso.

Mikey olhou para ele.

— Fugiste para caçar búfalos, pai?

O mais estranho para James era o facto de, naquele cenário amplo de pastagens, as Badlands poderem ficar escondidas tanto tempo. Mesmo depois de passarem pela entrada do parque nacional, as planícies monótonas continuavam ininterruptas até ao primeiro miradouro. Então, à distância dos braços abertos de um homem, o mundo de repente afundava-se, transformado num panorama irregular de pináculos e sombras que se estendiam a perder de vista em direcção ao horizonte como a relva de antes.

— Uau — murmurou Becky, impressionada. Encostou-se ao corrimão do miradouro. — Deve ser um milhão de metros até ao fundo.

— É bastante longe — concordou James.

— Tenho a certeza de que não gostaria de cair ali.

— Não. Eu também não — disse James.

Mikey estava mais interessado nos degraus que desciam do parque de estacionamento até à zona mais baixa do miradouro. Subiu-os e desceu-os a correr várias vezes, o mais depressa que conseguia.

— Vamos fazer aqui o nosso piquenique? — perguntou Becky.

— Sim. Esse sinal diz que há algumas mesas de piquenique um pouco mais adiante. Então vocês podem dar uma boa corrida.

— Sabes — disse Becky —, este lugar é uma espécie de praia, com toda essa poeira. Mais ou menos como Long Island, só que sem o oceano.

— Não brinques comigo — respondeu James. — Long Island não tem praias tão bonitas!

Parecia que eram as únicas pessoas a visitar o parque. Nenhum carro passou por eles. Mais ninguém apareceu para ver a vista. Para além do chilreio de alguns pássaros, o ambiente estava surpreendentemente silencioso.

O céu permaneceu nublado, mas o vento tinha amainado, por isso o dia ficou agradavelmente quente para Março. As crianças despiram os casacos e treparam ruidosamente para cima e para baixo dos pináculos sem erva ao lado da área de piquenique enquanto James tirava a comida do saco. Então comeram frango frio e salada de batata antes de as crianças irem brincar de novo.

Mikey apareceu à mesa do piquenique.

— Tenho de ir à casa de banho, pai.

— Há casas de banho ali. Vês? Pede à Becky para te levar; ela provavelmente também precisa de ir. Becky?

As duas crianças afastaram-se enquanto James arrumava as coisas, parando para apanhar todos os papéis de rebuçados do jipe de Lars. Não deviam ter-se afastado há mais de cinco minutos quando ele ouviu Becky gritar. Com uma expressão de pânico, ela apareceu a correr.

— Pai! Pai! Anda depressa!

James desatou a correr.

— O que se passa?

— Tens de vir ajudar o Mikey. Ele ficou preso.

— Preso? Onde? Como aconteceu isso?

— Bem, não sei. Eu estava na casa de banho. — Agarrou na mão de James para o puxar mais depressa. — Mas quando saí ele tinha ido por um caminho do outro lado do edifício da casa de banho e agora não consegue voltar para cima.

Quando James chegou às casas de banho, não viu nenhum caminho por perto.

— Não, aqui. Deste lado. Lá em baixo.

Abaixo do gradeamento do miradouro, o solo descia num bizarro país das maravilhas de pináculos e ravinas todos formados a partir do mesmo solo pálido, friável e instável. Embora pudesse ser apenas resultado da erosão causada pelas águas do Inverno, uma espécie de carreiro parecia começar perto da vala de drenagem ao longo do gradeamento de protecção. Caía quase na vertical pela encosta e depois serpenteava até desaparecer de vista em volta de um pináculo maciço. Cerca de seis metros abaixo, Mikey estava de gatas, agarrado a um pedaço de mato.

— Oh, santo Deus, Becky, como é que ele foi ali parar? Porque não tomaste conta dele? Foi o que te mandei fazer.

— Eu estava na casa de banho, pai. Não podia vigiá-lo e fazer isso ao mesmo tempo.

— Mikey? Mikey, estás bem? — James percebia que ele estava a chorar. — Fica aí. Não tentes mover-te. O pai vai buscar-te.

Mas como? James olhou em volta. Não havia mais ninguém por perto. Não vira ninguém desde que se afastara do guarda do parque à entrada. Pegou no telemóvel. Não tinha rede.

James olhou para o vasto panorama. O piso da bacia estava literalmente dezenas de metros abaixo.

Com cuidado, passou através das grades de protecção. O caminho era muito íngreme e o solo assustadoramente solto. Ele nunca gostara de alturas e não tinha ilusões a respeito de ser um homem do deserto, de modo que o bater descompassado do coração nos seus ouvidos era um obstáculo. Centímetro a centímetro, James conseguiu baixar-se até onde o filho estava agarrado.

— Está tudo bem, companheiro. Segura-te. Não te mexas.

Mikey soluçava.

Estendendo um braço, James segurou o tecido da camisola de Mikey e puxou-o para cima.

— Apanhei-te. Pronto. Estamos em segurança. O pai já te tem.

— Não tenho o sapato — disse Mikey.

— O quê?

— Estávamos a brincar e a Becky atirou-o lá para baixo. Vês? E não consigo apanhá-lo. — Ele apontou para o riacho.

James equilibrou-se no caminho.

— Mikey, *nunca* devias ter tentado ir buscá-lo sozinho.

Mikey desatou a chorar de novo.

Esticando o pescoço para olhar para baixo do desfiladeiro íngreme, James viu o outro sapato de Mikey no pó. Os seus joelhos transformaram-se em gelatina.

— Vamos deixar ali o teu sapato, Mikey. Temos outros problemas com que nos preocupar. O pai está um pouco preocupado porque o chão parece estar a esfarelar-se. Não sei se podemos subir por onde descemos sem escorregar.

Mikey chorou ainda mais.

— Ouve, companheiro, estamos a ter uma aventura, não estamos? Pensa no que podes contar aos teus amigos quando chegares a casa. Sim? Emocionante, não? Então aqui está o que vamos fazer. Vais ficar aqui e continuar a segurar este pedaço de mato. Deixa o pai passar. Vou só olhar em volta nesta saliência e ver onde o caminho vai dar, porque talvez possamos subir com mais facilidade pelo outro lado. Não te mexas. *Okay?*

Mikey assentiu fervorosamente

James avançou devagar até chegar à primeira esquina. Dali, o caminho alargava-se ligeiramente. Contornou a segunda esquina.

Assustado, parou abruptamente.

À sua frente, o caminho terminava numa rocha com talvez um metro e meio de largura. Abaixo da rocha, a terra devastada pelo vento descia abruptamente até à bacia centenas de metros abaixo. A extremidade oposta do afloramento juntava-se à espiral ascendente de um pináculo. Naquele ponto erguiam-se três pinheiros, as suas verdes copas de agulhas um contraste inesperado com a encosta desolada.

Três árvores na Lua.

CAPÍTULO QUARENTA E CINCO

— *Outro* piquenique? — perguntou Becky espantada enquanto James os metia no carro.

— Que tal convidarmos a Morgana? — perguntou James, ligando o motor. — Vocês estiveram a trocar *e-mails* a noite passada. Não seria bom vê-la?

— Queres fazer outro piquenique *esta noite*? — perguntou Becky, desconfiada.

— Vou ligar à mãe da Morgana a perguntar — disse James.

— Porque queres fazer um piquenique à noite? — inquiriu Mikey.

— Não, não é à noite. Só ao entardecer. Ao crepúsculo. Podíamos fazer uma fogueira e assar *marshmallows*. Seria divertido.

— Quando é que vou comprar sapatos novos? — perguntou Mikey. — Não posso andar por aí só com um.

— Pai, não sei se quero fazer isto — disse Becky. — Um piquenique é suficiente num dia. Acho que não quero um piquenique ao jantar também.

— Vamos convidar o irmão da Morgana. Ainda não o conheces. É um menino grande. Vai fazer dez anos em breve. Convidamo-los aos dois.

Becky tocou-lhe no braço.

— Pai, estás a ouvir? Eu disse que não sei se quero fazer isto.

James olhou para ela.

— Bem, desculpa, Becky, mas vamos fazê-lo. Sei que já fizemos muitas coisas hoje que eu queria fazer, e tu portaste-te muito bem e eu estou orgulhoso de ti, mas tem mais um pouco de paciência, *okay*? Só quero fazer mais uma coisa.

— Porquê, pai? — perguntou ela.

— Porque sim. E amanhã fazemos tudo o que vocês quiserem, pode ser? — James sorriu para ela.

— Podemos ver outra vez o *Homem-Aranha*? — gritou Mikey do banco de trás. — Porque é isso que eu quero fazer!

— Sim, cobói, tudo o que quiseres — respondeu James.

Pelo tom da voz de Laura, era óbvio que ela ficou tão intrigada com a ideia do piquenique à noite como Becky.

— E o Conor? — perguntou em tom jocoso. — Também quer que o Conor vá?

James tinha sido sempre um defensor da honestidade, porque isso era uma componente fundamental da confiança e a confiança era essencial para o seu trabalho. Consequentemente, sempre julgara que seria o tipo de pessoa que iria falhar ao tentar mentir porque tinha tão pouca prática. Mas achou surpreendentemente fácil fingir que aquilo era a coisa mais natural a fazer nas planícies do Dacota do Sul em Março. Um churrasco, explicou: cachorros-quentes em espetos, batatas assadas no lume, *marshmallows*. E quantos mais melhor, por isso é claro que queria que o Conor se juntasse a eles. James manteve um tom ligeiro estudado na voz, esperando que, depois de todas as falhas menores de profissionalismo na relação de ambos, Laura não pensasse muito naquilo.

James nunca fora antes ao rancho dos McLachlan. Depois do vazio das Badlands, a rica zona florestada de Black Hills era um grande contraste. O rancho ficava num vale isolado de pastagem aberta protegida por um pinhal. O caminho para a casa seguia sinuoso através de uma série de cercados de madeira e celeiros impecavelmente conservados.

Quando o jipe parou, Morgana saiu a correr pela porta da frente.

— Olá! Olá! — exclamou. Laura apareceu à porta, empurrando delicadamente Conor à sua frente.

— Adivinha! — disse Becky a Morgana, quando saltou do carro. — Este vai ser o nosso *segundo* piquenique de hoje. Tivemos também um almoço piquenique.

— Vês os meus sapatos novos? — interveio Mikey.

Conor apertou o gato de brincar contra o peito.

— Porque não entras no carro? — sugeriu James, estendendo-lhe uma mão amiga. — Podes ir à frente comigo. — Abriu a porta do passageiro do jipe.

— É muito corajoso por levar essa multidão a dar um passeio — disse Laura num tom algo zombeteiro.

— Vamos às Badlands — cantarolou Becky.

— Anda lá, Becky. Não temos muito tempo. Entra no carro — disse James.

Laura franziu o cenho.

— Às Badlands? Isso é um longo caminho. Há alguns terrenos excelentes muito perto, James. Posso dar-lhe um mapa.

— O pai *gosta* das Badlands — disse Becky. — Não gostas, pai? Porque, sabes uma coisa? Já lá estivemos hoje e o pai gosta tanto que quer ir de novo.

Laura franziu mais a testa.

James sorriu timidamente.

— Sim, pai tolo, não *é*? Mas é muito bonito à noite. Então vamos *lá*, Becky, entra no carro.

— Sim, olha para os meus sapatos novos! — exclamou Mikey alegremente e levantou o pé para cima. — A Becky atirou um dos meus outros para o fundo das Badlands e o pai não lhe conseguiu chegar, portanto teve de me comprar uns novos. Estes piscam na parte de baixo.

— Becky, Mikey, entrem *no* carro. *Já*.

Laura olhou para James. Ele desviou o olhar, inclinando-se para verificar os cintos de segurança das crianças. Então esboçou um aceno alegre, sentou-se ao volante, ligou o motor e arrancou.

— As coisas vão ser um pouco diferentes do que tínhamos planeado — disse James, quando se aproximaram da saída para as Badlands. — Quando chegarmos ao supermercado e comprarmos as coisas para o churrasco, não haverá tempo suficiente para fazer uma fogueira e cozinhar antes de escurecer.

— Mas disseste... — começou Mikey.

— Eu sei e sinto muito. Enganei-me quanto ao tempo de condução até à casa da Morgana. Então, em vez disso, vamos parar no Dairy Queen e comprar hambúrgueres.

Houve um momento de silêncio atrás e, em seguida, Becky inclinou-se para a frente até James sentir a sua respiração no pescoço.

— Pai — sussurrou ela.

— Sim, querida?

— Podes dizer-me o que está a acontecer?

* * *

Conor pareceu muito menos normal no Dairy Queen do que na ludoteca. Não quis falar e não estabeleceu contacto visual. Só comeu o seu hambúrguer depois de o desmanchar e separar a comida em pequenas pilhas. Então consumiu cada item individualmente, começando pela carne, seguindo-se os picles cobertos de *ketchup* e por fim o pão. Quando não estava ocupado a comer, agitava levemente os dedos da mão direita sobre a comida. O gato permaneceu firmemente agarrado ao peito de Conor durante toda a refeição.

Em breve estavam todos no carro novamente, acelerando pela pradaria em direcção às Badlands. As Black Hills, distantes, erguiam-se recortadas contra o horizonte ocidental pelas cores do fim do dia. A Lua, tendo estado cheia uns dias antes, olhava do Leste como um olho de pálpebras pesadas.

— Afinal onde é que vamos? — perguntou Mikey.

— Para a área de piquenique onde estivemos à hora do almoço — respondeu James.

— Porquê para lá outra vez? — inquiriu Becky.

— Quero mostrar uma coisa ao Conor. Foi por isso que viemos. Porque o Conor tem-me falado de um lugar e acho que ninguém acreditou nele. Todos pensámos que era apenas algo nos seus sonhos. Mas à hora do almoço, quando estava a ajudar o Mikey a voltar para o caminho, acho que vi o lugar de que o Conor tem falado. Portanto quis vê-lo.

— Porquê? — perguntou Becky.

— Porque, se as pessoas nos dizem que as coisas que experimentamos não são reais, isso pode tornar a nossa vida assustadora e incerta.

— O que é que eu, o Mikey e a Morgana devemos fazer enquanto lhe mostras esse sítio? — quis saber Becky.

— Podem brincar no miradouro. Não vamos lá estar muito tempo.

— Vamos brincar no escuro? — perguntou Mikey com incredulidade.

— O tio Jack e eu costumávamos fazer isso muitas vezes quando éramos pequenos — respondeu James. — Brincávamos às escondidas e dávamos pontapés em latas e a muitas outras coisas na rua depois de escurecer.

— Acho que as crianças já não brincam assim — comentou Becky com ar de dúvida.

350

Passaram pela entrada do parque e aproximaram-se do primeiro miradouro. As próprias Badlands ainda não estavam totalmente visíveis, devido à forma como a erosão as formara a partir do nível da planície, mas o luar começava a iluminar as mudanças na paisagem.

Conor endireitou-se abruptamente. Inclinou-se para o pára-brisas e olhou para fora.

— Onde é isto? — murmurou e virou-se para olhar para James.

James parou no parque de estacionamento do primeiro miradouro e deixou sair as crianças. Conor olhou com espanto para o esplendor bizarro da paisagem enquanto desciam os degraus até ao miradouro. Pressionando o gato de peluche contra o peito, virou-se, olhou para James e depois voltou a olhar para a paisagem.

— Queria que visses este sítio — disse-lhe James delicadamente. — Quando aqui estive antes e o vi pensei: «É disto que o Conor me tem falado.» Achei que devias vir vê-lo também.

A expressão de Conor era confusa.

— Ali está a Lua — disse ele baixinho e apontou para a orbe pálida a brilhar no céu escuro. Voltou-se para a paisagem irregular. — Mas a Lua também está aqui. Terria. Esta é Terria. Todo o lado é Terria. Ou não?

— O Conor acha que isto é a Lua? — perguntou Morgana.

— Provavelmente, a Lua parece-se com isto — disse Becky.

— Onde estão as árvores? — perguntou Conor.

— Há muitas árvores lá em baixo, Conor — disse Becky e apontou para o abismo abaixo deles. — Se te debruçares sobre a vedação, podes ver muitas árvores no fundo.

Inclinando-se sobre o gradeamento, Conor olhou para o crepúsculo da bacia profunda.

— Porque querias mostrar isto ao Conor, pai? — perguntou Becky.

— Eu sei — respondeu Morgana. — Porque é aqui que vive o homem debaixo do tapete, não é? Hum, doutor Innes? Este é o lugar de que o Conor está sempre a falar.

Antes que James pudesse responder, Conor assentiu.

— Sim — disse ele.

James ouviu o motor de um carro ao longe. De início, o som quase não penetrou no silêncio antediluviano que pairava sobre a vasta paisagem. Era apenas um leve zumbido, como uma mosca presa atrás de uma vidraça.

Então Becky disse:

— Vem aí mais alguém ver este sítio à noite.

— Ei! É a *nossa* carrinha! — gritou Morgana.

O sangue de James gelou.

Antes de o carro ter parado no parque de estacionamento, Morgana já estava a subir os degraus do miradouro com Becky e Mikey atrás.

— Becky! Meninos! *Parem!* Voltem para aqui. — Agarrando a mão de Conor, James subiu os degraus dois a dois para ir ter com as crianças. James viu Laura ao volante da carrinha e duas espingardas no suporte junto à janela de trás da cabina da *pickup*. — Meninos, entrem no meu carro. *Agora*. Todos vocês. — Empurrou Becky na direcção do jipe. — Estou a falar a sério. Entrem e tranquem as portas até eu dizer.

— Não, é só a minha mãe — respondeu Morgana.

— Sim, eu sei que é. Mas façam o que eu digo. Está bem? Só por agora. Conor, tu também. Entra no carro, tranca as portas e fica lá até eu dizer.

— Porquê? — perguntou Becky.

— *Faz o que te digo.*

Laura desligou o motor, mas deixou os faróis acesos. Durante vários momentos ficou na cabina e não saiu. James, encandeado pelo brilho dos faróis, ficou a olhar para a silhueta das armas na janela de trás.

Por fim, a porta da carrinha abriu-se e Laura desceu.

— Que diabo está a acontecer? — perguntou ela com voz tensa. — O que está a fazer aqui com as crianças?

Ela não tinha nada nas mãos, tanto quanto ele percebia, mas não se afastava da porta aberta da carrinha, portanto James colocou-se entre Laura e as crianças no jipe.

— Laura, eu *sei* — disse o mais baixo que pôde.

— Sabe o quê?

— Acerca do Fergus. É *o* Fergus, não é?

— Não faço a menor ideia de que porra você está a falar.

— O homem debaixo do tapete. O homem fantasma.

— Não se arme em maluco comigo, James.

— Não estou a armar.

— Morgana? — chamou ela. — Ouves-me, querida? Sai do carro. Traz o Conor e vem cá. Está na hora de ir para casa.

Atrás dele, James ouviu a porta do jipe abrir-se e, em seguida, uma segunda porta.

— Morgana, não te mexas. Meninos? Todos. Fiquem aí um momento — pediu James. — Voltem para o carro.

Uma calma entorpecida tomou conta dele. Tornou todos os seus sentidos mais apurados. Ouvia pássaros — corujas, talvez? — a piar muito ao longe. Conseguia sentir o cheiro intenso e frio a salva no ar da noite misturado com o odor persistente dos vapores da gasolina da carrinha. Percebeu que os seus pés estavam a arrefecer. Tudo parecia distanciado e irreal.

À volta deles cresceu um silêncio terrível. Embora não pudesse vê-los porque ainda estava de costas para o jipe, James sentia que as crianças estavam fora do carro, mas ninguém se movia e o momento parecia eterno.

Então de repente um grito de uma das crianças.

— Conor!

James virou-se e viu Conor desaparecer para lá do gradeamento e descer o barranco íngreme.

Becky gritou.

Laura passou a correr por James e contornou o jipe.

Morgana agitou as mãos assustada.

— Foi a coisa dele de cartão — gemeu ela —, o gato que ele tem no bolso. Tirou-o e ele caiu-lhe das mãos e...

O seu gato mecânico. O pequeno desenho que Conor fizera na ludoteca pairara graciosamente numa corrente ascendente vinda do abismo abaixo.

A seguir ao gradeamento, Conor caíra quase imediatamente na terra macia e friável e deslizara cerca de quinze metros antes de se agarrar. Ficou ali, de braços e pernas abertos, a chorar de medo.

Laura saltou o gradeamento num movimento único e fluido e começou a deslizar pelo solo instável.

— Laura! Espere! Precisamos de ajuda.

— Eu conheço estas colinas — gritou ela para cima. — Subi-as e desci-as um milhão de vezes.

Todavia, antes de Laura poder chegar junto de Conor, a sua mão soltou-se. Ela escorregou e caiu, desaparecendo na borda do afloramento abaixo do miradouro. Para horror de James, Laura começou também a escorregar e antes que pudesse reagir ela tinha desaparecido na ravina íngreme.

— *Mãe!* — Morgana começou a gritar.

James tinha visto uma corda junto do outro equipamento de caça de Lars na parte de trás do jipe. Era apenas uma vulgar corda de náilon destinada a amarrar os veados ao veículo, mas era uma corda.

Com as mãos trémulas, prendeu uma ponta a um dos postes do gradeamento de protecção. Puxou-o várias vezes para se certificar de que estava seguro e, em seguida, transpôs o gradeamento. Dando-lhe nós a intervalos regulares para ter algo a que se agarrar, disse às crianças:

— *Okay*, vocês os três ficam aqui. Estou a falar a sério. Não saiam daqui. Becky, tu és a mais velha. Toma conta da Morgana e do Mikey por mim, está bem? Nada de brincadeiras. Agora és a adulta.

Cautelosamente, baixou pela encosta íngreme. Olhando pela borda irregular de solo da área adjacente ao miradouro, James distinguiu Laura abaixo dele na escuridão banhada pelo luar. Ela estava cerca de sessenta metros mais abaixo na ravina, mas ainda assim muito acima da bacia.

— Laura? — chamou.

Ela mexeu-se. Apesar do luar, estava demasiado escuro para ele ser capaz de ver se ela estava ferida ou não.

— Está bem?

— O Conor está magoado — gritou ela. — Consegue chegar até nós?

James desceu até ao fim da corda, mas esta não era suficientemente comprida. Ficou pelo menos a vinte metros acima deles no solo friável, o seu peso suspenso pela corda. Já passara do medo para uma espécie de dormência que tornara a sua mente desprendida e os seus membros a não parecerem totalmente seus, por isso ficou pendurado na beira e tentou decidir como fazer o resto do caminho para baixo. No final, limitou-se a abrir as mãos e a deixar-se ir.

Havia uma solidão assustadora em ser apanhado sem apoio na encosta íngreme. Já não ouvia as crianças em cima e a toda a volta dele havia a paisagem alienígena, apenas iluminada pelo luar nebuloso. James agarrou-se ao solo branco mole. Para sua surpresa, não caiu quando soltou a corda, mas permaneceu exactamente onde estava.

Isso pareceu pior, porque ele percebeu que teria mesmo de se lançar para descer até onde Laura estava. Respirou longa e profundamente, o que o fez perceber que não respirava bem há uma eternidade. Respirando fundo pela segunda vez, libertou devagar o ar dos pulmões.

Para sua surpresa, o que lhe veio à mente foi Torgon. Por um breve momento, as descrições de Laura do alto sítio sagrado na Floresta e de Torgon de pé na borda do precipício branco e com vista sobre o seu mundo encheram a mente de James e ele teve a sensação momentânea de estar noutro lado. Isso ajudou. Distraído, sentiu-se mais calmo. Delicadamente, empurrou o solo solto e deixou-se escorregar.

A queda de Laura fora parada por uma saliência plana e, com cuidado, James conseguiu alcançá-la apenas com arranhões nos joelhos. Laura não tivera tanta sorte. Descalçara o sapato e a meia de um pé e usava a meia para ligar o outro pé.

— Fiz qualquer coisa ao meu tornozelo — disse ela. A sua voz estava rouca de aborrecimento.

— Onde está o Conor?

— Ali.

James olhou por cima da borda do afloramento para ver Conor directamente abaixo deles.

— Ele está ferido? Conor? Consegues ouvir-me?

O menino olhou para cima, mas não respondeu.

— Tem um cinto ou coisa parecida? — perguntou Laura. — Algo a que eu possa agarrar-me para descer daqui?

— Não, Laura, não. Você já está ferida.

— Se conseguir chegar a ele, posso içá-lo para si.

— E se não conseguir? Então estarão os dois presos ali. Em vez disso, precisamos de fazê-la voltar para cima e ir pedir ajuda.

— E deixá-lo aqui? Não. Ele é meu filho. — Olhou para James. — E ele está ali naquela plataforma por minha culpa. Porque sim. O homem debaixo do tapete era o Fergus.

Um breve momento de consciência surreal inundou James. Ela era uma assassina. Matara um homem. Esperara que tudo mudasse com a confirmação. Isso não aconteceu. Ele não a odiava. Não tinha medo dela. Não a considerava má. Tudo o que sentia era tristeza.

Laura tinha bocados de terra e ervas no cabelo. Gentilmente, James estendeu o braço e tirou uma folha de erva. Deitou-a fora e ela foi a pairar para baixo.

— Naquela última noite, quando o Alan se foi embora e eu estava sozinha, ele violou-me. Mas, quando isso aconteceu, eu soube que não ia parar ali. Mais tarde ou mais cedo, ele ia matar o meu filho. Talvez até a mim.

«Eu sabia onde estava a faca de caça do Alan. Então pensei: "Fergus, ignorei destinos maiores do que o teu. Não vou deixar isto acontecer..." Então fiz o que a Torgon fazia.

«Nesse momento, o Conor apareceu no cimo das escadas e de repente o que eu tinha feito tornou-se muito real. Senti um enorme pânico. Gritei-lhe que voltasse para a cama, que saísse dali para não ver. Só me ocorreu embrulhar o corpo do Fergus no tapete que estava junto à lareira. Levei-o até à carrinha, mas tive de levar o Conor comigo. Não podia deixá-lo sozinho em casa. O único lugar onde me lembrei de ir foi este, as Badlands. Ficara a conhecer muito bem esta zona quando trabalhei na reserva de Pine Ridge. Sabia que ninguém podia ver o fundo da maioria destas ravinas.

— E achou que nada disso afectaria o Conor?

— Ele tinha apenas dois anos. Esperava que fosse apenas um sonho mau para ele.

Fez-se silêncio. James sentiu-se confuso ao pensar na situação dela sozinha no rancho isolado, a enfrentar Fergus, a tentar proteger o filho pequeno e depois os anos de trauma no rescaldo do homicídio.

— Dê-me o seu cinto — pediu ela em voz baixa. — Vou descer. James hesitou.

— Estou a falar a sério. Quer me ajude quer não, eu vou *buscá-lo*. James tirou o cinto.

— Está bem.

Laura inclinou-se sobre a borda.

— Estás pronto, Conor? A mãe vai agora buscar-te.

CAPÍTULO QUARENTA E SEIS

O barulho das pás do helicóptero cortou o silêncio frio. Projectores dividiram a escuridão e instantes depois a íngreme encosta estava cheia de pessoas da equipa de salvamento. Levantado com cuidado para uma maca, Conor foi içado para o helicóptero que pairava lá em cima. James viu os paramédicos observarem as lesões de Laura e prepará-la para ser transportada. Então, finalmente, subiram a encosta até ele, puseram-lhe um arnês e içaram-no.

No miradouro e no parque de estacionamento adjacente havia grande agitação quando James desceu do helicóptero. Conor e Laura tinham sido levados para o hospital em Rapid City, mas ele não ficara ferido. Rejeitou as atenções dos paramédicos e correu para as três crianças.

— Fui eu e a Morgana que os chamámos! — anunciou Becky entusiasmada. — Os pais da Morgana têm um rádio na carrinha e adivinha? Eu liguei o motor sozinha para que pudéssemos usá-lo!

— Quando chegarmos a casa, quero ligar à mãe — disse Mikey — e vou dizer-lhe que tivemos uma aventura e tu andaste de helicóptero! E és um herói, não és, pai? Porque salvaste aquele menino e a mãe dele. Tal como o Homem-Aranha! Posso dizer a todos que és um herói!

— Não me sinto um grande herói, companheiro.

— *Tivemos* uma aventura — disse Becky. — E podemos dizer à mãe que eu e a Morgana chamámos os senhores do helicóptero sozinhas.

— Sim, e estou muito, muito orgulhoso de ti. Vocês os três foram muito responsáveis.

— Bem, menos o Mikey — disse Becky. — Sabes o que ele fez? Fez chichi para o lado de lá do gradeamento. Eu disse-lhe para não fazer. Disse-lhe para ir à casa de banho, como devia, mas mesmo assim ele fez chichi ali.

— Adivinha a que distância um menino na minha turma consegue fazer chichi, pai? — perguntou Mikey.

— Vamos lá, vocês os dois. — James abriu a porta do jipe de Lars.

— Toca a entrar. Vamos voltar para a cidade. Tu também, Morgana. Vens connosco. O teu pai vai ter ao hospital.

Tirando o jipe do parque de estacionamento, James carregou no acelerador. O parque — iluminado com luzes de emergência — desapareceu no espelho retrovisor. Mergulharam na escuridão de Março fracamente banhada pelo luar.

Mikey adormeceu ainda antes de James passar pela entrada do parque. Becky tombou pouco depois para cima dele a dormir quando chegaram à interestadual. Só Morgana, sentada no banco do passageiro da frente ao lado de James, permanecia acordada.

Tinha o cotovelo apoiado na porta, o rosto encostado à mão, e olhava para a escuridão. James observou-a furtivamente, tentando reconstruir Fergus a partir das suas feições morenas.

— Foi muita emoção — disse ele por fim. — Aposto que estás cansada.

Ela assentiu com a cabeça.

— Podes dormir, se quiseres. Vamos levar algum tempo a voltar à cidade.

— Não estou com sono.

A escuridão passava a grande velocidade.

James olhou mais uma vez para ela. Parecia tão pequenina presa ao banco.

— O que aconteceu esta noite foi assustador, não foi? — perguntou ele. — Ainda estás a pensar nisso?

— Sim.

— Queres falar do assunto?

— Pensei que a minha mãe ia morrer.

— Sim, foi horrível, não foi? Felizmente, porém, tudo acabou bem. O Conor vai ter de passar a noite no hospital, acho, porque tinha um galo na cabeça, mas vai ficar bom. E a tua mãe não está muito ferida. Provavelmente vai poder ir para casa quando chegarmos ao hospital.

Seguiu-se um silêncio, interrompido apenas pelo som da respiração profunda e tranquila do banco de trás.

Morgana virou a cabeça para olhar de novo pela janela.

— O que me assustou mais foi pensar no Rei Leão — disse ela. — A mãe dele morreu. Ele era apenas um bebé quando isso aconteceu, portanto nem se lembra como ela é. Sinto sempre muito medo quando ele fala disso, porque não ia querer que me acontecesse. Mas hoje pensei que ia acontecer.

— Então ainda brincas com o Rei Leão?

Ela assentiu com a cabeça.

— Sim.

Silêncio.

— Ouve, Morgana, lamento muito, muito ter falado dele aos teus pais. Traí a tua confiança e isso foi errado — disse James. — E fiquei triste que tivesses pensado que já não podias falar-me dele.

— Tudo bem — respondeu ela baixinho.

— Não, não está bem. Era algo que devia ter ficado entre nós, porque deixaste muito claro que estavas a fazer-me uma confidência. Fiz mal em contar-lhes sem a tua autorização.

Ela encolheu os ombros.

— Não, está tudo bem. Quando eu disse ao Rei Leão o que o senhor tinha feito, ele disse que não importava. Aconteceu-lhe a mesma coisa. A tia dele também não quer que ele brinque comigo. Disse que lhe dava uma sova se descobrisse que ele ainda me via.

— Por que razão não quer a tia que ele brinque contigo? — perguntou James.

— Ela não acredita nele. Não acha que eu seja real.

James olhou para ela com ar interrogativo.

Morgana virou-se e sorriu.

— Não é uma tolice? O Rei Leão disse-me que, quando contou à tia que me tinha visto junto ao riacho, ela comentou: «Não ouses nunca *mais* falar-me de visões, Luhr! Pareces mesmo a tua mãe.»

GRANDES NARRATIVAS

398. Ciranda de Pedra,
LYGIA FAGUNDES TELLES
399. O Menino Que Sonhava
Chegar à Lua,
SALLY NICHOLLS
400. A Minha Vida com George,
JUDITH SUMMERS
401. Diário de Uma Dona de Casa
Desesperada,
SUE KAUFMAN
402. O Quarto Verão das Quatro Amigas
e Um Par de Calças,
ANN BRASHARES
403. Entre o Céu e a Montanha,
WILL NORTH
404. Infância Perdida,
CATHY GLASS
405. Geração Mil Euros,
ANTONIO INCORVAIA
e ALESSANDRO RIMASSA
406. A Casa do Silêncio,
ORHAN PAMUK
407. As Avós – E Outras Histórias,
DORIS LESSING
408. Um Mundo Sem Fim – Volume I,
KEN FOLLETT
409. A Força dos Afectos,
TOREY HAYDEN
410. Um Mundo Sem Fim – Volume II,
KEN FOLLETT
411. Um Homem com Sorte,
NICHOLAS SPARKS
412. O Dia de Aljubarrota,
LUIS ROSA
413. Histórias Possíveis,
DAVID MACHADO
414. Os Pequenos Mundos do Edifício Yacoubian,
ALAA EL ASWANY
415. A Elegância do Ouriço,
MURIEL BARBERY
416. João Sem Terra,
JOSÉ-AUGUSTO FRANÇA
417. Com as Piores Intenções,
ALESSANDRO PIPERNO
418. O Estranho Caso de Benjamin Button,
F. SCOTT FITZGERALD
419. Antes de Nos Encontrarmos,
MAGGIE O'FARRELL
420. O Segredo de Copérnico,
JEAN-PIERRE LUMINET
421. Mais Um Ano em França,
STEPHEN CLARKE
422. Paulo de Tarso na Estrada de Damasco,
WALTER WANGERIN
423. Natália,
HELDER MACEDO
424. A Pátria dos Loucos,
BERNARDO RODO
425. O Tigre Branco,
ARAVIND ADIGA
426. A Felicidade não Se Vende,
LOLLY WINSTON
427. Voo Final,
KEN FOLLETT
428. A Dama Negra da Ilha dos Escravos,
ANA CRISTINA SILVA
429. A Máquina de Xadrez,
ROBERT LÖHR

430. Mar de Papoilas,
AMITAV GOSH
431. O Beijo – A Paixão de Gustav Klimt,
ELIZABETH HICKEY
432. O Império dos Dragões,
VALÉRIO MASSIMO MANFREDI
433. A Terra Pura,
ALAN SPENCE
434. Um Outro – Crónica de Uma Metamorfose,
IMRE KERTÉSZ
435. O Gosto Amargo da Traição,
SASKIA NOORT
436. Antes Que Seja Tarde,
JACQUELYN MITCHARD
437. O Vale dos Segredos,
CHARMIAN HUSSEY
438. O Labirinto da Rosa,
TITANIA HARDIE
439. O Dia Que Faltava,
FABIO VOLO
440. A Música das Borboletas,
RACHAEL KING
441. Quénia – Um Leve Sopro do Destino
MARIA HELENA MAIA
442. O Último Setembro em Teerão,
DALIA SOFER
443. O Violoncelo de Sarajevo,
STEVEN GALLOWAY
444. A Prisão do Silêncio,
TOREY HAYDEN
445. Os Cães de Babel,
CAROLYN PARKHURST
446. Joana, a Louca,
LINDA CARLINO
447. A Vida na Porta do Frigorífico,
ALICE KUIPERS
448. A Dádiva,
TONI MORRISON
449. A Melodia do Adeus,
NICHOLAS SPARKS
450. O Santuário Perdido,
RAYMOND KHOURY
451. Junia ou a Justiça de Trajano,
THERESA SCHEDEL
452. A Guerra e a Paz,
JOSÉ-AUGUSTO FRANÇA
453. Memória dos Dias sem Fim,
LUIS ROSA
454. O Beijo do Ladrão,
ALAN PARKER
455. Nó de Sangue,
AGUSTIN SÁNCHEZ VIDAL
456. Lavínia,
URSULA K. LE GUIN
457. Um Piano em Sesimbra,
HENRIK NILSSON
458. Barbershop,
JÚLIO CONRADO
459. Entre os Assassinatos,
ARAVIND ADIGA
460. A Luz de Um Novo Dia,
TOREY HAYDEN
461. Numa Terra Estranha,
JHUMPA LAHIRI
462. Uma Palavra Tua,
ELVIRA LINDO
463. Alice Eu Fui,
MELANIE BENJAMIM

464. Observações,
JANE HARRIS
465. Crónica do Rei-Poeta Al-Mu'tamid,
ANA CRISTINA SILVA
466. As Virgens de Vivaldi,
BARBARA QUICK
467. O Museu da Inocência,
ORHAN PAMUK
468. Delírio,
LAURA RESTREPO
469. Tudo Conta,
TONI JORDAN
470. Nos Mares da Terra Nova
– A Saga dos Bacalhoeiros,
ANSELMO VIEIRA
471. Um Instante de Amor,
MILENA AGUS
472. Beatriz e Virgílio,
YANN MARTEL
473. Quando Menos Esperamos...,
SARAH DUNN
474. O Ano do Nevoeiro,
MICHELLE RICHMOND
475. O Sabor do Perigo,
PETER ELBING
476. Às Minhas Filhas,
ELIZABETH NOBLE
477. A Casa dos Sete Pecados,
MARI PAU DOMINGUEZ
478. Ódio,
DAVID MOODY
479. A Queda dos Gigantes
– Trilogia O Século – Livro I,
KEN FOLLETT
480. Um Amor sem Tempo,
CARLOS MACHADO
481. Num Breve Fechar de Olhos,
ABBIE TAYLOR
482. Fama – Romance em Nove Histórias,
DANIEL KEHLMANN
483. Um Refúgio para a Vida,
NICHOLAS SPARKS
484. Levaram-me,
PAULO PEREIRA CRISTÓVÃO
E SUSANA FERRADOR
485. Sem Tempo para Dizer Adeus,
JACQUELYN MITCHARD
486. O Décimo Dom,
JANE JOHNSON
487. Destroços,
JAMES BRADLEY
488. True Grit – Indomável,
CHARLES PORTIS
489. A Vida de Pi,
YANN MARTEL
490. As Pirâmides de Napoleão,
WILLIAM DIETRICH
491. Bombaim – A um Mundo de Distância,
THRITY UMRIGAR
492. A Contadora de Filmes,
HERMÁN RIVERA LETELIER
493. Uma Inquietante Simetria,
AUDREY NIFFENEGGER
494. Água, Pedra, Coração,
WILL NORTH
495. Vozes Silenciosas,
TOREY HAYDEN